MAURICE GREVISSE

DOCTEUR EN PHILOSOPHIE ET LETTRES

EXERCICES

SUR LA

GRAMMAIRE FRANÇAISE

VINGT-CINQUIÈME ÉDITION

ÉDITIONS J. DUCULOT, S. A.

GEMBLOUX

DANS LA MÊME COLLECTION, A LA MÊME LIBRAIRIE, DU MÊME AUTEUR

LE BON USAGE, Grammaire française, avec de nombreuses Remarques sur la langue française d'aujourd'hui.

Un volume in-8º de 1192 pages, 8ᵉ édition, 1964.

La septième édition de cet ouvrage a été inscrite par le Gouvernement au catalogue des ouvrages classiques dont l'emploi est autorisé dans les établissements officiels d'enseignement moyen (trois classes supérieures des athénées royaux).

Elle a été admise aussi par le Gouvernement comme manuel classique recommandé pour l'enseignement dans les écoles normales moyennes, ainsi que comme livre destiné aux bibliothèques des écoles primaires, des cercles cantonaux d'instituteurs et à celles des écoles normales.

PRÉCIS DE GRAMMAIRE FRANÇAISE, à l'usage des Écoles moyennes et des classes inférieures des humanités et des Écoles normales, 26ᵉ édition.

EXERCICES sur la Grammaire française. Livre du Maître.

COURS DE DICTÉES FRANÇAISES. 215 dictées graduées, avec commentaire lexicologique et grammatical après chaque texte, — suivies de 54 dictées faites à divers concours et examens — 7ᵉ édition.

COURS D'ANALYSE GRAMMATICALE des Mots et des Propositions. 6ᵉ édition.

COURS D'ANALYSE GRAMMATICALE, Livre du Maître.

DE MADAME M.-TH. GOOSSE-GREVISSE :

TEXTES FRANÇAIS. Anthologie pour les 3 classes inférieures des humanités et des écoles normales, pour les écoles moyennes et pour les écoles techniques.

Le **Précis de Grammaire française** (26ᵉ éd.), *les* **Exercices** (22ᵉ éd.), *le* **Cours d'Analyse grammaticale** (4ᵉ éd.), et les **Textes français,** *ont été adoptés par le Conseil de perfectionnement de l'Enseignement moyen.*

Le **Précis de Grammaire française** *et les* **Exercices,** *de même que les* **Textes français,** *ont été admis aussi par le Gouvernement comme manuels classiques pour l'enseignement dans les écoles normales et comme ouvrages pour bibliothèques pédagogiques et bibliothèques des écoles normales.*

© Éditions J. Duculot, S. A. — Gembloux, (Printed in Belgium).

Exercices sur la Grammaire française

CHAPITRE I

LES ÉLÉMENTS DE LA LANGUE

Les Sons.

1. — Divisez les mots en syllabes. [Gr. § 4.]

Heureux Musiciens !

Oh ! comme ils sont heureux les musiciens du 3e ! L'œil fixé sur les doubles croches, ivres de rythme et de tapage, ils ne songent à rien qu'à compter leurs mesures. Leur âme, toute leur âme tient dans ce carré de papier large comme la main, qui tremble au bout de l'instrument entre deux dents de cuivre.

A. DAUDET.

2. — Dites de combien de syllabes sont les vers suivants :
[Gr. § 4.]

1. Laissons   le vent gémir et le flot murmurer. (Lamartine.) — 2. En face de moi vint s'asseoir| Un convive vêtu de noir. (Musset.) — 3. Vos ailes sont d'azur. (Hugo.) — 4. L'avarice perd tout en voulant tout gagner. (La Font.) — 5. Tournez, tournez, bons chevaux de bois. (Verlaine.) — 6. Quel enfant sourd ou quel nègre fou | Nous a forgé ce bijou d'un sou ? (Id.)

3. — Distinguez les voyelles buccales et les voyelles nasales.
[Gr. § 7.]

La Procession.

La procession rentre enfin au hameau. Chacun retourne à son ouvrage : la religion n'a pas voulu que le jour où l'on demande à Dieu les biens de la terre fût un jour d'oisiveté. Avec quelle espérance on enfonce le soc dans le sillon, après avoir imploré celui qui dirige le soleil et qui garde dans ses trésors les vents du midi et les tièdes ondées !

CHATEAUBRIAND.

4. — Prononcez les mots suivants en distinguant bien : [Gr. § 7.]

1º *Les* **a** *ouverts des* **a** *fermés :* Lilas — bras — flamme — lame — tu plantas — cadre — tabac — cabane — repas — avocat — tache — fable — cataracte — gare.

2º *Les* **e** *ouverts des* **e** *fermés :* Espèce — chaise — désir — rêve — étincelle — tendresse — ferme — assez — bonté — mettre — ailes — cadet — cocher.

3º *Les* **eu** *ouverts* des **eu** *fermés :* Meuble — fleuve — neutre — pécheur — aveu — il pleut — veuve — frileux — demeure — hauteur — Meuse — un œuf — des œufs — meute — jeûner — jeune — meule — beurre.

4º *Les* **o** *ouverts des* **o** *fermés :* Flotte — agneau — repos — rose — cigogne — étoffe — monotone — saule — fosse — album — école — rôle — éloge — couronne — fauve — robe.

5. — Prononcez les mots suivants en distinguant bien les voyelles longues des voyelles brèves :   [Gr. § 7.]

Guêpe — gomme — vite — cor — messe — tour — chose — pape — lourd — douce — sève — brise — mèche — flore — dôme — perte — mère — base — calme — grosse — table — sucre — pauvre — mauvais — face — nuque — meute — côte — solde — masse — flamme — nous plantâmes — vous crûtes.

6. — Lisez à haute voix les mots suivants en veillant à bien prononcer :

a) Les **g** : Gamme — gilet — guenon — gingembre — Goliath — geôlier — gêne — gaine — guitare — gitane — gageure — gnome — gai — geai — galet — gestion — dégingandé — Gygès — Gorgibus — gigantesque — envergure.

b) Les **ch** : Chaos — cheval — chélidoine — Michel-Ange — architecture — Machiavel — archevêque — archange — chiromancie — psychologie — Chanaan — chaleur — Chaldée — orchidée — Achille — chérubin — lichen — catéchumène — eucharistie.

c) Les **ll** : Pastille — bacille — Florenville — camomille — myrtille — cheville — vanille — pupille — il brille — Séville — il distille — vaudeville — vétille — aiguille — faucille — tranquille — Cyrille — Camille — il vacille — cédille — Jupille — mille — artillerie.

d) Le groupe **qu :** Quinquagésisme — quinte — quotient — équateur — quinconce — aquatique — quai — quiproquo — équilatéral — équilibre — quadrature — quasi — quadragésime — quémander — séquestre — équidistant — équitation.

e) Le groupe **gu :** Guérite — guerre — Guadeloupe — aiguille — linguistique — gueux — Guillaume — Guyane — Guizot — jaguar.

Les Signes.

7. — Lisez les phrases suivantes en observant bien les *majuscules*, puis écrivez ces phrases sous la dictée.   [Gr. § 9.]

a) 1. Le sire de Joinville accompagna saint Louis à la 7ᵉ croisade. — 2. La planète Jupiter est 1279 fois plus grosse que la Terre ; c'est la plus grosse des planètes et la plus brillante après Vénus. — 3. Le roi Léopold II avait épousé Marie-Henriette d'Autriche ; il contribua pour une grande part à la prospérité de la Belgique. — 4. On a donné à saint Thomas d'Aquin le surnom de Docteur angélique. — 5. Le général spartiate Eurybiade levait son bâton de commandement comme pour frapper Thémistocle ; celui-ci arrêta l'impétueux Spartiate par le mot fameux : « Frappe, mais écoute ».

b) 1. Du Capitole à la roche Tarpéienne il n'y a qu'un pas. — 2. Le drapeau belge flotte fièrement le 21 juillet. — 3. Les anciens Belges étaient braves et hospitaliers. — 4. La mer Méditerranée communique avec la mer Rouge par le canal de Suez.—5. La justesse du coup d'œil et la fermeté de la main sont les deux qualités maîtresses de l'homme d'État.

8. — Prononcez les mots suivants en observant bien qu'une même lettre ou un même assemblage de lettres représente des sons différents :
                                              [Gr. § 10.]
Cadre, cède — cheval, chœur — nous portions deux portions — ville, vrille — gai, gêne — partie, minutie — digestion, résolution — femme, dilemme — équerre, équestre — parfum, album — majeure, gageure — amer, semer — quotient, il soutient — chambre, Cham — agenda, agence — pente, pentagone — second, fécond — exercice, textile — agnostique, agneau.

9. — Prononcez les mots suivants en observant bien qu'un même son est représenté par différentes lettres ou différents assemblages de lettres :   [Gr. § 10.]

Code, képi, quart, excès, coq, chlore, Dantzig — meuble, cœur, œillet, orgueil — fable, phénomène, Romanow — zéro, casino, sixième — chose, jaune, berceau — pain, peintre, Olympe, benzine, daim, Jocelyn, simple, Martin, Reims.

10. — Lisez à haute voix les mots suivants en observant que certaines consonnes ne se prononcent pas :   [Gr. § 10.]

Temps — renfort — amict — sangsue — suspect — almanach — Jésus-Christ — Gounod — dompter — cep de vigne — automne —

du pain bis — les Vosges — Avesnes — verglas — doigt — asthme — des bœufs — promptement — baptême — fusil — Péruwelz — cinq francs.

11. — **Lisez les mots et les phrases que voici en observant attentivement les *accents*, puis écrivez ces mots et ces phrases sous la dictée :**   **[Gr. § 12.]**

a) Clarté — je révèle — mère — pâlir — il plaît — gâteau — crème — régner — rêve — accélérer — diplôme — trêve — empêcher — théâtre — infâme — râteau — croûte — poète — dévoûment — alène — barême — crémerie — déjeuner — un bohème — poêle — piqûre — îlot — gaîté — fraîche — chaîne — événement — allégrement — Liège.

b) 1. Il faut envers soi-même une juste sévérité. — 2. Un maître sévère déplaît à l'élève négligent, mais il forme les caractères ; sa sévérité d'ailleurs est tempérée par la bonté. — 3. La volonté est une des facultés de l'âme. — 4. On vous a souvent répété que la persévérance est une des premières conditions du succès. — 5. On naît poète, on devient orateur. — 6. Il est malaisé de démêler les habiletés des personnes qui sont guidées par l'intérêt. — 7. La violette est l'emblème de la modestie. — 8. La tempête se déchaîne sur le coteau.

12. — **Faites entrer chacun dans une expression les mots suivants :** **(attention aux accents !) :**   **(Gr. § 12.]**

a) 1. Infâme. — 2. Infamie. — 3. Jeûne. — 4. Jeune. — 5. Grêle. — 6. Il plaît. — 7. Arôme. — 8. Tache. — 9. Tâche. — 10. Bâiller.

b) 1. Psychiatre. — 2. Déjeuner. — 3. Cime. — 4. Gaine. — 5. Grâce. — 6. Gracieux. — 7. Gracier. — 8. Compatir. — 9. Allégement. — 10. Égout.

13. Faites entrer dans de petites phrases les mots suivants (attention à la cédille !) :   **[Gr. § 14.]**

a) Aperçu — merci — menaçant — hameçon — soupçon — décimer — clavecin — gerçure.

b) 1. En traçant. — 2. C'eût été. — 3. Ç'a été. — 4. Ça. — 5. Ç'aurait été. — 6. Avançons.

14. — **Composez de petites phrases dans lesquelles vous emploierez les expressions suivantes (attention au trait d'union !) :** **[Gr. § 14.]**

1. Va-t'en. — 2. Hôtel de ville. — 3. Pas grand-chose. — 4. Croyez-le. — 5. Voit-on. — 6. Nous-mêmes. — 7. Saint-Hubert. — 8. La charité de saint Martin. — 9. Tout à coup. — 10. Tout à fait. — 11. Jusque-là — 12. Au-delà. — 13. Dites-le-lui.

La Liaison. L'Élision.

15. Lisez à haute voix les phrases suivantes, puis écrivez-les en indiquant par un petit trait courbe les *liaisons* à faire entre les mots en italique. [Gr. § 19.]

1. *Les Hollandais* ont fait de la culture des fleurs un art remarquable. — 2. Rendons hommage à la vaillance *des héros* qui sont morts pour la patrie. — 3. Quel dévouement fut *plus héroïque* que celui du Père Damien ? — 4. Ce n'est pas *en hésitant* qu'il faut marcher dans les voies de la vertu. — 5. *Nous honorons* les *grands hommes.* — 6. Il *faut hurler* avec les loups, dit le proverbe. — 7. *Les hippopotames* peuvent atteindre quatre mètres de long. — 8. Les vers de Racine sont *très harmonieux.* — 9. On comprend mieux la fragilité de la vie quand, par *un heureux hasard*, on a échappé à la mort. — 10. Le territoire de la Suisse *est hérissé* de montagnes *très hautes.* — 11. Il *serait honteux* de capituler avec sa conscience. — 12. Préférons ce qui *est honnête* à ce qui est utile.

16. — Lisez à haute voix les expressions ou phrases suivantes, puis écrivez-les en indiquant par un trait courbe les *liaisons* à faire.
[Gr. § 19.]

a) Un hectare — moins humble — plus haut — très hardi — très habile — trois hirondelles — deux hérissons — c'est horrible — les hêtres — sans hampe — un hercule — les haies — les harengs — un hameau — le divin Homère — les faits historiques — des harmoniums et des harpes — cela vous honore — trop honnête — des haricots hâtifs — les deux hémisphères — des haches et des hallebardes — ses haillons — les Hébreux — un hors-d'œuvre — en Hollande — les uhlans.

b) Il vit un lion énorme. — Nous avons eu recours à vous. — Un drap épais. — Du sang humain. — Un long usage. — Il se tournait aussitôt vers eux. — Le premier homme. — Des jours heureux. — Il faut espérer. — Tu souffres aussi des maux accablants. — Un loup affamé. — Vous en oubliez un. — Un mets exquis. — Des machines à coudre. — Un désert affreux.

17. — Élidez, quand il y a lieu, les mots en italique. [Gr. §§ 20-21.]

[Le] houblon — je [le] harcelle — ce ne sont [que] huttes — une pointe [de] hameçon — un fauteur [de] hérésie — il [se] hâte — il [se] habille — une aile [de] héron — une peau [de] hermine — une écaille [de] huître — un seau [de] houille — se faire annoncer par [le] huissier — il [ne] hésite pas — il [ne] heurte pas — [la] héroïne — [la] hernie — une conduite [de] hurluberlu — du fromage [de] Hollande.

18. — Marquez, quand il y a lieu, l'élision par une apostrophe.
[Gr. §§ 20-21.]

a) 1. [*Quoique*] invisibles, il est toujours deux témoins qui nous regardent : Dieu et notre conscience. — 2. [*Puisque*] on plaide et [*que*] on meurt et [*que*] on devient malade, Il faut des médecins, il faut des avocats. (La Font.) — 3. Les vrais amis doivent s'aider [*entre*] eux ; ils doivent s'[*entre*] avertir de leurs défauts. — 4. Là-bas, de petites maisons rustiques étalent leurs toits [*presque*] au ras de terre. — 5. Le feu dévora quatre maisons, [*entre*] autres celle d'une pauvre veuve.

b) 1. Une flottille [*de*] yachts évolue dans la lumière bleue du golfe. — 2. Un millier [*de*] yards font 914 mètres. — 3. Un coup [*de*] yatagan peut causer une blessure d'autant plus profonde que cette arme, dont la lame est recourbée, tranche en agissant du talon à la pointe. — 4. Ce n'est pas [*lorsque*] un ouvrage est [*presque*] achevé [*que*] il faut songer à en ordonner les parties. — 5. [*Quoique*] agréables, les flatteurs sont dangereux.

19. — Même exercice.   [Gr. §§ 20-21.]

a) 1. [*Le*] oui de l'homme sincère est toujours prononcé sans arrière-pensée. — 2. Revenez [*entre*] onze heures et midi. — 3. Notre condition jamais ne nous contente ; nous en envions toujours [*quelque*] autre. — 4. Ces trois frères se ressemblent [*entre*] eux, [*quoique*] ils n'aient pas le même caractère. — 5. « C'est [*la*] huitième merveille du monde » dit-on, par exagération, d'un superbe édifice ou de [*quelque*] autre chose semblable.

b) 1. [*Le*] Yang-tsé-Kiang ou fleuve Bleu forme un vaste delta. — 2. [*Entre*] amis, on ne doit pas se piquer pour peu de chose. — 3. Qu'est-ce que cent ans ? qu'est-ce que mille ans, [*puisque*] un seul moment les efface ? Que vous servira d'avoir tant écrit dans ce livre, d'en avoir rempli les pages de beaux caractères, [*puisque*] enfin une seule rature doit tout effacer ? (Bossuet.) — 4. [*Si*] il est des jours amers, il en est de si doux ! (A. Chénier.) — 5. Il résout les difficultés [*presque*] en jouant.

Origine des mots.

20. — Voyez dans le dictionnaire le sens des mots suivants et faites-les entrer chacun dans une petite phrase :   [Gr. § 24.]

a) Ultimatum — referendum — exeat — distinguo — vivat — palladium — aléa — aparté — quiproquo — magister — alibi — quolibet.

b) Spécimen — statu quo — duplicata — veto — tollé — fac-similé
— quorum — meâ-culpâ — placet — non possumus — desiderata.

**21. — Dans les deux premières colonnes, rapprochez les *doublets* ;
de même, dans les deux dernières.** [Gr. § 24.]

Modèle : boule — bulle.

boule	opérer	âcre	dîme
employer	essaim	chantre	natal
veille	tremper	chevalier	troubadour
raide	délié	ministère	chenal
examen	tradition	avocat	chanteur
hôpital	vigile	trouvère	mansion
trahison	rigide	parole	aigre
serment	bulle	canal	colloquer
délicat	hôtel	maison	avoué
tempérer	fragile	sou	parabole
picador	sacrement	décime	métier
ouvrer	impliquer	Noël	cavalier
frêle	piqueur	coucher	solide

22. — Remplacez le tiret par un *doublet*. [Gr. § 24.]

a) *pórticum :* porche, —
　legálem : loyal, —
　cúbitum : coude, —
　potiónem : poison, —
　rótulum : rôle, —
　móbilem : meuble, —
　frágilem : frêle, —
　singulárem : sanglier, —
　recuperáre : recouvrer, —
　masticáre : mâcher, —

　　ratiónem : raison, —
　　captívum : chétif, —
　　dedicátio : ducasse, —
　　fáctum : fait, —
　　súrgere : sourdre, —
　　punctiónem : poinçon, —
　　fábricam : forge, —
　　augústum : août, —
　　monastérium : moutier, —
　　blasphemáre : blâmer, —

b) *liberáre :* —, libérer.
　sígnum : —, signe.
　separáre : —, séparer.
　caritátem : —, charité.
　armatúram : —, armature.
　simuláre : —, simuler.
　ranúnculam : —, renoncule.
　órganum : —, organe.
　claviculam : —, clavicule.
　artículum : —, article.
　plánum : —, plan.

　　officínam : —, officine.
　　redemptiónem : —, rédemption.
　　módulum : —, module.
　　grácilem : —, gracile.
　　paradísum : —, paradis.
　　natívum : —, natif.
　　navigáre : —, naviguer.
　　prehensiónem : —, préhension.
　　auscultáre : —, ausculter.
　　praedicatórem : —, prédicateur.
　　factiónem :— , faction.

Dérivation.

23. — Trouvez les noms tirés par dérivation impropre : [Gr. § 26.]

a) du participe passé (forme masculine ou féminine) des verbes suivants :

Recevoir — débourser — lever (2 dérivés) — raccourcir — comprimer — commettre — compromettre — venir — fourrer — arrêter — croiser — bâtir — associer — enclore — étendre — voir — conduire (2 dérivés) — feindre — assembler — battre — recroître (2 dérivés) — absoudre — couvrir — faire — craindre — surseoir — entreprendre — démentir — distraire — retenir — fricasser — écrire — passer — dicter — peser — revoir — plaindre.

b) du participe présent (forme masculine ou féminine) des verbes suivants :

Supplier — coucher — répondre — figurer — mendier — restaurer — résulter — débuter — varier — tourner — voir — surveiller — vivre — monter — dominer — pencher — voler — mordre.

24. — Dites de quels verbes sont venus les noms suivants (qui sont d'anciens participes passés) :   [Gr. § 26.]

Perte — vente — ponte — mors — faute — réponse — élite — tort — semonce.

25. — Dites la catégorie à laquelle appartenaient les mots en italique et indiquez la catégorie dans laquelle la dérivation impropre les a fait passer.   [Gr. § 26.]

1. Il n'est pas bon qu'un jeune homme ait de l'argent *plein* ses poches. — 2. Une forêt se présenta à nos yeux ; peu *après* vint le *gros* du village avec ses maisons basses, son clocher à demi *croulant*, ses toits de tuiles dont les fumées montaient *droit* vers le ciel. — 3. Les hirondelles bâtissent leur nid sous mon balcon : que d'*allées* et *venues !* — 4. Ma chère maman, tes *traits* sympathiques, ton franc *sourire* rayonnent dans notre maison. — 5. La science humaine est impuissante à expliquer le *pourquoi* et le *comment* de bien des choses ; *aussi* il n'est pas raisonnable de la tenir pour infaillible. — 6. Mon ami est comme un autre *moi*-même. — 7. Il convient que chacun soit récompensé *suivant* ses mérites. — 8. Quand le *devoir* commande, on doit lui obéir sans hésiter.

26. — Formez avec les mots suivants des noms dérivés en *-ade*, *-age*, *-aison*, *-ison*, *-ation*, exprimant l'action ou le résultat de l'action : [Gr. § 27.]

braver	ruer	exhaler	témoigner
terminer	incliner	déballer	reculer
monter	croiser	sonder	trier
adapter	arrimer	fusiller	cirer
griffonner	tondre	arpenter	majorer
garnir	éclairer	chômer	bousculer
dégringoler	bifurquer	expatrier	décliner
surélever	mouiller	saler	arquebuse

27. — Formez avec les mots suivants des noms dérivés en *-ance*, *-ence*, *-erie*, *-ure*, *-on*, *-ment*, exprimant l'action ou le résultat de l'action : [Gr. § 27.]

venger	flatter	croiser	peindre
plonger	s'endurcir	enluminer	souffrir
hurler	broder	résister	bâtir
courber	cuire	présider	endurer
éblouir	tapisser	railler	friser
exiger	dénigrer	sculpter	isoler
graver	mouiller	tromper	adhérer

28. — Formez avec les mots suivants des noms dérivés indiquant la *collection* :

balustre	dix	feuille	branche
saule	colonne	douze	mât
quatre	plume	cheveu	chêne
vert	trente	cent	valet
grain	marmot	pierre	hêtre

29. — Formez les *diminutifs* dérivés des mots suivants : [Gr. § 27.]

a)

lance	nègre	casque	arbre
sac	pomme	lapin	loup
cordon	bateau	gant	globe
main	corde	île	ver
os	côte	prune	tarte
dindon	barbe	lion	ours
table	brin	histoire	casaque

b)

carafe	coq	poète	mouche
lis	garçon	lièvre	rue
oiseau	fève	maille	poche
faux	fleur	livre	cascade
tour	croûte	goutte	aigle
femme	boule	aile	souris
escadre	figure	âne	flotte
botte	puce	bulbe	roi

30. — Comment appelez-vous : [Gr. § 27.]

a) la qualité de celui qui est :

fier — balourd — souple — étourdi — aimable — exact — sot — cruel — hardi — fainéant — prompt — franc — poli — gauche — désinvolte — gentil — gourmand — tendre — droit — hébété — jaloux — fat — humble — jeune — badaud — agile — ladre — brave — délicat — poltron.

b) l'action (ou le résultat de l'action) :

d'abattre — de braconner — de se pâmer — de guérir — d'ajuster — de gaspiller — de noyer — de bâtonner — de conjuguer — de se promener — de signer — de canonner — de galoper — de remplir — de couper — de dicter — de livrer — de flatter — de patiner — de souder — d'éclabousser — d'effeuiller — de fleurir — de cueillir — de faner — de draper — d'ensabler — de nettoyer — d'ensevelir — de brûler — d'élargir — de coiffer — d'égratigner — de comparer — de blesser — de prendre — de lier — de déchirer — de marchander — de délivrer — d'espionner — de chauffer — de trahir — de moisir.

31. — Comment appelez-vous : [Gr. § 27.]

a) la dignité, la fonction, le titre, le local :

du général — du maréchal — du commissaire — du vice-consul — du sultan — de l'amiral — du notaire — du docteur — du secrétaire — du patriarche — du professeur — de l'orphelin — de l'interne — du cardinal — du volontaire — du provincial — du protecteur — d'une pension — du précepteur — du stathouder.

b) celui qui fait l'action :

de dompter — de vaincre — de sonner — de sculpter — de tourner — de modeler — de vendanger — d'imprimer — de pourvoir — de fumer — de gronder — de forger — de cuisiner — de plafonner — d'encaisser — de régir — de chanter — de garnir — de tanner — de balayer — de guérir — de haranguer — de confire.

c) l'instrument, l'objet servant à :

rôtir — encenser — presser — polir — épouvanter — arroser — mitrailler — battre (le blé) — décrotter — aspirer (la poussière) — moissonner — gratter — se balancer — écumer — éteindre — hacher — gouverner (un vaisseau) — torpiller — laminer — draguer — ébaucher — écrémer — s'éventer.

32. — Avec les mots suivants formez des noms dérivés indiquant :
[Gr. § 27.]

a) La personne dont la profession — ou les occupations — ou les croyances — ont pour objet :

les parfums	les statues	la tactique	une pétition
le zinc	le latin	les dents	l'idéal
les archives	la logique	la copie	les pamphlets
les livres	la barbe	la pratique	la grammaire
le violon	les puits	une utopie	la vigne
la chasse	les portraits	la moisson	la musique
les antiquités	la théorie	la propagande	l'humour
une tâche	les romans	les bûches	la comédie

b) le contenu :

bouche	gorge	bras	cuiller
panier	bec	pelle	poche
poing	plume	maison	nid
four	pot	boisseau	plat
bol	écuelle	assiette	cruche
charrette	râteau	cuve	brouette

c) le lieu :

dormir	distiller	trotter	abreuver
chien	four	cour(t)	maire
poisson	fruits	gendarme	abattre
parler	fumer	reposer	lépreux
acier	dresser	trésor	saler

33. — Comment appelle-t-on :
[Gr. § 27.]

a) celui qui fabrique ou qui vend :

de la crème — des bandages — des pots — des horloges — des drogues — des chaudrons — des miroirs — des briques — des chapeaux — des meubles d'ébène, etc. — des bijoux — du fer-blanc — de la faïence — des épices — des peaux — des serrures — du linge — des bibelots — des parfums — des instruments analogues au luth — des tonneaux — des cordes — du lait.

b) le commerce ou l'industrie de celui qui vend ou fabrique :

des   pots — des   épices — des   parfums — des   briques — des
cristaux — des miroirs — du fer-blanc — des peaux — des tonneaux
— des chapeaux — des cordes — des bijoux — de la faïence — des
drogues — des images — de la poudre — du linge — des bibelots
— des instruments analogues au luth — des horloges — de la crème —
des chaudrons — des meubles d'ébène, etc. — des serrures — du lait
— des fromages.

34. — Avec les mots suivants formez des adjectifs en *-able*, *-ible*, et joignez chacun d'eux à un nom :

Modèle : passer, passable ; un devoir passable.

passer	traduire	apprécier	guérir
peine	manier	loisir	condamner
avouer	haïr	pardonner	faillir
nuire	submerger	lire	périr
blâmer	louer	paix	estimer

35. — Joignez à un nom l'adjectif en *-able*, ou *-ible*, signifiant : [Gr. § 27.]

Modèle : Qu'on peut respirer : respirable ; un air respirable.

a) 1. Qu'on peut *respirer*. — 2. Qui est digne de *pitié*. — 3. Qui est susceptible d'*extension*. — 4. Qui peut être *souhaité*. — 5. Qui peut être *reproduit*. — 6. Qui peut encore se *mettre*. — 7. A quoi on peut *remédier*. — 8. Sur lequel du bois peut *flotter*. — 9. Qui peut être *corrigé*. — 10. Qui peut être *cultivé*.

b) 1. Qui peut faire *explosion*. — 2. Qui peut être *mobilisé*. — 3. Qui est susceptible de *fermentation*. — 4. Qu'on ne peut *nier*. — 5. Qu'on a le droit d'*exiger*. — 6. Qui peut être *escompté*. — 7. Qui peut se *transmettre*. — 8. Qui peut être *exécuté*. — 9. Qui peut être *digéré*. — 10. Qui ne peut être *pris*.

36. — Formez les adjectifs (ou noms) dérivés s'appliquant aux *habitants* : [Gr. § 27.]

de la Perse	d'Arlon	du Brésil	de Madrid
de l'Afrique	d'Ostende	de Genève	du Tonkin
du Congo	de Dinant	de Sparte	de la Champagne
de la Finlande	de Spa	de la Flandre	de la Crète
de la Pologne	de la Calabre	de Venise	de Samarie

37. — Remplacez par un adjectif (en -aire, -al, -el, -eur, -eux) les expressions en italique. [Gr. § 27.]

a) 1. Un serpent *qui a du venin.* — 2. Une pierre *placée sur une tombe.* — 3. Une personne *qui possède des millions.* — 4. Un roi *qui aime à bâtir.* — 5. Une rue *remplie de boue.* — 6. Une circonstance *qui sert d'occasion.* — 7. Un emploi *qui ne doit être exercé qu'un temps.* — 8. Un ciel *couvert de nuages semblables à la laine du mouton.* — 9. Une nouvelle *qui fait sensation.* — 10. Des doctrines *visant à l'égalité complète.*

b) 1. Une affaire *qui dépend de la chance.* — 2. Une décoration *qui appartient à la sculpture.* — 3. Le moment *du crépuscule.* — 4. Une pluie *qui a le caractère d'un torrent.* — 5. Un récit *ayant rapport à la légende.* — 6. Un aplomb *qui tient du phénomène.* — 7. Des théories *intéressant le bien-être de l'humanité.* — 8. Une toison *en flocons.* — 9. Un événement *qui se produit par accident.* — 10. Une humeur *qui aime à batailler.*

c) 1. Un charme *qui empoisonne.* — 2. Un esprit *qui a des visions.* — 3. Un chemin *où il y a beaucoup de cailloux.* — 4. Une musique *qui doit être exécutée par des instruments.* — 5. Une peau *qui semble frottée d'huile.* — 6. Une plante *employée dans l'officine.* — 7. Un fluide *qui est de la nature du gaz.* — 8. Le péché *contracté par la race humaine dans son origine.* — 9. Une bière *qui produit de la mousse.* — 10. — Un mendiant *qui a des vêtements en loques.*

38. Cherchez les adjectifs en -ain, -esque, -ien, -if, dérivés des mots suivants et joignez chacun d'eux à un nom : [Gr. § 27.]

Modèle : masse, massif ; de l'or massif.

masse	rivière	Sahara	sport
Amérique	penser	proche	Corneille
carnaval	haut	instinct	Sardanapale
Rabelais	livre	funambule	adhésion
pousser	persuader	Napoléon	Mexique

39. — Cherchez les adjectifs en -in, -ard, -âtre, -aud, -asse, dérivés des mots suivants et joignez chacun d'eux à un nom : [Gr. § 27.]

Modèle : patte, pataud ; un valet pataud.

patte	sang	ivoire	Alpe
fade	rust(r)e	blanc	nasiller
court	vert ←	fin	mol
cristal	Levant	enfant	muser
vanter	montagne	rouge	cheval

40. — Formez avec les mots suivants des adjectifs diminutifs en -in, -et, -elet, -ot et joignez chacun d'eux à un nom : [Gr. § 27.]

Modèle : maigre, maigrelet ; un enfant maigrelet.

maigre	aigre	clair	seul
vieil	pâle	pauvre	rond
simple	galant	bel	mol

41. — Remplacez par un adjectif (en -ique, -é, -u -er, -ier) les expressions en italique. [Gr. § 27.]

a) 1. Une société *d'amateurs de vélocipèdes.* — 2. Un militaire *qui a un grade.* — 3. Une personne *qui a un grand âge.* — 4. Un abbé *qui porte la mitre.* — 5. Des fruits *propres à telle ou telle saison.* — 6. Un homme *qui a de la barbe* et *de grosses moustaches.* — 7. Un ruban *lustré à la manière du satin.* — 8. Une coquille *renfermant de la nacre.* — 9. Une politique *conforme aux principes de Machiavel.* — 10. Les nymphes *des bocages.*

b) 1. Un appétit *aussi grand que celui de Pantagruel.* — 2. Un arbre *qui a beaucoup de branches, qui est en forme de fourche, qui a beaucoup de feuilles, qui est couvert de mousse.* — 3. Une chevelure *en touffe, frisée comme le crêpe.* — 4. Des lèvres *qui ont la couleur de la pourpre.* — 5. Un discours *reposant sur le mensonge.* — 6. Un spectacle *qui appartient à la féerie.* — 7. Un homme *enclin à la colère.* — 8. Une carte *indiquant les routes.* — 9. Des scories *provenant d'un volcan.* — 10. Un fonctionnaire *qui agit par routine.*

42. — Remplacez par un adjectif (en -ueux, -issime) les expressions en italique. [Gr. § 27.]

1. Un ruisseau *qui forme un torrent.* — 2. Un homme *extrêmement riche.* — 3. Un ami *qui pratique la vertu.* — 4. Un vin *très excellent.* — 5. Un docteur *très savant.* — 6. Un mobilier *où il y a du luxe.* — 7. Un personnage *très ignorant.* — 8. Un écrivain *qui a du talent.* — 9. Un homme *enclin à soulever des difficultés.* — 10. Un style *qui a de la majesté.*

43. — Avec chacun des mots suivants formez un verbe, que vous ferez entrer dans une expression : [Gr. § 27.]

Modèle : noir, noircir ; noircir la réputation de quelqu'un.

a) Verbes en -er, -ier, -ir :

noir	pâle	émail	vagabond
tache	tiède	blanc	épais
faux	captif	tronc	épaule

étude	fusil	hasard	jaune
aigre	éperon	rance	aiguillon
frisson	bleu	sillon	dur
roux	grand	terne	collet
bénéfice	remède	supplice	vice
abri	borne	jaloux	miroir

*b) Verbes en **iser, -ifier** :*

divin	tyran	séculier	harmonie
sympathie	gaz	acide	égal
colon	ton	rival	stérile
solitaire	martyr	solide	personne
code	momie	général	tranquille
fertile	agonie	alcool	symbole

*c) Verbes en **-ayer, -oyer, -ailler, -asser, -iller** :*

guerre	crier	tour	côte
fer	fête	rimer	tu (toi)
rêver	traîner	onde	écrire
mordre	bègue	tirer	disputer
rouge	poudre	fendre	grappe
nez	pendre	fosse	pie
traquer	répéter	pointer	braise

*d) Verbes en **-eler, -eter, -ocher, -onner, -oter** :*

piquer	trembler	siffler	taper
mâcher	chanter	boire	vivre
voler	friser	tousser	rire
craquer	sauter	bosse	tâter
marquer	griffer	effiler	dent

44. — Formez avec chacun des mots suivants : [Gr. § 27.]

*a) un ou plusieurs **noms** dérivés :*

comparer	vin	brûler	cerise
plume	siffler	hardi	ceinture
traître	petit	trente	salade
veuf	chaudron	table	user
rue	planche	vert	limer

*b) un ou plusieurs **adjectifs** dérivés :*

accepter	barbe	court	Piémont
piller	matin	héros	Brésil
périr	babil	enfant	scène
verbe	pédant	personne	manger
blasphème	fade	pâle	ivoire

*c) un ou plusieurs **verbes** dérivés :*

gros	mobile	fourmi	foudre
canal	capital	simple	flamber
blême	photographie	papillon	français
ronron	vert	uniforme	germain

Composition.

45. — Au moyen des mots en italique et du préfixe *ad-* (modifié au besoin) formez des verbes signifiant :   [Gr. § 30.]

arriver au *bord*	*tirer* à soi
habituer à un *climat*	opposer *front* à *front*
rendre plus *tendre*	rendre *parent* par alliance
rendre plus *long*	mettre à *sec*
rendre *plan*	habituer à la *guerre*
ramener à l'état de *paix*	faire devenir *sain*
asseoir à une *table*	prendre *terre*
prendre avec les *griffes*	rendre *franc*

46. — Au moyen des mots suivants et du préfixe *ad-* (modifié au besoin) formez des verbes, que vous ferez entrer chacun dans une expression :   [Gr. § 30.]

Modèle : pauvre — appauvrir un terrain.

pauvre	battre	faim	plat
brute	jour	long	souple
sage	ferme	serment	tiède
courir	siège	trappe	note
triste	chemin	quitte	provision
mer	compagnon	fréter	grave
faix	fade	côte	proche

47. — Au moyen des préfixes *bien-*, *-mal-* (*mé-*, *més-*, *-mau-*) formez des mots, que vous ferez entrer chacun dans une locution : [Gr. § 30.]

Modèle : heureux — le séjour des bienheureux, secourir les malheureux.

heureux	tôt	fier	être
user	aise	séant	allier
connaître	dire	appris	aisé
adroit	venu	faisant	estimer
contenter	avisé	priser	seoir
habile	plat	vente	sain
honnête	propre	mener	prendre

48. — Même exercice avec les préfixes *co-*, *com-*, *con-*, *contre-* :
[Gr. § 30.]

associé	citoyen	poison	exister
sens	vérité	efficient	locataire
front	détenu	faire	maître
signer	mère	poids	basse
patriote	temps	accusé	propriétaire
fort	balancer	frère	coup

49. — Au moyen du préfixe *dé-* (*dés-*, *dis-*), formez des composés, que vous ferez entrer chacun dans une expression :
[Gr. § 30.]

Modèle : tourner — détourner une rivière.

tourner	tordre	posséder	unir
saler	avouer	paraître	souder
semblable	ennuyer	trousse	os
altérer	mode	pays	classe
sécher	approuver	honneur	tromper
proportion	agréger	terre	espoir
nid	serrer	ménage	camp

50. — Quels sont les verbes (préfixes *en-*, *em-*) signifiant :
[Gr. § 30.]

a) Mettre ou enfermer dans :

la paume	un maillot	un gouffre	un régiment
la pâte	la poche	une prison	un fou
des murs	un magasin	une caisse	une barque
un ménage	la terre	un pot	un cadre
les chaînes	une châsse	la bourbe	une brigade

b) 1. Traverser avec une *broche*. — 2. Garnir de *rubans*. — 3. Fixer par des *racines*. — 4. Garnir de *semences*. — 5. Marquer d'une *tache*. — 6. Affecter en agissant sur la *tête*. — 7. Regarder au *visage*. — 8. Charger d'une *dette*. — 9. Franchir en écartant les *jambes*. — 10. Emplir de *fumée*. — 11. Percer d'une *fourche*. — 12. Traverser par un *fil*. — 13. Recouvrir de *farine*. — 14. Garnir de *cornes*. — 15. Exciter à montrer du *courage*. — 16. Colorer en *pourpre*. — 17. *Mêler* ensemble. — 18. Orner d'un *panache*.

c) 1. Rendre *gourd*. — 2. Rendre *riche*. — 3. Rendre *gras*. — 4. Tacher en rendant *sanglant*. — 5. Rendre *noble*. — 6. Rendre *ivre*.

— 7. Rendre *dur*. — 8. Rendre *beau*. — 9. Rendre *hardi*. — 10. Rendre plus *cher*. — 11. Rendre *laid*. — 12. Rendre *joli*.

51. — Faites entrer chacun dans une expression les verbes (préfixes *en-*, *em-*, marquant l'éloignement) qui signifient :

[Gr. § 30.]

1. *Lever* pour retirer de sa place. — 2. *Fuir* loin. — 3. *Mener* avec soi d'un lieu dans un autre. — 4. Venir à la *suite* de quelque chose, arriver par *suite* de quelque chose. — 5. *Traîner* avec soi.

52. — Formez, au moyen du préfixe *ex- (é-, ef-, es-)*, des verbes composés des mots suivants et faites entrer chacun d'eux dans une expression :

[Gr. § 30.]

Modèle : haut — exhausser un mur.

haut	loin	feuille	propre
clair	dent	vapeur	bruit
miette	souffler	cosse	cœur
borgne	branche	chaud	changer
crème	chardon	chenille	chape
quart	brèche	bouillant	bourgeon

53. — Au moyen des préfixes *entre-*, *inter-*, formez les mots qui signifient :

[Gr. § 30.]

a) 1. Se *dévorer* mutuellement. — 2. Se *choquer* l'un contre l'autre. — 3. *Déposer* provisoirement. — 4. Ouvrir très peu de manière à faire *bâiller*. — 5. Qui a lieu de *nation à nation*. — 6. *Enlacer* l'un dans l'autre. — 7. Espace compris entre deux *voies*. — 8. Se *mettre* entre deux personnes pour les servir dans une affaire à conclure. — 9. *Ouvrir* en disjoignant certaines parties.

b) 1. Morceau de viande coupé entre deux *côtes*. — 2. Adresse à manier les *gens*. — 3. Ce qui se sert entre deux *mets*. — 4. Espace entre deux *lignes*. — 5. Intervalle entre deux *colonnes*. — 6. Courte note dans un journal entre deux *filets*. — 7. Piquer de distance en distance avec du *lard*. — 8. Espace séparant *deux choses*. — 9. *Voir* à demi. — 10. *Prendre* en main pour exécuter.

c) 1. Situé entre les *tropiques*. — 2. *Mêler* parmi d'autres choses. — 3. Étage entre les deux *ponts* d'un navire. — 4. Intervalle entre deux *pilastres*. — 5. Qui est placé entre les *os*. — 6. Faire intervenir (un appel) en le *jetant* entre la sentence et l'exécution. — 7. Qui est situé entre les *côtes*. — 8. *Couper* par intervalles.

54. — Au moyen du préfixe *in- (il-, im-, ir-)*, formez des adjectifs tirés des mots suivants et joignez chacun d'eux à un nom :
[Gr. § 30.]

Modèle : correct — une expression incorrecte.

a)
correct	lettré	surmonter	payer
efficace	probable	manquer	soutenir
respirer	supporter	populaire	occupé
reprocher	buvable	logique	lisible
jouer	imaginer	réaliser	réductible

b)
matériel	responsable	appliqué	attentif
respectueux	avouable	cohérent	résolu
altérable	certain	conscient	contestable
effacer	discret	réel	convenant

55. — Au moyen des préfixes *outre-, ultra-, par-, per-, pour-, pro-, pré-*, formez des mots composés des mots suivants :
[Gr. § 30.]

mont	disposer	fumer	tout
boire	quoi	lécher	mer
achever	voir	poser	supposer
siffler	dominer	fendre	semer
tour	faire	cité	établi
existence	chasse	séance	historique
cours	terre	passer	courir
jeter	juger	conçu	opiner

56. — Au moyen du préfixe *re- (ré-, res-, r-)* formez des verbes composés des mots suivants et faites-les entrer chacun dans une expression :
[Gr. § 30.]

Modèle : emmancher — remmancher une hache.

emmancher	boiser	serrer	servir
monter	partir	écurer	acheter
abaisser	abattre	suer	armer
cuire	produire	accommoder	sentir
agir	battre	montrer	emplir
appeler	pêcher	saisir	souder
toucher	unir	former	organiser

57. — Au moyen des préfixes *sur-*, *super-*, *sous- (sou)-*, *trans-*, formez des mots composés des mots suivants et faites entrer chacun d'eux dans une expression :   [Gr. § 30.]

Modèle : mettre — soumettre une décision à l'autorité.

a) mettre   lever   fin   plomb
    ligne   diacre   poser   lieutenant
    passer   nom   sol   venir
    préfet   main   lendemain   an

b) percer   tirer   diviser   hausser
    baisser   vivre   aigu   abondant
    chauffer   humain   exciter   coupe
    monter   bord   élever   plus

58. — En consultant le dictionnaire voyez quel est le sens exact des mots suivants et employez chacun d'eux dans une expression :   [Gr. § 30.]

Modèle : épiderme — avoir l'épiderme sensible.

a) épiderme   euphonie   paradoxe   dyspepsie
    métempsycose   périhélie   métamorphose   périmètre
    symétrie   hémistiche   sympathie   diagonal

b) amorphe   diaphragme   dièdre   apoplexie
    diapason   hypermnésie   apogée   hémiplégie
    hémicycle   apode   épithète   eurythmie

c) anachronisme   antidote   hypoténuse   hypertrophie
    amphibie   diptère   dialogue   épigraphe
    agnosticisme   synonyme   antilogie   symphonie

59. — Quels sont les mots qui signifient :   [Gr. § 31.]

a) 1. Dépérissement causé par *manque* de sang [*haima*]. — 2. Inscription *sur* un tombeau [*taphê*]. — 3. *Contradiction* entre deux lois [*nomos*]. — 4. Salle *demi*-circulaire [*kuklos*]. — 5. Seigneur qui est *au-dessus* d'un duc. — 6. Curé ou prêtre investi d'une autorité qui le place *au-dessus* des autres prêtres. — 7. Point où la lune, le soleil est le plus *loin* de la terre [*gê*].

b) 1. Réunion de *deux* vers [*stichos*]. — 2. *Bon* choix des *sons* [*phônê*]. — 3. Jeu consistant à trouver une série de mots en *changeant* la lettre initiale d'un mot donné [*gramma*]. — 4. Opinion *contraire* à l'opinion commune [*doxa*]. — 5. Navigation *autour* d'une île, d'un continent, du globe [*pleô*].

60. — Séparez par un trait les éléments dont sont constitués les mots suivants ; en vous aidant du dictionnaire, faites entrer chacun de ces mots dans une expression.   [Gr. § 31.]

Modèle : déicide — les Juifs déicides.

a) déicide   pisciculture   omniscient   suicide
     granivore   viticole   fratricide   vélocipède
     apiculture   ignifuge   sudoripare   pacifique

b) vivipare   bipède   tardigrade   agricole
     fébrifuge   régicide   agriculture   conifère
     arboriculture   carnivore   ignivore   ostréiculture

c) sudorifique   vermifuge   frigorifique   insecticide
     carbonifère   crucifère   centrifuge   sylviculture
     digitigrade   soporifique   somnifère   omnivore

61. — Même exercice avec les mots suivants :   [Gr. § 31.]

a) cocaïnomane   chronogramme   anthropophage   héliographie
     phonographe   aérobie   télévision   lacrymogène
     héliotrope   bibliographie   isotherme   hydravion

b) philanthrope   zootechnie   ploutocratie   isochrone
     nécromancie   monologue   philatélie   photomètre
     hydrothérapie   orthopédie   dolichocéphale   monolithe

c) microphone   hélicoptère   automobile   phlébotomie
     mégalithique   germanophile   paléographie   logomachie
     céphalalgie   géographie   névralgie   orthographe

62. — En vous aidant de la liste des éléments grecs donnés dans la Grammaire au § 31, b, et en consultant au besoin le dictionnaire, trouvez les mots qui signifient :

a) 1. Science qui *traite* des terrains dont est formée l'écorce *terrestre*. — 2. Appareil servant à transmettre au *loin* les messages *écrits*. — 3. *Douleur* de l'*estomac* (ventre). — 4. Qui est d'*une seule couleur*. — 5. Partie de l'histoire naturelle qui *traite* de l'*homme*. — 6. *Horreur* (crainte) de l'*eau*. — 7. Gaz dont la combinaison avec l'oxygène *produit* l'*eau*. — 8. Science qui *traite* des *temps*, des dates.

b) 1. *Description* du système astronomique du *monde*. — 2. Croyance à un *Dieu unique*. — 3. Qui n'a qu'*une aile*. — 4. *Écrit* sur *un* point spécial d'histoire, de science, etc. — 5. Art d'*écrire* en caractères *secrets* (cachés). — 6. Celui qui s'occupe de déchiffrer les inscriptions, les *écrits anciens*. — 7. Abrégé de l'univers, *monde* en *petit*. — 8. Opération chirurgicale consistant à ouvrir *(couper)* le *ventre*.

c) 1. Effet musical résultant de l'emploi simultané de *plusieurs* instruments *(sons)* n'exécutant pas à l'unisson. — 2. Celui qui *aime,* recherche les *livres* rares, précieux. — 3. Liberté de se gouverner *soi-même,* c'est-à-dire par ses propres *lois.* — 4. Science qui *traite* des *eaux.* — 5. *Avion* qui peut se poser sur l'*eau.*

Onomatopées. Abréviation.

63. — **Dites quelles sont les *onomatopées* par lesquelles le langage reproduit :** [Gr. § 31.]

a) 1. Le bruit du moulin. — 2. Le bruit produit par quelqu'un qui heurte à la porte. — 3. Le bruit sec d'une branche se rompant brusquement. — 4. Des claquements secs comme ceux des coups de fouet. — 5. Le froissement léger de la soie ou des feuilles.

b) 1. Le son faux et discordant produit par une voix ou un instrument de musique. — 2. Le bruit d'un corps tombant avec fracas. — 3. Le bruit d'un liquide sortant du goulot d'une bouteille. — 4. Le bruit d'un coup de feu. — 5. Le chant du coq.

c) 1. Le bruit de l'explosion motrice dans une motocyclette. — 2. Le soupir de soulagement qu'on exhale après une fatigue, une oppression, etc. — 3. Le léger grondement de contentement que fait entendre le chat. — 4. Le bruit accompagnant le mouvement d'une horloge.

64. — **Dites quels sont les mots onomatopéiques désignant :** [Gr. § 32.]

a) 1. Un mauvais violon. — 2. L'action de dormir, dans le langage des enfants. — 3. Un cheval, dans le langage des enfants. — 4. Un refrain de chanson. — 5. Le grillon domestique. — 6. Un ramassis d'objets destinés à être revendus.

b) 1. Dans le langage familier, le cours de certaines affaires, la routine qu'on y suit. — 2. Une friandise, dans le langage enfantin. — 3. Un petit mal, dans le langage enfantin.

65. — **Dites quels sont les verbes onomatopéiques signifiant :** [Gr. § 32.]

a) 1. Émettre en dormant une respiration nasale bruyante. — 2. En parlant de la poule, glousser au moment de pondre. — 3. S'agiter par petits mouvements rapides, comme une anguille capturée, par exemple. — 4. En parlant du chat, pousser le cri particulier à son espèce. — 5. En parlant du corbeau, idem.

b) 1. Avoir une sorte de crispation qui fait grincer, spécialement en parlant des dents. — 2. Avoir le défaut de prononcer le *j* comme un *z*. — 3. Faire un bruit sec sous la dent qui broie. — 4. Produire un bruit sec, en parlant de certains corps sonores qui se choquent. — 5. Pousser un aboiement clair et aigu. — 6. Bavarder d'une manière futile, enfantine.

66. — **Donnez les mots complets dont les formes abrégées (plusieurs sont argotiques ou familières) sont :**   [Gr. § 33.]

moto	tram	expo	métro
vélo	dactylo	chromo	radio
ciné	prof	photo	piano
accu	colon	phono	mélo
micro	pneu	aristo	kilo
auto	mécano	dynamo	typo
troquet	vapeur	convalo	frigo

Familles de mots.

67. — **Trouvez, pour chacun des termes suivants, dix mots de la même famille :**   [Gr. § 35.]

1. Peuple [radicaux : *peupl, popul, publ*]. — 2. Écrire [radicaux : *écri, scrib, script*]. — 3. Courir [radicaux : *cour, cur, curs*]. — 4. Spectacle [radicaux : *spect, spec, spic*]. — 5. Voir [radicaux : *voi, vu, vid, vis*]. — 6. Voix [radicaux : *voi, voc, vou*].

68. — **Remplacez les points par le terme convenable** [Gr. § 35.]

a) [*Neuf, nouveau, nouvellement, nouvelles, novateur, innover, innovation, innovateur, novice, renouveau, rénovation, renouveler*].

1. L'annonce d'une chose arrivée récemment est une ... — 2. Celui qui a pris ... l'habit religieux dans un couvent pour y passer un temps d'épreuve avant de faire profession est un ... — 3. Tout ce qui est ... paraît beau. — 4. Celui qui fait ou qui tente de faire des ... en religion, en politique, etc. est un ... ou un ... — 5. Porter des souliers ... — 6. Les oiseaux dans les branches chantent le ... — 7. La ... des vœux du baptême. — 8. Il est dangereux d'... en matière de religion — 9 ... un bail.

b) [*Sang, sanglant, sanguin, sanguinaire, exsangue, ensanglanter, saigner, saignée, saignant, saignement, sangsue.*] 1. Éviter l'effusion de ... — 2. Le théâtre classique évite d'... la scène. — 3. Un tempérament ... — 4. Un tyran ... — 5. Le blessé était ... — 6. La bataille fut ... — 7. Le médecin a décidé de ... le malade. — 8. Pour opérer des ... locales, on emploie les ... — 9. Arrêter un ... de nez. — 10. Manger de la viande ...

69. — Complétez les phrases suivantes en employant le mot réclamé par le sens :   [Gr. § 35.]

a) Famille du mot loi [radicaux : *loi, loy, leg*] :

1. Moïse fut le ... des Hébreux. — 2. Celui qui est versé dans l'étude des lois est un ... — 3. La dynastie qui règne en vertu du droit d'hérédité est la dynastie ... — 4. Ayons une parfaite ... dans les transactions ; soyons toujours ... en affaires ... 5. Un ami ... a trahi nos desseins. — 6. Toutes les formalités ... ont été accomplies. — 7. Ce magistrat s'est renfermé dans la ... — 8. Nous avons fait notre profit des découvertes que nous ont ... les anciens. — 9. Rien ne saurait ... l'injustice. — 10. Cette signature doit être ... par le bourgmestre. — 11. Avant 1789, la noblesse jouissait de certains ... — 12. Il ne vous sert de rien d'... la coutume et l'usage.

b) Famille du mot œil [radicaux : *oil, ocul, ocell, eugl*] :

1. Un témoin ... est celui qui a vu de ses yeux. — 2. Chacun est ... dans sa propre cause. — 3. Nous nous ... sur les défauts de nos amis. — Un lorgnon à deux verres est un ... — 5. Votre vue est mauvaise : allez consulter un ... — 6. La peau de certains lézards est marquée de petites taches appelées ... — 7. Ce biologiste a ... à un cobaye un nouveau vaccin. — 8. Ce lacet est trop gros pour les ... de cette chaussure. — 9. Ils sont de connivence : l'un a jeté une ... à l'autre.

c) Famille du mot lier [radicaux : *li, lig, ligt*] :

1. Samson rompit les ... dont on l'avait garrotté. — 2. Le tissu des ... servant d'attache aux os est fibreux et serré. — 3. Le chirurgien a fait la ... du bras pour pratiquer la saignée. — 4. Le style périodique marque fortement la ... des propositions. — 5. On amena à Jésus un homme qui était muet ; lorsqu'il l'eut touché, sa langue se ... — 6. Chaque consul avait douze ... — 7. Tel donne à pleines mains qui n'... personne. — 8. A l'époque des guerres de ..., Henri de Guise forma l'association de la ... — 9. Des ... de papiers encombrent le bureau.

70. — **Voyez dans le dictionnaire le sens précis des mots suivants et faites entrer chacun d'eux dans une petite phrase :** [Gr. § 35.]

donateur, donataire
lunaire, lunatique
spécial, spécieux
écrivain, écrivassier
infraction, effraction
égaler, égaliser
loyalement, légalement

infecter, affecter
justice, justesse
éruption, irruption
officiel, officieux
séculaire, séculier
populeux, populaire
somptueux, somptuaire

Homonymes.

71. — **Employez dans de petites phrases les *homonymes* suivants:** [Gr. § 36.]

1. Saule, sol, sole. — 2. Lis, lisse, lice, Lys. — 3. Tain, teint (partic.), (le) teint, (je) teins, (je) tins, (il) tint, thym. — 4. Sel, scel, selle, celle, (je) cèle, (je) scelle. — 5. Filtre, philtre. — 6. Clore, chlore. — 7. Brocard, brocart. — 8. Maire, mer, mère. — 9. Sain, saint, (je) ceins, (il) ceint, sein, seing, cinq. — 10. Dessin, dessein. — 11. Sensé, censé. — 12. Écho, écot.

72. — **Donnez les homonymes des mots suivants :** [Gr. § 36.]

air	pois	chaud	voix
faim	mort	veau	scène
conte	vent	trot	coin
foi	temps	amende	martyr
mire	date	fond	différent
cou	fait	coq	fard

73. — **Complétez les phrases suivantes :** [Gr. § 36.]

a) [*Lait, laie, laid, les, lé, legs*]. 1. Perrette portait sur sa tête un pot au ... — 2. Le marcassin est un petit sanglier de moins d'un an et qui suit encore la ... — 3. Par un ... universel, le testateur donne l'universalité des biens qu'il laisse. — 4. Un frère ... est un frère servant qui n'est pas destiné aux ordres sacrés. — 5. Ésope était fort ... de visage. — 6. ... plus accommodants, ce sont ... plus habiles. — 7. La largeur d'une étoffe entre ses deux lisières s'appelle ...

b) [*Chat, chas, schah; cahot, chaos*]. 1. Le trou d'une aiguille s'appelle ... — 2. La Fontaine a donné à un ... le surnom de Rodilard.

— 3. Le ... de Perse. — 4. Avant Jésus-Christ l'âme de l'homme était un ... (Chateaubriand.) — 5. Le ... d'une voiture.

c) [*Héros, héraut; fort, for, fors, fore*]. 1. On peut être ... sans ravager la terre. (Boileau.) — 2. Un ... vint sommer la place de se rendre. — 3. Tout est perdu, ... l'honneur, disait François Ier. — 4. J'aime ... la beauté sauvage des Ardennes. — 5. Dans votre ... intérieur, vous approuvez une bonne action, même quand elle heurte votre intérêt. — 6. Le serrurier ... la clef.

74. — Même exercice. [Gr. § 36.]

a) [*Ais, haie; cœur, chœur; exaucé, exhaussé*]. 1. Déjà la ... d'aubépines est toute fleurie. — 2. Raboter un ... de sapin. — 3. Le ... a ses raisons que la raison ne connaît point. (Pascal.) — 4. Votre vœu sera ... — 5. Ce mur a été ... de cinquante centimètres. — 6. Il y a dans le ... de cette église des vitraux admirables.

b) [*Quant, quand; chair, cher, chère, chaire*]. 1. ... le devoir commande, nous lui obéissons. — 2. ... à moi, je ne saurais souscrire à cette opinion. — 3. Bossuet a illustré l'éloquence de la ... — 4. L'esprit est prompt et la ... est faible. — 5. Plus l'offenseur est ... et plus grande est l'offense. (Corneille.) — 6. La bonne ... est l'ennemie de la santé.

c) [*Du, dû; chant, champ*]. 1. Quel délice que le ... ... rossignol ! — 2. J'ai fait ce que j'ai ..., je fais ce que je dois. (Corneille.) — 3. Gloire à ceux qui sont morts au ... d'honneur !

d) [*Tribu, tribut; raie, rai, rets*]. 1. La ... de Lévi était vouée au sacerdoce. — 2. Nous payons aux héros un juste ... de louanges. — 3. Un ... de lumière entre par la fente du volet. — 4. Le lion fut pris dans des ... — 5. Il fait une ... sur le côté de la tête. — 6. La ... est un poisson dont la chair est estimée. — 7. Un ... de la roue fut brisé.

Paronymes.

75. — Choisissez le mot convenable. [Gr. § 37.]

a) [*Éruption, irruption; ombragé, ombrageux; inculper, inculquer: prolongation, prolongement*]. 1. Un cheval ... — 2. Un sentier ... — 3. L'... du Vésuve. — 4. Faire ... dans un local. — 5. Il faut ... aux enfants le respect de la vieillesse. — 6. ... quelqu'un de vol. — 7. Il n'a pas obtenu de ... de son congé. — 8. Une rue sans ... possible.

b) [*Évasion, invasion; éminent, imminent; aqueux, aquatique; allusion, illusion*]. 1. Les ... de la jeunesse s'envolent avec les années

2. Les poètes ont souvent fait ... au tonneau des Danaïdes. — 3. Qu'est-ce qu'un savoir ... si la vertu n'y est pas jointe ? — 4. Gardons tout notre courage quand le péril est ... — 5. Il faut résister à l'... des mauvaises doctrines. — 6. Favoriser l'... d'un prisonnier. — 7. L'humeur ... de l'œil remplit l'espace compris entre la cornée transparente et le cristallin. — 8. Le nénuphar est une plante ...

c) [*Invoquer, évoquer ; effraction, infraction ; industrieux, industriel ; lacune, lagune*]. 1. Les spirites prétendent ... les âmes des morts. — 2. Est-ce seulement dans l'adversité qu'il faut ... l'aide de Dieu ? — 3. Charleroi est un centre ... très important. — 4. Un ouvrier ... trouve aisément un supplément de ressources. — 5. Je ne me rappelle pas ce fait : il y a une ... dans ma mémoire. — 6. Venise est bâtie sur des ... — 7. Évitons toute ... au règlement de discipline. — 8. Le vol avec ... est particulièrement grave.

d) [*Oiseaux, oisif ; apurer, épurer ; conjecture, conjoncture*[. 1. Les afflictions peuvent ... notre charité. — 2. Il ne faudra pas manquer d'... ce compte. — 3. L'homme ... est accablé du poids de ses loisirs. — 4. Bannissez de votre style toute épithète ... — 5. Dans les différentes ... de la vie, sache rester homme d'honneur. — 6. On se perd en ... sur les origines de ce mal.

76. — Même exercice. [Gr. § 37.]

a) [*Stalactite, stalagmite ; éclaircir, éclairer ; coasser, croasser ; allocation, allocution*]. 1. ... sa lanterne. — 2. ... la voix. — 3. ... se dit en parlant de la grenouille ; ... se dit en parlant du corbeau. — 4. Dans une grotte, les ... s'observent à la voûte, et les ... sur le sol. — 5. Une ... vibrante. — 6. Une ... de cinq cents francs.

b) [*Luxueux, luxuriant, luxurieux ; apparier, appareiller ; vénéneux, venimeux*]. I. Une végétation ... — 2. ... point ne seras. — 3. Un salon ... 4. Un serpent ... — 5. Un champignon ... — 6. La flotte se dispose à ... — 7. ... des bœufs de labour.

c) [*Artificiel, artificieux ; romanesque, romantique ; avènement, événement*]. 1. Ulysse était ... — 2. Dans les chambres frigorifiques, on produit un froid ... — 3. Défiez-vous des écarts d'une imagination ... — 4. Lacordaire fut un orateur ... — 5. Il faut être supérieur aux ... — 6. L'... de Léopold II.

d) [*Salubre, salutaire ; inclination, inclinaison ; recouvrer, recouvrir*]. 1. Un climat ... — 2. Un remède ... — 3. L'... d'un toit. — 4. Une ... devient facilement une habitude. — 5. Quand on a perdu l'estime publique, il est bien difficile de la ... — 6. Mieux vaut avouer son ignorance que de la ... d'un vernis de fausse science.

77. — Voyez dans le dictionnaire le sens précis des **paronymes** suivants et faites-les entrer chacun dans une petite phrase : [Gr. § 37.]

accidenté, accidentel   funèbre, funéraire
amnistie, armistice   émerger, immerger
déférence, différence   denture, dentition
accident, incident   imprudent, impudent
terreux, terrestre   raisonner, résonner

Synonymes.

78. — **Choisissez le mot convenable.**   **[Gr. § 38.]**

1. [*Touchant, pathétique*]. La grâce et la naïveté de l'enfance sont ... — Dans une ballade admirable, Georges Duhamel a fait un tableau ... de la mort du soldat Florentin Prunier.

2. [*Civisme, patriotisme*]. Donner une partie de ses biens pour sauver l'État, c'est du ... — S'exposer à la mort pour sauver ses concitoyens, c'est faire acte de ...

3. [*Dégoût, répugnance*]. On quitte un emploi par ... ; on refuse un emploi par ...

4. [*Éluder, éviter, fuir*]. — Il faut ... les mauvais compagnons. Cet homme rusé sait ... les manœuvres de ses adversaires. — On ne parvient pas toujours à ... les importuns.

5. [*Erreur, bévue, méprise*]. Les faits divers des journaux rapportent assez fréquemment qu'une personne a absorbé, par une fatale ..., un liquide corrosif. — Celui qui prend le faux pour le vrai commet une ... — Il serait à souhaiter que les ... commises par les étourdis fussent pour eux d'utiles leçons.

6. [*Défendu, prohibé*]. La vente des stupéfiants est ... — La calomnie est ... par la morale.

7. [*Défendre, protéger*]. Un bon citoyen doit ... sa patrie quand elle est menacée. — Dieu saura ... les orphelins.

79. — **Même exercice.**   **[Gr. § 38.]**

1. [*Détourner, écarter, éloigner*]. ... les importuns. — ... quelqu'un d'un projet. — ... la foule pour laisser passer un haut personnage.

2. [*Découvrir, inventer, trouver*]. ... la poudre. — ... l'Amérique. — ... un appartement.

3. [*Dénué, dépourvu, dépouillé, privé*]. Un citoyen ... de ses droits politiques. — Un livre ... d'intérêt. — Un roi ... de son autorité. — Une place de guerre ... de munitions.

4. [*Confrère, collègue*]. Le ... d'un professeur.—L'... d'un académicien.

5. [*Rente, revenu*]. Cet employé a un traitement de 25 000 francs et 5 000 francs de ... : cela fait 30 000 francs de ...

6. [*Soumettre, subjuguer, assujettir, asservir*]. Scipion parvint à ... Carthage. — Il ne faut point s'... aux caprices de la mode. — Ce n'est pas s'abaisser que de ... son esprit à l'autorité de quelqu'un. — Les Romains ont su ... les Gaulois.

7. [*Pâle, blafard, blême, livide, hâve*]. Être ... de peur. — Avoir le visage ... comme un linge. — Avoir des taches ... sur la peau. — Une lueur ... — Ce prisonnier est horriblement ...

Antonymes.

80. — **Dans les deux premières colonnes, rapprochez les antonymes ; id. dans les deux dernières.** [Gr. § 39.]

Modèle : uniforme — varié.

uniforme	contesté	amont	durable
innocent	mineur	rétrécir	nier
civilisé	partiellement	avare	artificiel
avers	coupable	importation	antipathie
intégralement	refuser	orthodoxe	modestie
essentiel	varié	naturel	aval
nocturne	barbare	sympathie	géant
estival	revers	éphémère	prodigue
majeur	hivernal	nain	hétérodoxe
accepter	accidentel	affirmer	exportation
avéré	diurne	orgueil	élargir

81. — **Remplacez les points par le *contraire* de l'adjectif en italique.** [Gr. § 39.]

1. [*Net*]. Avoir les mains ... — Le poids ... — Une situation ... — Une conscience ... — 2. [*Clair.*] De l'eau ... — Une chambre très ... — Un style ... — Des rubans bleu ... — Un temps ... — La situation est ... — Une voix ... — Avoir le teint ... — Un bois ... — 3. [*Droit*] Se tenir le corps ... — Une ligne ... — Une voie ... — Une conscience ... — Le poumon ... — 4. [*Direct*]. Héritier ... — Une interrogation ... — Une proposition ... — Une quantité qui croît en raison ... d'une autre. — 5. [*Ferme*] Un sol ... — Marcher d'un pas ... — Écrire d'une main ... — Un cœur ... — 6. [*Libre*] Un peuple ... — L'en-

seignement ... — Un cœur ... de passions. — Un acte sur papier ... — Le chemin est ... — La place est ... — Ces soldats resteront ...

82. — Remplacez par leurs *antonymes* les mots en italique. [Gr. § 39.]

a) 1. Une langue *morte*. — 2. L'*exorde* d'un discours. — 3. La *source* d'un fleuve. — 4. Les régions *torrides*. — 5. Un produit *indigène*. — 6. Un style *clair*. — 7. Employer un *néologisme*. — 8. Un suffixe *augmentatif*. — 9. Éprouver une grande *douleur*. — 10. Être *reçu* à un examen. — 11. Une éclipse *totale*. — 12. Des circonstances *aggravantes*. — 13. *Gagner* son procès. — 14. Le *polythéisme*. — 15. Se montrer *avare*.

b) 1. Un champ *fertile*. — 2. *Asservir* un peuple. — 3. Exprimer un *blâme*. — 4. Vivre dans la *gêne*. — 5. Cette situation est *meilleure*. — 6. La *transparence* d'un corps. — 7. La *disette*. — 8. Un témoin *à charge*. — 9. Une voix *grave*. — 10. Un cours *facultatif*. — 11. Des vues *optimistes*. — 12. *Accorder* une permission. — 13. La voix *active* d'un verbe. — 14. Un vêtement *étriqué*. — 15. La *hausse* des prix.

83. — Même exercice.   [Gr. § 39.]

a) 1. Un point *fixe*. — 2. Un personnage *sympathique*. — 3. Le *pied* d'une montagne. — 4. Un mot *monosyllabe*. — 5. Un grand *profit*. — 6. La *base* d'un triangle. — 7. *Allonger* un vêtement. — 8. Un corps *fluide*. — 9. Être *toujours* content. — 10. Écrire en *prose*. — 11. *Avancer* son départ. — 12. La population *urbaine*.

b) 1. Des intérêts *généraux*. — 2. Préférer les auteurs *anciens*. — 3. Plaider *pour* un accusé. — 4. Un mets *insipide*. — 5. Une conclusion *hâtive*. — 6. Un dessin *monochrome*. — 7. *Appauvrir* une langue. — 8. La *tête* d'un cortège. — 9. *Infirmer* un témoignage. — 10. *S'aliéner* les sympathies. — 11. Un miroir *convexe*. — 12. Une marche *rétrograde*. — 13. Une blessure *profonde*. — 14. Un impôt *progressif*. — 15. Vous êtes mon *partenaire*.

84. — Trouvez les *contraires* des mots suivants et employez chacun de ces contraires dans une expression :   [Gr. § 39.]

a) fourbe	prodiguer	adversaire	réjouir
poli	mensonge	nouveau	sûreté
dur	loyauté	propice	travailleur
ambigu	gras	purifier	historique
b) humble	minime	caduc	comique
énergique	ombre	amitié	calmer
sécheresse	vivacité	fortifier	bénéfice
infamie	permettre	pareil	homogène

CHAPITRE II

LA PROPOSITION

Sujet.

85. — Discernez les *sujets* et marquez-les du signe *s. ;* au moyen d'une ligne coudée à chaque bout rattachez chacun d'eux à son verbe.
[Gr. §§ 42-43.]

Modèle : Le livre nous instruit.

a) 1. L'oisiveté est funeste. — 2. Les passions tyrannisent l'homme. — 3. Le temps fuit : le sage ne le gaspille pas. — 4. Déjà le ciel blanchit : bientôt le soleil paraîtra et les oiseaux commenceront leurs concerts. — 5. Par la persévérance vous parviendrez au succès. — 6. Chacun récoltera ce qu'il aura semé.

b) 1. Nul n'est prophète en son pays, dit un proverbe. — 2. Qui pourrait compter les étoiles du ciel ? — 3. Trahir sa patrie est un crime odieux. — 4. Les pourquoi des enfants sont parfois très embarrassants. — 5. Souris qui n'a qu'un trou est bientôt prise. — 6. Ceux qui achètent le superflu vendront bientôt le nécessaire. — 7. Qui veut la fin veut les moyens.

86. — **Même exercice.**   [Gr. §§ 42-43.]

1. Quand vint l'hiver, la cigale se trouva fort dépourvue. — 2. Les menteurs ne seront pas estimés des gens de bien. — 3. Quiconque ne sait pas souffrir n'a pas un grand cœur. — 4. Pouvez-vous me dire où mène ce chemin ? — 5. Nos bonheurs ne durent guère que ce que durent les roses. — 6. Que sert de dissimuler ? — 7. Vivent les vacances ! crient les écoliers. — 8. Nobles forêts qu'émeuvent les vents, puissent les tempêtes ne pas ravager vos ramures !

87. — Même exercice.   [Gr. §§ 42-43.]

La Fin de l'année.

Au moment où s'achève l'année, nous ferons bien de méditer un
peu et nous établirons, comme font les commerçants, le compte exact
de nos profits et de nos pertes ; réfléchir sur le passé nous aidera à
voir plus clair en nous-mêmes. Tandis que s'écoulaient ces douze mois,
dont le dernier arrive à son terme, avons-nous fait des efforts sérieux
pour devenir meilleurs ? Qui de nous affirmera qu'à ce point de vue
rien n'a été négligé ? Heureux ceux qui peuvent se rendre le témoignage qu'ils n'ont pas fait le mal volontairement ! Heureux aussi
ceux qui peuvent fonder sur les bonnes habitudes qu'ils ont prises
l'espoir que l'année nouvelle leur apportera les joies que procurent
une bonne conscience et la pratique de la vertu !

88. — Même exercice.   [Gr. §§ 42-43.]

1. Voir les difficultés est une des premières conditions du succès.
— 2. Qui veut mourir ou vaincre, dit Corneille, est vaincu rarement.
— 3. Quiconque ne sait pas supporter les petites contrariétés quotidiennes est mal armé pour les luttes de la vie. — 4. Un Tiens, dit
le proverbe, vaut mieux que deux Tu l'auras. — 5. Le devoir des
parents est de conduire leurs enfants dans le chemin de la vertu ;
celui des enfants, de s'y engager résolument. — 6. Ainsi dit le renard,
et flatteurs d'applaudir. — 7. Bientôt reviendront les beaux jours ;
sentez-vous les douceurs qu'apporte la brise ? que de joyeux babils
déjà dans les branches où poussent les premiers bourgeons !

**89. — Formez de courtes phrases en prenant comme sujets les
mots suivants :**   [Gr. §§ 42-43.]

a) Mer — bonté — champs — instruction — musique — vertu
— science.

b) Chanter — lire — nous — chacun — tout — nul — beau —
superflu — comment — pourquoi — morts — quiconque s'élève —
qu'on nous reprenne de nos fautes.

90. — Remplacez les points par un *sujet*.   [Gr. §§ 42-43.]

1. ... plaît. — 2. ... est aisée,...est difficile. — 3. ... récoltera ce qu'...
aura semé. — 4. ... ne peut servir deux maîtres : Dieu et l'argent. —
5. ...peut parfois n'être pas vraisemblable. — 6. ... pour la patrie est
un noble sort. — 7. ... propose, ... dispose. — 8. ...n'appartient qu'à

Dieu. — 9. Que vaut ... sans la santé ? — 10. Rien ne sert ... — 11. ... ménage sa monture.

91. — Même exercice.   [Gr. §§ 42-43.]

Les Hommes ont besoin les uns des autres.

Pendant que ... sème le blé, ... cuit le pain, ... tisse le drap, ... confectionne les habits, ... trace des plans, ... construit des murs, ... forge des outils, ... fabrique des meubles, ... fait des chaussures, ... extrait la houille, ... distribue les lettres, ... pave la rue, ... instruit les enfants. Tous ces travailleurs accomplissent une besogne utile à leurs semblables : ... travaille pour tous et ... travaillent pour chacun. Ainsi... ont tous besoin les uns des autres. Qu'... s'aiment comme des frères !

92. — Dans les phrases où l'infinitif et le participe ont un sujet propre (distinct de celui du verbe principal), dites quel est ce *sujet*.
[Gr. § 43.]

1. Lorsque, le soir venu, vous êtes assis au coin du feu, n'éprouvez-vous pas une impression de bien-être quand vous entendez la pluie battre les vitres et le vent gémir dans la cheminée ? — 2. Dieu aidant, nous vaincrons bien des difficultés. — 3. Laissez venir à moi les petits enfants. — 4. Déjà on voit s'ouvrir les premières pâquerettes, on sent des brises tièdes courir dans les jardins : les beaux jours vont revenir.

93. — Distinguez les *sujets apparents* et les *sujets réels* des verbes impersonnels.   [Gr. § 44.]

a) 1. Le ciel est gris ; il pleut. Dans nos âmes, il flotte une vague tristesse. — 2. Il y a des héros obscurs, qui accomplissent sans bruit, avec constance et exactitude les petits devoirs quotidiens. — 3. L'hiver sévit : il neige, il vente : il faudrait des secours à tous ceux qui ont froid et faim. — 4. Quand il tonne, il est imprudent de chercher un abri sous un arbre.

b) 1. Il est des jours sereins où nous sommes plus aptes à la bonté et à l'admiration. — 2. Il importe que chacun fasse son devoir. — 3. Il est difficile de louer quelqu'un comme il veut être loué. — 4. Quand il nous vient des découragements, c'est le moment de montrer que nous avons un grand cœur. — 5. N'est-il pas juste que tout dommage soit réparé par celui qui l'a causé ? — 6. Il serait grandement souhaitable que l'État fût conduit par ceux qui en sont les plus capables et les plus dignes. — 7. Dans la pratique de la vie, il ne suffit pas d'avoir du talent, il faut encore du caractère.

Compléments du verbe.

94. — Discernez les *compléments d'objet directs* et marquez-les du signe *o. dir ;* — au moyen d'une ligne coudée à chaque bout rattachez chacun d'eux au verbe qu'il complète.   [Gr. §§ 48-50.]

Modèle : J'aime *ma mère.*

o. dir.

a) 1. Qui de nous n'*aime* la louange ! — 2. La richesse *fait*-elle le bonheur ? — 3. Une âme courageuse ne *craint* pas le danger ; elle l'*affronte*, mais sans témérité. — 4. Si vous *avez acquis* des connaissances, *considérez*-les comme un capital précieux. — 5. Vous *avez* des amis ; les *aurez*-vous encore dans l'adversité ? — 6. On *rencontre* certaines gens qui *prétendent savoir* tout.

b) 1. Qui ne *risque* rien n'*a* rien. — 2. L'ambitieux ne *goûte* aucun repos ; à peine *a*-t-il *obtenu* un honneur qu'il en *brigue* un autre ; aussi *mène*-t-il une triste existence. — 3. *Avez*-vous bien *fait* ce que vous *ont commandé* vos parents ? — 4. Que de gens *ont* deux caractères : celui qu'ils *montrent* et celui qu'ils *ont !* — 5. Nos parents *souhaitent* que nous *fassions* des progrès ; nous en *ferons* si nous *avons* de la volonté et si nous *suivons* une bonne méthode.

95. — Distinguez les *compléments d'objet directs ;* marquez-les comme il a été fait dans l'exercice précédent.   [Gr. §§ 48-50.]

Ne gardons pas rancune.

Avoir de la rancune contre quelqu'un, c'est garder, d'une façon tenace, le souvenir des offenses qu'il nous a faites et désirer, en même temps, en tirer une vengeance qu'on attendra patiemment.

Considérez bien la laideur d'un tel sentiment, où l'on trouve à la fois de l'hypocrisie, de la poltronnerie et de la méchanceté. Elle prend, à l'occasion, des apparences aimables, elle suit des sentiers tortueux, elle épie sa victime sans oser la frapper en face.

Proscrivons de notre âme toute rancune ; sachons pardonner les offenses qu'on nous a faites et en effacer complètement le souvenir de notre mémoire.

96. — Remplacez les points par un *complément d'objet direct.*
    [Gr. §§ 48-50.]

a) 1. Le sage supporte patiemment ... — 2. Un véritable ami

console ... — 3. Ici-bas chacun a ... — 4. Que Dieu protège ... —
5. La vertu ennoblit ... — 6. Les frères Van Eyck ont inventé ... —
7. Dieu donna à Moïse ... sur le mont Sinaï. — 8. La Hesbaye produit
... — 9. Aimons ..., fuyons ...

b) 1. La Meuse arrose ... — 2. L'œil perçoit ... — 3. Les cieux
racontent ... — 4. Les belles plumes font ... — 5. Il faut casser ...
pour avoir ... — 6. Notre mère veut ... — 7. Notre histoire nationale
atteste ... — 8. L'homme de bien abhorre ... — 9. Les voyages
forment ... — 10. Socrate fut condamné à boire ...

c) 1. Newton a découvert ... — 2. Gutenberg a inventé ... —
3. Jeanne d'Arc a délivré ... — 4. Léopold II a épousé ... — 5.
Chassez ..., il revient au galop. — 6. Les hirondelles sont revenues :
elles annoncent ... — 7. Au nombre de nos grands hommes nous plaçons ...

97. — **Formez de courtes phrases où les mots suivants soient employés comme *compléments d'objet directs* :**   [Gr. §§ 48-50.]
a) Parents — fer — châtiment — mensonge — poète — richesses.
b) Juste — lire — nous — tout — personne — réfléchir — me —
moi — que (relatif) — le — cela — dehors — que (interrogatif) —
rien — se.
c) Que tout passe — que la pauvreté n'est pas un vice — que l'on
n'a rien sans peine — le vent gémir — dire les sots.

98. — **Joignez à chacun des verbes suivants un *sujet* et un complément d'objet direct :**   [Gr. §§ 48-50.]
a) 1. ... défend ... — 2. ... porte ... — 3. ... coûte ... — 4. ...
pèse ... — 5. ... connaît ... — 6. ... pardonne ... — 7. ... procure
... — 8. ... éprouve ...
b) 1. ... éclaire ... — 2. ... vainc ... — 3. ... regrette ... —
4. ... mérite ... — 5. ... change ... — 6. ... apprend ... — 7. ... perd ...

99. — **Discernez les *compléments d'objet indirects* et marquez-
les du signe *o. ind.* ; — au moyen d'une ligne coudée à chaque bout
rattachez chacun d'eux au verbe qu'il complète.**   [Gr. §§ 51-53.]

Modèle : Pardonnons *à nos frères.*

o. ind.

a) 1. Qui *donne* au pauvre *prête* à Dieu. — 2. Le roi Albert *a
succédé* à son oncle Léopold II. — 3. *Rendons* à César ce qui *appartient*

à César et à Dieu ce qui *appartient* à Dieu. — 4. *Ouvrons* notre bourse aux malheureux, mais *ouvrons*-leur aussi notre cœur. — 5. Aux petits des oiseaux Dieu *donne* la pâture. (Racine.)

b) 1. Nous *pardonnerons* à ceux qui nous *ont nui*. — 2. *Témoignez* à vos parents une tendre affection ; *gardez*-leur une profonde reconnaissance. — 3. Celui à qui l'autorité *a été donnée* ne doit pas en *abuser*. — 4. Par votre application vous me *prouverez* que vous avez compris les recommandations que je vous *ai faites ;* je ne *douterai* pas de votre succès.

100. — Distinguez les ***compléments d'objet indirects*** et marquez-les comme il a été fait dans l'exercice précédent.   [Gr. §§ 51-53.]

Le Culte des aïeux.

Comment ne vouerions-nous pas à nos aïeux un amour filial quand tout nous rappelle les bienfaits que nous leur devons, quand tout nous inspire des pensées de reconnaissance envers eux, qui nous ont légué tant de choses dont nous jouissons ? Ces champs fertiles, ces édifices, ces maisons, ces ponts, ces routes, ces arbres, c'est eux qui nous en ont transmis la possession ou l'usage ; ces connaissances diverses, cette langue, ces traditions, ces libertés, cette foi, trésors que nous préférons à n'importe quels biens, c'est eux encore qui en ont assuré à chacun de nous l'inestimable bénéfice. Qui pourrait en douter et qui n'obéirait pas à ces élans profonds qui nous poussent à leur rendre le culte qui leur est dû ?

101. — Remplacez les points par un ***complément d'objet indirect***.
[Gr. §§ 51-53.]

a) 1. Nous compatirons … — 2. La Providence pourvoit … — 3. Nous nous souviendrons toujours … — 4. Faites du bien même … — 5. L'avenir appartient … — 6. Consacrez votre vie … — 7. Il faut se soumettre … — 8. L'homme droit ne met pas … — 9. Une mère se dévoue …

b) 1. L'homme prévoyant songe … — 2. On doit préférer l'honneur … — 3. Ne médisez … — 4. Les bons livres … inspirent de bonnes pensées et de belles actions. — 5. Nous accordons notre confiance … — 6. Les paresseux ne doivent souvent imputer leurs échecs qu'… — 7. La fortune sourit … — 8. La vanité déplaît … — 9. Il est permis parfois de comparer les petites choses … — 10. Un bon maître sait à l'occasion user …

102. — Composez de courtes phrases où les mots suivants soient employés comme *compléments d'objet indirects* : [Gr. §§ 51-53.]

a) Avenir — projet — pauvre — Dieu — bonté — loi — nécessité — bienfait.

b) Qui (relatif) — personne — tout — auquel — me — vous — toi — leur — persévérer — autrui — celui — dont.

c) Que vous ne travailliez pas — que vos efforts seraient couronnés de succès — qui perd tout — quiconque persévérera.

103. — Formez de courtes phrases où vous emploierez, chacun avec un *complément d'objet indirect,* les verbes suivants :
[Gr. §§ 51-53.]

Succéder — convenir — abuser — se dévorer — préférer — attribuer — substituer — plaire — céder — prêter.

104. — Distinguez parmi les pronoms en italique les *compléments d'objet directs* et les *compléments d'objet indirects*.
[Gr. §§ 48-53.]

1. Faites-*vous* des amis prompts à *vous* censurer. (Boileau.) — 2. Quand mes parents *me* montrent le chemin et *me* disent : « Voilà par où il faut aller », c'est leur affection et leur expérience qui *me* guident. — 3. Le malheur *nous* frappe durement, mais il *nous* donne l'occasion de *nous* purifier. — 4. Nous aimons les livres qui *nous* instruisent et *nous* ouvrent l'esprit. — 5. Refuserais-tu de rendre un service à un ami qui *te* le demande et qui *t'*a lui-même aidé autrefois à sortir d'embarras ? — 6. Admirons ceux qui *se* sont donnés tout entiers à une noble cause et qui *se* sont donné toutes les peines possibles pour la faire triompher.

105. — Discernez les *compléments circonstanciels* des verbes en italique ; marquez-les du signe *c. circ.* et précisez de quelle circonstance il s'agit. [Gr. §§ 55-56.]

a) 1. Des rumeurs indécises *circulent* le soir, dans la forêt. — 2. Dans les situations difficiles, le sage ne *prend* pas de décisions précipitées. — 3. Le renard désirant *sortir* du puits pria le bouc de *dresser* ses pieds et ses cornes contre le mur : « Je *grimperai*, lui dit-il, le long de ton échine, puis je m'*élèverai* sur tes cornes ; quand je *serai sorti* de ce lieu-ci, je t'en *tirerai*. — 4. Nous *étudions* non pas pour l'école, mais pour la vie. — 5. Ceux qui *comptent* pour rien le devoir ne sont pas dignes d'*être mis* au rang des hommes.

b) 1. Les écrivains de génie *se survivent* dans leurs œuvres. — 2. Nos parents *ont souri* de bonheur quand ils nous ont entendus balbutier nos premiers mots. — 3. Notre âme *s'enveloppe* de mélancolie quand nous quittons la maison où *s'écoula* notre enfance. — 4. Ne vous *écartez* jamais des voies dans lesquelles *marcha* toujours la famille dont vous *sortez.* — 5. Nous *éprouvons* parfois un échec malgré le courage avec lequel nous *avons conduit* une entreprise ; mais le mal dont nous *souffrons* est pour nous l'occasion de tremper notre caractère. — 6. Vous ne *marcherez* pas en chancelant dans le chemin du devoir.

106. — Discernez les *compléments circonstanciels* et dites de chacun d'eux quel verbe il complète et quelle circonstance il exprime.
[Gr. §§ 55-56.]

La Halte des Bohémiens.

La troupe errante vient de planter ses tentes sur la rive du fleuve. Entre les roues des chariots, derrière des lambeaux de tapis, on voit briller le feu. La horde alentour apprête au souper. Sur le gazon, les chevaux paissent à l'aventure. Un ours apprivoisé a pris son gîte auprès d'une tente. On part demain à l'aube et chacun fait gaiement ses préparatifs. Les femmes chantent, les enfants crient, les marteaux font résonner l'enclume de campagne.

Mais bientôt sur la bande vagabonde s'étend le silence du sommeil, et le calme du steppe n'est plus troublé que par le hurlement des chiens et le hennissement des chevaux. Tout repose : les feux s'éteignent, la lune brille seule dans le lointain des cieux, versant sa lumière sur la horde endormie.

P. Mérimée.

107. — Même exercice.   [Gr. §§ 55-56.]

Le Matin, à la campagne.

Dans la pacifique lumière matinale, les paysans s'acheminent vers leurs tâches quotidiennes. Ils marchent d'un pas lourd et tranquille. L'éclair d'une faux brille au-dessus d'une haie, le hennissement d'un cheval retentit dans l'air sonore ou bien le rythme pesant d'un chariot roulant sur la route empierrée. Peu à peu le soleil monte dans l'azur et de toutes parts s'élèvent les rumeurs du travail : les faux bruissent à coups réguliers, les batteuses ronflent en sourdine ; du geste et de la voix les laboureurs encouragent leurs bœufs. Pendant les heures chaudes de midi, un assoupissement s'étend sur la vallée. Le soleil tombe d'aplomb sur la campagne et, dans cette pleine lumière, on n'entend plus que la lime aiguë des sauterelles et l'aile mélodieuse des pigeons du colombier.

D'après A. THEURIET.

108. — Discernez les *compléments circonstanciels de temps* et dites de chacun d'eux s'il marque : 1º l'époque ; 2º la durée.

[Gr. §§ 55-56.]

1. Tout renaît et tout chante au printemps. — 2. Lors du déluge, il plut durant quarante jours. — 3. Léopold II monta sur le trône en 1865 ; il régna quarante-quatre ans. — 4. Nuit et jour toutes sortes de craintes assaillent l'avare. — 5. Le Christ disait : Détruisez ce temple, et je le rebâtirai en trois jours. — 6. Certains insectes ne vivent qu'un jour.

109. — Composez de petites phrases contenant chacune un *complément circonstanciel de temps* répondant aux questions suivantes :

[Gr. §§ 55-56.]

1. En quelle année ? — 2. Durant combien de jours ? — 3. En combien d'années ? — 4. Depuis combien de temps ? — 5. Pour combien de temps ? — 6. Pour quand ? — 7. Combien de temps avant ? — 8. Combien de temps après ?

110. — Complétez les phrases suivantes en ajoutant, suivant les indications données entre crochets, un *complément circonstanciel de lieu* : [Gr. §§ 55-56.]

a) 1. Pendant les vacances j'irai [*direction*]... — 2. La faim chasse le loup [*origine*]... — 3. La Meuse vient de [*origine*]... ; elle va [*direction*]... — 4. Un brouillard intense s'élève [*origine*]... — 5. Nous irons nous promener [*direction*] ; nous passerons [*passage*]...

b) 1. La matinée est charmante ; des joyeuses rumeurs circulent [*situation*]... — 2. On cultive le tabac [*situation*]... — 3. La colère l'étouffe, les yeux lui sortent [*origine*]... — 4. Le Père Damien alla [*direction*]... soigner les lépreux. — 5. Quand nous respirons, l'air passe [*passage*]... et pénètre [*direction*].

111. — Discernez les *compléments circonstanciels de lieu* et dites de chacun d'eux s'il marque : 1º la situation ; 2º la direction ; 3º l'origine ; 4º le passage. [Gr. §§ 55-56.]

a) 1. Un pinson chante dans le feuillage. — 2. Les Romains tiraient de la Sicile beaucoup de blé. — 3. Le renard et le bouc descendirent dans un puits. — 4. Nous goûterons au ciel un bonheur parfait. — 5. Une belette entra dans un grenier ; elle trouva dans des coffres mille choses excellentes et durant huit jours fit bonne chère. Elle décida alors de retourner dans son logis, et voulut sortir par le trou de la porte, mais grasse et rebondie comme elle était, elle ne put s'échapper. — 6. Grand-mère se promène au jardin.

b) 1. Des hirondelles ont fait leur nid à l'angle de ma fenêtre. — 2. De la forêt arrivent des effluves pénétrants. — 3. Un agneau se désaltérait dans un clair ruisseau. — 4. Un incendie éclata dans ma rue ; les pompiers se portèrent aussitôt sur les lieux ; d'énormes nuages de fumée sortaient par les fenêtres ; des cris d'effroi venaient du troisième étage. — 5. Nous goûtons à la maison un bonheur tranquille. — 6. Les Grecs avaient fondé des colonies en Italie et en Asie Mineure. — 7. En vous abandonnant au vice, vous courriez au déshonneur.

112. — **Joignez à chacune des propositions suivantes un *complément circonstanciel*, selon l'indication mise entre crochets.**

[Gr. §§ 55-56.]

1. Le corbeau tenait [*lieu*] un fromage. — 2. Un loup affamé vint [*lieu*] observer l'état du troupeau. — 3. Il faut manger [*but*]. — 4. La grenouille voulait égaler le bœuf [*point de vue*]. — 5. Il ne faut pas faire l'aumône [*cause*]. — 6. Le maître encourage l'élève [*moyen*]. — 7. Le vaniteux parle constamment [*propos*]. — 8. La forêt nous charme particulièrement [*temps*]. — 9. Le Christ sortit [*lieu*] [*temps*]. — 10. Le renard mourant presque [*cause*] vit [*lieu*] des raisins mûrs apparemment.

113. — **Remplacez les points par un *complément circonstanciel*.**

[Gr. §§ 55-56.]

Un peu d'Histoire et de Géographie.

1. La Meuse prend sa source ... — 2. Nous avons conquis notre indépendance ... — 3. L'industrie métallurgique s'est développée ... — 4. Nous achetons des vins ... — 5. Ambiorix, pour échapper à César, s'est enfui ... — 6. On extrait de la houille ... — 7. Charles-Quint est né ... — 8. L'aiguille aimantée se tourne toujours ... — 9. Pour me rendre ..., je dois m'embarquer ... — 10. Un canal relie Bruxelles ... — 11. On cultive le tabac ... — 12. Rubens a vécu ...

114. — Employez dans une courte phrase chacun des verbes suivants et joignez-y chaque fois un *complément circonstanciel* approprié.
[Gr. §§ 55-56.]

Travailler — s'instruire — parler — entrer — monter — attendre — semer — porter.

115. — Discernez les *compléments d'agent* des verbes passifs ; marquez-les du signe *c. d'ag.* et dites de chacun d'eux quel verbe il complète.
[Gr. § 57.]

1. Celui qui prétend à l'admiration de tout le monde n'est aimé de personne. — 2. Un carpeau fut pris par un pêcheur ; il lui dit : Laissez-moi vivre ; quand j'aurai pris de la taille, je serai par vous repêché. — 3. Les guerres ont toujours été détestées des mères. — 4. Quoi que nous fassions, nous serons loués par ceux-ci, blâmés par ceux-là ; ce qui importe, c'est que nous soyons approuvés par notre conscience. — 5. Nous oublions aisément nos fautes lorsqu'elles ne sont sues que de nous. — 6. Il est plus honteux de se défier de ses amis que d'en être trompé. (La Rochefoucauld.)

116. — Changez la tournure de chacune des phrases suivantes, de telle façon que le verbe soit au passif, et accompagné d'un *complément d'agent* :
[Gr. § 57.]

Modèle : Le pilote conduit le vaisseau ; le vaisseau est conduit *par le pilote.*

1. Les forêts charment le poète. — 2. Personne n'estime l'homme fourbe. — 3. Les croisés ont pris Jérusalem. — 4. Saint Remi baptisa Clovis. — 5. Les anciens ne connaissaient pas la boussole ; les Chinois en enseignèrent l'usage aux Arabes et ceux-ci le transmirent aux Occidentaux, à l'époque des croisades. — 6. Honneur à ceux qui ont soulagé les maux de l'humanité ! Puisse la postérité vénérer leur mémoire ! — 7. Honte à celui qui a trahi sa patrie ! — 8. Tous ceux qui le connaissent l'aiment.

RÉCAPITULATION

117. — Distinguez les divers *compléments du verbe* et dites de chacun d'eux quel verbe il complète.
[Gr. §§ 47-57.]

Au travail !

Voyez l'homme laborieux : il ne craint pas la disette. La faim regarde à la porte de l'ouvrier actif, mais elle renonce à entrer dans sa maison.

Les huissiers n'y entreront pas non plus, car le travail paie les dettes, et l'oisiveté les augmente. Pourquoi songer à des trésors cachés ou aspirer à un bel héritage ? Le travail engendre la prospérité et il sera béni par Dieu, qui pourvoira à vos besoins. Labourez votre champ dès l'aube, pendant que les paresseux dorment, et vos greniers regorgeront de blé. Travaillez aujourd'hui, car vous ne savez pas les obstacles que vous rencontrerez demain.

D'après B. Franklin.

118. — Même exercice. [Gr. §§ 47-57.]

Liège se réveille.

Enchâssée dans ses collines, Liège achève de dormir. Ses rues sont pleines encore de silence, et son large fleuve, d'une poussée lente, chasse entre les rives noires ses petits remous moirés qui se poursuivent et s'entrelacent.

Mais déjà l'aube mystérieuse affleure parmi les ténèbres. Sur les hauteurs de la Vesdre, un lointain reflet d'aurore se pose comme une crête d'un blanc nacré qui les dentelle. Des semi-clartés naissantes filtrent par les déchirures du brouillard. Les étoiles clignotent. Peu à peu les sommets se dégagent de l'ombre. Leur voile de gaze s'amincit et se fond. La couleur leur vient. Un à un, ils renaissent à la lumière et à la vie. C'est la haute flèche octogone de Saint-Lambert, gardienne de la cité, dont la pyramide de plomb doré s'éveille radieuse, la première. Puis voici, parmi les envols fulgurants des colombes, les clochers et les dômes, tous les édifices religieux et civils qui s'allument au soleil subitement jailli d'une échancrure d'horizon.

H. Carton de Wiart.

Attribut.

119. — Discernez les *attributs du sujet* et marquez-les du signe *attr.* ; — au moyen d'une ligne coudée à chaque bout rattachez chacun d'eux au sujet auquel il se rapporte. [Gr. §§ 58-59.]

Modèle : Le mensonge est *odieux.*

attr.

a) 1. Notre âme est immortelle. — 2. La patience est une grande force. — 3. La solitude est la patrie des forts. — 4. Prendre une

résolution est assez facile, mais l'exécuter est parfois difficile. —
5. La parole est d'argent, mais le silence est d'or. — 6. La crainte de
Dieu est le commencement de la sagesse. — 7. Le temps est un grand
maître.

b) 1. Rares sont les véritables amis. — 2. Le temps paraissait
si incertain que nous restions indécis. — 3. Tu serais à bon droit
traité d'ingrat si tu n'étais pas reconnaissant envers tes parents. —
4. Votre avenir sera, pour une grande part, ce que vous voudrez
qu'il soit. — 5. Que sont les richesses de ce monde ? Ceux qui les
possèdent passent pour puissants et heureux ; en réalité, ils nous
semblent heureux, mais souvent ils ne le sont pas. — 6. Quels sont
vos auteurs préférés ?

c) 1. Bien des savants moururent pauvres. — 2. Si ce père de
famille tombe malade, que deviendront sa femme et ses enfants ? —
3. Heureux les pacifiques, parce qu'ils seront appelés enfants de Dieu !
— 4. Mes chers amis, vous resterez toujours honnêtes et vous demeu-
rerez fidèles aux principes de droiture qu'on vous a inculqués. —
5. Tel est l'aveuglement de certains hommes qu'ils ne voient pas qu'ils
vivent malheureux par leur faute.

120. — Même exercice. [Gr. §§ 58-59.]

1. Toutes les choses qui ont l'air belles ne sont pas nécessairement excellentes. — 2. Des entreprises qui semblaient irréalisables
deviennent faciles quand on a de la méthode et de la volonté. —
3. Inoubliables sont ces années bénies où nous avons vécu heureux au
foyer paternel. — 4. Vous ne serez vraiment vous-mêmes que quand
vous serez maîtres de toutes vos énergies. — 5. Le plus cher désir de
vos parents est que vous restiez bons et honnêtes. — 6. Trompeuses
sont les apparences : que de choses ne sont pas ce qu'elles semblent
être ! — 7. Les puissants du jour seront-ils encore demain ce qu'ils
sont aujourd'hui ?

121. — Discernez les *attributs du sujet* et analysez-les.
[Gr. §§ 58-59.]

Une feuille tombe.

L'air est froid et sec ; les branches paraissent poudrées de gelée
blanche, mais les feuilles restent bien vertes encore. Pourtant le feuillage des marronniers est, par places, un peu pâle. Le vent devient
coupant : la ramure est en émoi. Une feuille se détache ; elle est légère
dans les remous de l'air ; elle tourne un instant, flotte, remonte un

peu, vire à droite, puis à gauche, se retourne : elle est pareille à un oiseau blessé ; enfin elle semble si fatiguée qu'elle s'abandonne et se pose avec un frottement léger comme un soupir, sur le pavé. Déjà elle est un peu sale sur les bords...

122. — Remplacez les points par un *attribut du sujet*.

[Gr. §§ 58-59.]

a) 1. La patience est ... — 2. Tout homme est ... — 3. L'instruction est ... — 4. La modestie est ... — 5. L'hirondelle est ... — 6. Les Belges sont ... — 7. Nos parents sont ... — 8. La violette est ...

b) 1. Dieu est ... — 2. La charité est ... — 3. Le temps nous semble ... — 4. Cette pièce de monnaie paraît ... — 5. Ce qui est nouveau paraît... — 6. Mon ami a été nommé ... — 7. Nous resterons ... — 8. Vous deviendrez peut-être ...

123. — Remplacez les points par un *attribut du sujet*.

[Gr. §§ 58-59.]

1. Nous ne sommes que rarement ... — 2. Personne n'est ... — 3. Si vous êtes ..., vous vivrez ... — 4. Dans une proclamation célèbre, le roi Albert disait que l'on regarderait comme ... celui qui prononcerait le mot de retraite. — 5. Les apparences sont souvent ... : tel personnage qui semblait ... est en réalité ...

124. — Formez de courtes phrases en donnant un *attribut* aux mots suivants employés comme *sujets* : [Gr. §§ 58-59.]

Mensonge — printemps — instruction — Bruxelles — vivre —forêt — tout — chacun — qui (relatif) — ce (pronom) — on.

125. — Formez de courtes phrases où les mots suivants soient employés comme *attributs du sujet* : [Gr. §§ 58-59.]

Aimable — noble — meilleur — vice — quel (interrogatif) — qui (interrogatif) — ce — roi — à plaindre — que (relatif) — fidèle.

126. — Discernez les *attributs du complément d'objet* et marquez-les du signe *attr. ;* — au moyen d'une ligne coudée à chaque bout rattachez chacun d'eux au complément d'objet auquel il se rapporte.

[Gr. §§ 58-60.]

Modèle : Je déclare cet homme *innocent*.

attr.

a) 1. Quand nous croyons l'occasion favorable, il est sage de la saisir. — 2. Votre vie, vous la voulez belle et noble : vous la rendrez telle en vivant en gens d'honneur. — 3. Il arrive que des personnages que leurs contemporains avaient crus grands, la postérité les juge médiocres. — 4. Quand un danger est passé, souvent on le trouve terrible. — 5. Dieu nous veut humbles dans toutes nos actions. — 6. Ma grand-mère usait d'une tisane comme remède universel.

d) 1. Tous les hommes se jugent dignes des plus hauts emplois, mais la nature ne les en a pas rendus capables ; ainsi on les voit contents dans les emplois médiocres. — 2. Souvent l'expérience est dure : elle nous fait sages en nous blessant. — 3. Certaines gens veulent garder intacts leurs instincts bons ou mauvais ; il se rendraient meilleurs cependant en extirpant leur défauts et en développant leurs qualités. — 4. On n'aime pas ceux que leur grandeur rend dédaigneux. — 5. Des prisonniers se servant d'un canif comme outil, ont fabriqué des bibelots qui sont de vrais chefs-d'œuvre. — 6. Les heures que nous avons libres seront utilement consacrées à de bonnes lectures.

127. — Remplacez les points par un *attribut du complément d'objet*. [Gr. §§ 58-60.]

1. Nous garderons toujours notre courage ... — 2. Vous trouverez sans doute ... la vie de ceux qui se donnent corps et âme à une grande cause ou qui travaillent à rendre ... le sort de l'humanité. — 3. Une nation qui a produit beaucoup de grands hommes, nous la jugeons ... — 4. Je trouve les livres de Jules Verne... — 5. Ce maître, nous l'aimons, parce que nous le savons ... — 6. Le jardinier qui plante un jeune poirier le choisit ... — 7. L'épreuve nous laisse parfois ..., mais elle peut nous rendre ...

128. — Faites entrer dans une courte phrase chacun des verbes suivants et donnez-lui un complément d'objet direct avec un *attribut de ce complément d'objet direct :* [Gr. §§ 58-60.]

Juger — trouver — tenir pour — croire — choisir pour — considérer comme — nommer — proclamer — appeler.

129. — Formez de courtes phrases où les mots suivants soient employés comme *compléments d'objet directs* et donner à chacun d'eux un *attribut :* [Gr. §§ 58-60.]

Mer — avenir — hiver — aveugle — lecture — canotage.

130. — Distinguez les *attributs du sujet* et les *attributs du complément d'objet* et dites de chacun d'eux à quel mot il se rapporte.
[Gr. §§ 58-61.]

Feuillages d'automne.

Les feuillages sont encore vigoureux, mais on devine la sève déjà moins généreuse. D'un jour à l'autre, les arbres prennent des teintes qu'on croirait invraisemblables, tant elles sont riches et variées. Les feuilles des tilleuls deviennent blondes ; celle des chênes, on les voit d'abord cuivrées, puis elles paraissent rouillées et elles resteront telles durant tout l'hiver, car elles ne tombent pas. Elles sont étrangement tenaces et restent attachées aux branches jusqu'à ce que la poussée de la sève nouvelle vienne, au printemps, les jeter bas.

Déterminants du nom et du pronom.

131. — Distinguez les *épithètes* et marquez-les du signe *ép.* ; — au moyen d'une ligne coudée à chaque bout rattachez chacune d'elles au nom auquel elle se rapporte.
[Gr. § 63.]

Modèle : Les grandes pensées viennent d'un cœur généreux.

ép.   ép.

1. Un homme énergique vainc beaucoup de difficultés. — 2. Petite pluie abat grand vent. — 3. A quoi vous servent les bons conseils des personnes expérimentées si vous ne les suivez pas ? — 4. Une âme noble est au-dessus des paroles injurieuses. — 5. Sachez reconnaître vos erreurs avec une parfaite franchise. — 6. Quittez les longs espoirs et les vastes pensées, disaient les trois jouvenceaux de la fable à l'octogénaire qui plantait un jeune arbre.

132. — Distinguez les *épithètes* et analysez-les.   [Gr. § 63.]

Les Champs-Élysées.

Mille petits ruisseaux d'une onde pure arrosaient ces beaux lieux et y faisaient sentir une délicieuse fraîcheur ; un nombre infini d'oiseaux faisaient résonner ces bocages de leurs doux chants. On voyait tout ensemble les fleurs du printemps qui naissaient sous les pas

avec les plus riches fruits de l'automne qui pendaient des arbres.
Là jamais on ne ressentit les ardeurs de la furieuse canicule ; là jamais
les noirs aquilons n'osèrent souffler ni faire sentir les rigueurs de
l'hiver.

FÉNELON.

133. — Donnez à chacun des noms suivants une *épithète* convenable.   [Gr. § 63.]

L'abeille — un vent — un fleuve — un livre — les jours — une
ombre — un courage — une patience.

**134. — Donnez comme *épithète* à un nom chacun des adjectifs
suivants :**   [Gr. § 63.]

Fidèle — juste — heureux — blâmable — clair — blanc — profond
— exotique.

135. — Remplacez par une *épithète* les mots en italique.
                       [Gr. § 63.]

a) 1. Une action *digne d'être louée.* — 2. Des eaux *claires comme
du cristal.* — 3. Un bonheur *qui fuit rapidement.* — 4. Un homme
qui se contente de mets simples. — 5. Une douleur *qui pique, qui
étreint.* — 6. Des régions *fort éloignées du lieu où l'on est.* — 7. Un
travail *qui procure un bénéfice suffisant.* — 8. La population *des
campagnes.*

b) 1. Des aveux *que l'on fait de soi-même.* — 2. Un homme *âgé
de soixante ans.* — 3. Une douleur *qui se tait.* — 4. Un vent *dont
la course est violente et rapide.* — 5. Un visage *qui semble jeter des
rayons.* — 6. Un serpent *qui a du venin.* — 7. Une plante *qui a du
venin.* — 8. Une rivière *qui abonde en poissons.* — 9. Un commerce
qui apporte de gros bénéfices. — 10. Un juge *qui est d'une probité
incorruptible.*

**136. — Discernez les *épithètes détachées* et marquez-les du signe
ép. d. ; — au moyen d'une ligne coudée à chaque bout rattachez
chacun d'eux au nom ou au pronom auquel elle se rapporte.**

                       [Gr. § 63.]

Modèle : Les écoliers, *joyeux,* se mirent à applaudir.

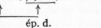

1. Bientôt le soleil se leva, radieux, derrière la colline. — 2. Dans
le crépuscule, montent, indécises, de vagues rumeurs. — 3. Tou-

jours souriante, ma mère fait rayonner au foyer une imperturbable bonne humeur. — 4. Nous partîmes de grand matin, légers comme des hirondelles. — 5. La première étoile brille au fond des cieux, pensive. — 6. Lamentable, s'encadrait dans la porte une vieille mendiante en guenilles. — 7. Entendez-vous le vent ? Il secoue les peupliers, gifle les façades et crie, furieux, dans les cheminées.

137. — Joignez à chacun des noms en italique une *épithète détachée*. [Gr. § 63.]

1. La *lune* montait dans un ciel violacé. — 2. Mille *pâquerettes* déplient dans le gazon leurs fraîches collerettes. — 3. Tous les *visages* se tournèrent vers cet étrange visiteur. — 4. Le *ruisseau* s'insinue dans le taillis. — 5. Un *pinson*, à la cime d'un prunier, répète à plein gosier sa ritournelle. — 6. La vieille *horloge*, dans sa haute gaine de chêne ciré, égrène sa litanie.

138. — Distinguez les *appositions* et marquez-les du signe *app.* ; — au moyen d'une ligne coudée à chaque bout rattachez chacune d'elles au nom auquel elle se rapporte. [Gr. § 63.]

Modèle : Le lion, *roi* des animaux, tint conseil.

app.

a) 1. Attila, roi des Huns, fut vaincu en 451 par Aétius, général romain, dans la célèbre bataille des champs Catalauniques, en Champagne. — 2. Les jardins du château de Belœil ont été dessinés par Le Nôtre, célèbre architecte français. — 3. Zénobe Gramme, l'inventeur de la dynamo, est né à Jehay-Bodegnée, petit village, près de Huy. — 4. Le brochet, ce requin des rivières, est d'une étonnante voracité. — 5. Léopold II, ce roi bâtisseur, voulut que le cinquantenaire de notre indépendance fût perpétué par un monument magnifique, l'arc de triomphe du Cinquantenaire.

b) 1. Moïse, le législateur des Hébreux, reçut le Décalogue sur le mont Sinaï. — 2. La ville de Tongres est une des plus anciennes de notre pays. — 3. Revoici le mois d'avril : déjà, troupe folâtre, les souffles du printemps caressent les buissons. — 4. Je me réjouissais de te voir venir, mais ta coquine de lettre m'annonce que ton voyage a dû, fâcheux contretemps, être remis au mois de janvier. — 5. Il faut admirer ceux qui ramènent toute leur activité à une volonté, servir leur patrie. — 6. Comme Cyrus, roi des Perses, menaçait la ville de Priène, les habitants se préparaient à fuir ; ils s'étonnaient que le philosophe Bias ne fît pas de préparatifs. Je porte tout avec moi, répondit le sage.

139. — Joignez une *apposition* à chacun des mots en italique.
[Gr. § 63.]

1. Le *chêne* résiste généralement aux plus fortes bourrasques, mais le *roseau* y résiste mieux encore. — 2. La *rose* est le plus bel ornement de nos parterres. — 3. Ayez toujours en horreur le *mensonge*. — 4. Que de jeunes gens frivoles, qui n'ont qu'une *préoccupation;* — 5. Comment l'*argent* serait-il à nos yeux plus précieux que l'honneur ?

140. — Discernez les *compléments déterminatifs* et marquez-les du signe *c. dét. ;* — au moyen d'une ligne coudée à chaque bout rattachez chacun d'eux au mot qu'il détermine. [Gr. §§ 63-64.]

Modèle : Bruxelles est la capitale *de la Belgique.*

c. dét.

a) 1. Les cieux racontent la gloire de Dieu et le firmament annonce l'œuvre de ses mains. — 2. Un des premiers effets du devoir est de diminuer les maux de la vie. — 3. L'art de vivre en homme d'honneur, n'est-ce pas l'art d'être heureux ? — 4. Ceux de Liège ont toujours été valeureux. — 5. L'amour du travail est un excellent remède contre l'ennui ; la connaissance de soi-même est un excellent remède contre l'orgueil.

b) 1. L'art de persuader consiste autant en celui d'agréer qu'en celui de convaincre. — 2. Il faut admirer ceux qui montrent un vrai dévouement aux intérêts de l'humanité. — 3. Les jeunes gens d'à présent comprennent-ils bien la nécessité de la culture générale ? — 4. De nos ans passagers, dit le poète, le nombre est incertain. — 5. Le temps, du livre de notre vie, tourne inexorablement les pages. — 6. La vie des hommes est semblable à un chemin dont l'issue est un précipice ; les insensés croient qu'ils n'en verront jamais le bout.

141. — Discernez les *compléments déterminatifs* et analysez-les.
[Gr. §§ 63-64.]

La Vallée du Rhin.

Le magnifique fleuve déploie le cortège de ses eaux bleues entre deux rangées de montagnes aussi nobles que lui ; les cimes s'allongent par étages jusqu'au bout de l'horizon dont la ceinture lumineuse les accueille et les relie ; le soleil pose une lumière sereine sur leurs vieux flancs tailladés, sur leur dôme de forêts toujours vivantes ; le soir, ces grandes images flottent dans des ondulations d'or et de pourpre et le fleuve couché dans la brume, ressemble à un roi heureux et pacifique qui, avant de s'endormir, rassemble autour de lui les plis dorés de son manteau.

H. Taine.

142. — Remplacez les points par un *complément déterminatif*.
[Gr. §§ 63-64.]

a) Idée générale : cri de certains animaux.

1. Le hennissement ... — 2. Le rugissement ... — 3. Le croassement ... — 4. Le coassement ... — 5. Le bêlement ... — 6. Le nasillement ... — 7. Le pépiement ... — 8. Le piaulement ... — 9. Le bramement ... — 10. Le glapissement ... — 11. Le hululement ...

b) Idée générale : collection, choses mises ensemble.

1. Une meute ... — 2. Une botte ... — 3. Un tas ... — 4. Une corbeille ... — 5. Une galerie ... — 6. Une bande ... — 7. Un paquet ... — 8. Une collection ... — 9. Une gerbe ... — 10. Un quarteron ...

143. — Dites à quel nom chacun des *compléments déterminatifs* suivants pourrait être joint :
[Gr. §§ 63-64.]

a) Idée générale : retraite de certains animaux.

1. ... du cheval. — 2. ... du bœuf. — 3. ... de l'abeille. — 4. ... du chien. — 5. ... du lapin sauvage. — 6. ... du lièvre. — 7. ... du lion. — 8. ... de l'aigle. — 9. ... du sanglier.

b) Idée générale : habitation de certaines catégories de personnes.

1. ... du concierge. — 2. ... du roi. — 3. ... du forain. — 4. ... du berger. — 5. ... du passager. — 6. ... du factionnaire. — 7. ... du sauvage. — 8. ... de l'ambassadeur.

144. — Employez dans de courtes phrases les mots suivants comme *compléments déterminatifs* :
[Gr. §§ 63-64.]

a) Mère — patrie — maison — Dieu — printemps — village — forêt — étoiles.

b) Chacun — nous — chanter — vivre — maintenant — ceci — écrire — plaire — s'instruire — dont — en — duquel.

c) qu'on ne le vole — que notre malheur prendra fin — que l'ennemi approchait — que vous réussirez.

Complément de l'adjectif.

145. — Discernez les *compléments des adjectifs* en italique et marquez-les du signe *c. adj.* ; — au moyen d'une ligne coudée à chaque bout rattachez chacun d'eux à l'adjectif qu'il complète.   [Gr. § 65.]

Modèle : On apporta un vase plein *d'eau.*

a) 1. Notre mère a toujours pour nous le cœur *plein* de tendresse ; elle est si *contente* de nos succès ! — 2. Sachez vous montrer *dignes* de la confiance que vos maîtres vous ont témoignée. — 3. Quiconque est *oublieux* de son devoir n'est pas un grand cœur. — 4. Un homme droit est *fidèle* aux promesses qu'il a faites.

b) 1. Les succès dont je suis *fier* sont ceux qui m'ont coûté beaucoup d'efforts. — 2. Vos meilleures chances de succès sont en vous-mêmes, soyez-en bien *certains*. — 3. La mort a des rigueurs à nulle autre *pareilles*. (Malherbe.) — 4. Ne négligez pas les intérêts de votre patrie, auxquels les vôtres sont *conformes*.

146. — Discernez les *compléments d'adjectif* et marquez-les comme il a été fait dans l'exercice précédent.   [Gr. § 65.]

1. Notre siècle aura été fécond en inventions de toutes sortes. — 2. Un jeune homme, s'il est riche en vertus, fût-il très pauvre en biens, peut regarder l'avenir avec confiance. — 3. Bien des gens sont sévères pour les autres et indulgents pour eux-mêmes. — 4. Ils sont bien dignes de pitié ceux qui sont incapables d'admiration. — 5. On en voit qui trouvent toutes choses faciles à faire. — 6. Si je savais quelque chose utile à ma patrie et qui fût préjudiciable à l'Europe, ou bien qui fût utile à l'Europe et préjudiciable au genre humain, je la regarderais comme un crime. (Montesquieu.)

147. — Discernez les *compléments d'adjectif* et analysez-les.
                                                      [Gr. § 65.]

D'excellentes qualités.

Mon enfant, sois plein d'égards pour tes parents et montre-toi toujours digne d'eux. Sois attentif à leur plaire et garde-toi d'être infidèle aux promesses que tu leur as faites de n'être jamais oublieux de ton devoir. Tu seras assidu au travail, secourable à tes amis et sensible à tous les maux qui affligent tes semblables ; tu feras, pour te perfectionner, tous les efforts dont tu seras capable. Un enfant soucieux de délicatesse morale est soigneux de sa personne ; non seulement il est propre sur soi, mais il veille à tenir son âme pure de toute souillure. C'est à un tel enfant que tu seras semblable. Ainsi, j'en suis sûr, chacun sera content de toi.

148. — Remplacez les points par un *complément d'adjectif*.
[Gr. § 65.]

a) 1. Un artiste fier de ... — 2. Un fossé large de ... — 3. Une grange pleine de ... — 4. Untexte facile à ... — 5. Une maison semblable à ... — 6. Un dévouement pareil au ... — 7. Un père indulgent pour ... — 8. Un homme ingrat envers ... — 9. Un enfant enclin à ... — 10. Je suis inquiet sur ... — 11. Une région fertile en ...

b) 1. Toute vérité n'est pas bonne à ... — 2. Soyons charitables envers ... — 3. Le fat est plein de ... — 4. L'oisiveté est nuisible à ... — 5. Nul ne sait s'il est digne d'... ou de ... — 6. Quand on est propre à ..., on n'est propre à ... — 7. Il faut être bienveillant pour ... — 8. L'homme consciencieux est exact à...

149. — Donnez un *complément* à chacun des *adjectifs* suivants et formez, dans chaque cas, une petite phrase :   [Gr. § 65.]

Capable — facile — digne — habile — doux — agréable — apte — avide — enclin — susceptible.

150. — Joignez à chacun des *adjectifs* suivants plusieurs *compléments* introduits par des prépositions différentes :   [Gr. § 65.]

Modèle : Fort *en thème,* fort *aux échecs,* fort *pour pérorer* — fort *de son bon droit.*

Ignorant — bon — charitable — respectueux — sévère — pauvre — responsable — fidèle — curieux.

Complément de l'adverbe.

151. — Discernez les *compléments d'adverbe* et marquez-les du signe *c. adv. ;* — au moyen d'une ligne coudée à chaque bout rattachez chacun d'eux à l'adverbe qu'il complète.   [Gr. § 65.]

Modèle : Heureusement *pour lui,* ses appels furent entendus.
              ↑   ↑
                    c. adj.

1. Le chien, indépendamment de la beauté de sa forme, a toutes les qualités intérieures qui peuvent lui attirer les regards de l'homme.

— 2. Nous serons récompensés proportionnellement à nos mérites ; puissions-nous vivre conformément à la volonté de Celui qui nous jugera ! — 3. Il convient que préalablement à toute critique nous examinions si nos observations sont fondées et si elles n'offensent point la charité ; si l'on observait cette règle, beaucoup de querelles seraient évitées. — 4. Ailleurs que dans le cercle de famille, certains enfants se sentent tout dépaysés. — 5. Bien des gens ne connaissent pas leurs véritables intérêts et malheureusement pour eux, ils n'écoutent pas ceux qui pourraient les leur faire connaître.

152. — Formez de petites phrases dans lesquelles les *adverbes* suivants soient accompagnés d'un *complément* :   [Gr. § 66.]

Antérieurement — conjointement — différemment — conformément — contrairement — plus — ailleurs.

RÉCAPITULATION

153. — Discernez parmi les mots en italique les *épithètes*, les *appositions*, les *compléments déterminatifs*, les *compléments d'adjectif*, les *compléments d'adverbe*.   [Gr. §§ 63-66.]

Être maître de soi.

Pour agir conformément au *devoir*, l'homme doit avoir la maîtrise de *soi*. Sans doute sa conscience, cette *voix* intérieure, lui commande d'aller toujours, dans cette vie pleine d'*inégalités*, le *droit* chemin, le chemin de l'*honneur*, mais s'il veut *en* être capable, il doit avoir la maîtrise de ses *énergies*, contrairement aux *habitudes* de tant de *gens* qui ne cherchent qu'une chose : le *plaisir*.

Mots indépendants

(Mots mis en apostrophe ; mots explétifs.)

154. — Discernez les *mots mis en apostrophe* et les *mots explétifs*.
[Gr. § 68.]

1. Donc, ô pauvres, que vous êtes riches ! mais, ô riches, que vous êtes pauvres ! (Bossuet.) — 2. Nous le jurons tous, chère patrie, tu vivras ! — 3. Temps jaloux, que fais-tu donc des jours que tu engloutis ? — 4. Ah ! quel hercule ! il vous eût tordu dans ses mains une

barre de fer grosse comme mon pouce. — 5. Silence, oiseaux des bois,
le rossignol va chanter. — 6. Voyons, prends-moi donc une résolution
énergique, mon garçon !

**155. — Changez la tournure des phrases suivantes de telle sorte
que les mots en italique soient *mis en apostrophe* :**   [Gr. § 68.]

1. La *maison* paternelle nous accueille toujours avec une joie sereine. — 2. Nous nous souviendrons toujours des tendres soins dont
notre *mère* a entouré notre enfance. —3. Le *printemps* renouvelle
toute la physionomie des campagnes et des bois. — 4. Pourquoi le
vent d'hiver arrache-t-il si brutalement les dernières feuilles ?

Ellipse. Pléonasme.

156. — Dites quels sont les mots omis par *ellipse*.   [Gr. § 69.]

1. Fais ce que dois, advienne que pourra. — 2. Du cuir d'autrui
large courroie. — 3. Homicide point ne seras. — 4. A chacun son
métier. — 5. Heureux les pacifiques, parce qu'ils seront appelés
enfants de Dieu. — 6. Il écoutait cette voix à peu près comme un
chien celle de son maître. — 7. A petit mercier petit panier.

**157. — Rendez chacune des phrases suivantes plus ramassée en
recourant à l'*ellipse* :**   [Gr. § 69.]

1. Il était, quoiqu'il fût riche, économe de ses biens et secourable
aux malheureux. — 2. Certaines gens parlent des affaires internationales à peu près comme les aveugles parleraient des couleurs. —
3. Mes chers élèves, la vie vous réserve de nobles tâches : l'un sera ingénieur, l'autre sera médecin, l'autre sera missionnaire peut-être … —
4. Ce commerçant n'avait aucun ordre, ne tenait aucune comptabilité :
de là vient sa faillite.

**158. — Dites quels sont les mots qui forment *pléonasme* et in-
diquez, dans chaque cas, ce qui est redoublé.**   [Gr. § 70.]

1. Que me font, à moi, tous ces chants et tous ces cris de joie ? —
2. Car partout où l'oiseau vole, la chèvre y grimpe. (Hugo.) — 3. Car
vous ne savez pas, moi, je suis un bandit. (Id.) — 4. Vous avez vu
de vos yeux tous les tendres soins dont votre mère a entouré votre
enfance.

Espèces de propositions.

159. — Distinguez les *propositions* et dites de chacune d'elles si elle est indépendante, principale ou subordonnée. [Gr. § 71.]

a) 1. L'aumône est une prière excellente. — 2. L'oisiveté avilit l'homme. — 3. Bien des périls s'évanouissent quand on ose les affronter. — 4. Honore tes parents afin que tu vives longtemps sur la terre. — 5. Quand les chats sont partis, les souris dansent. — 6. Faites-vous des amis qui soient d'une droiture parfaite.

b) 1. Si vous ne savez pas vous vaincre en des choses légères, comment remporterez-vous des victoires plus difficiles ? — 2. L'homme humble jouit d'une paix inaltérable ; la colère et l'envie troublent le cœur de l'orgueilleux. — 3. Nul ne parle avec mesure s'il ne se tait volontiers : nous apprendrons donc l'art de nous taire. — 4. Souvent notre esprit est tellement séduit qu'il croit savoir ce qu'il ne sait pas ; il prend souvent une simple apparence pour une réalité.

160. — Distinguez les *propositions* indépendantes, les principales et les subordonnées et marquez-les chacune d'un signe abréviatif.
[Gr. § 71.]

La Modestie.

La modestie est une fort belle vertu. L'homme modeste ne nie pas ses mérites ; il a une opinion exacte de sa valeur, mais il ne l'étale pas. Il sait le nombre et la grandeur de ses défauts et il ne croit pas en être excusé quand il a aperçu ces mêmes défauts chez d'autres personnes. Il reconnaît franchement les erreurs et les fautes qu'il a faites. Il parle peu de lui-même ; quand on ne prend pas garde à lui, il ne s'en formalise pas ; il s'estime peu, mais il estime beaucoup les autres. Il s'applique à mériter les louanges, mais il les fuit ; il sait d'ailleurs que ces louanges sont souvent fausses et intéressées.

161. — Complétez chaque proposition principale en y joignant une proposition *subordonnée*. [Gr. § 71.]

a) 1. Nos parents désirent [*que* ...]. — 2. Pardonnez [*afin que* ...] — 3. La mouche du coche se plaignait [*de ce que* ...]. — 4. L'honneur est trop précieux [*pour que* ...]. — 5. Vous serez maîtres de vous-mêmes [*si* ...].

b) 1. L'eau [*qui* ...] finit par creuser le roc. — 2. Il nous sera demandé compte de la manière [*dont* ...]. — 3. Gardez le souvenir des bienfaits [*que* ...]. — 4. [*Aussitôt que* ...], les oiseaux commencent leurs concerts. — 5. [*Quand* ...], c'est l'heure des grandes âmes. — 6. Les richesses, [*bien que* ...], ne font pas le bonheur.

162. — **Imaginez pour chacune des propositions subordonnées suivantes la proposition *principale* à laquelle elle pourrait se rattacher.**
[Gr. § 71.]

1. Si vous avez mené une vie vertueuse, ... — 2. Dès que le printemps s'annonce, ... — 3. Si tu veux réussir, ... — 4. ... afin que vous ne soyez pas jugés vous-mêmes. — 5. ... de manière qu'on n'ait rien à vous reprocher. — 6. Quoique le devoir soit parfois douloureux, ... — 7. ... sans qu'on vous y contraigne.

163. — **Discernez les propositions *incidentes*.**   [Gr. § 71.]

1. Quand on n'a pas ce qu'on aime, dit un adage, il faut aimer ce qu'on a. — 2. L'honneur, vous le savez, est un bien très précieux. — 3. Le sang, déclarait Lacordaire, est la plus pure et la plus invincible des couleurs quand il est répandu pour la justice. — 4. Un peu de patience vous aiderait fort, je crois, à vaincre les difficultés. — 5. Sire, dit le renard, vous êtes trop bon roi. — 6. Alexandre, rapporte-t-on, vint voir le philosophe Diogène. Il le trouva étendu au soleil. — « Que désires-tu, lui demanda-t-il, que je fasse pour toi ? » — « Que tu t'ôtes, répondit le philosophe, de mon soleil ».

164. — **Dites de chaque proposition si elle est affirmative, ou négative, ou interrogative, ou exclamative.**   [Gr. § 73.]

1. Mal juger vient souvent d'un vice de volonté. — 2. Que peu de temps suffit pour changer notre situation ! — 3. Ouvrez votre cœur à la pitié : ne renvoyez pas durement les malheureux. — 4. Et vous resteriez insensibles à l'affection de vos parents ? — 5. L'économie est fille de l'ordre. — 6. Pourquoi remettrions-nous à demain l'accomplissement de nos résolutions ?

165. — **Les propositions suivantes ont l'une des quatre formes : affirmative, négative, interrogative, exclamative. Donnez à chacune d'elles successivement les trois autres formes. (L'idée doit rester la même, mais certains mots peuvent, au besoin, être changés).** [Gr. § 73.]

1. Notre âme est immortelle. — 2. Les richesses ne font pas le bonheur. — 3. Qu'il est beau, le pays natal ! — 4. Le printemps répand partout la joie. — 5. Nos bonheurs ne durent guère.

166. — **Dites si l'interrogation est *directe* ou *indirecte*.** [Gr. § 73.]

1. Où peut-on être mieux qu'au sein de sa famille ? — 2. Dites-moi pourquoi nul homme n'est content de son sort. — 3. Je ne sais s'il est une passion plus vile que l'envie. — 4. Quoi de plus noble qu'une vie consacrée tout entière à la vérité et à la vertu ? — 5. Dis-moi qui tu hantes et je te dirai qui tu es. — 6. Nous nous demandons de quoi demain sera fait, mais nous ignorons ce que l'avenir nous réserve.

167. — **Changez la forme de l'interrogation.**   [Gr. § 73.]

a) En mettant l'interrogation indirecte : 1. Pâle étoile du soir, que regardes-tu dans la plaine ? — 2. Qui n'a jamais fait de châteaux en Espagne ? — 3. Est-ce bien le moment d'agir ainsi ? — 4. Que ferions-nous sans la direction de nos parents ? — 5. Est-ce que nous pourrions nous passer du secours de nos semblables ?

b) En mettant l'interrogation directe : 1. Je ne sais s'il est un plus beau mot que le mot de mère. — 2. Vous me demandez si je prendrai une résolution. — 3. Je me demande comment vous réussirez dans vos études si vous manquez de volonté. — 4. Nous ignorons quel sera notre sort. — 5. Nous nous enquérons si ce personnage est d'une honnêteté parfaite.

168. — **Discernez les propositions *coordonnées* et les propositions *juxtaposées*.**   [Gr. § 75.]

1. Le vice est odieux ; or le mensonge est un vice ; donc le mensonge est odieux. — 2. Le printemps revenait ; des souffles tièdes circulaient ; dans les ramures passaient les caresses de la lumière. — 3. Ils demandent le chef ; je me nomme, il se rendent. (Corneille.) — 4. La faim regarde à la porte de l'ouvrier laborieux, mais elle n'ose pas entrer. — 5. La paresse rend tout difficile ; le travail rend tout aisé. — 6. Le chat vit que les souris étaient retirées dans leurs trous, qu'elles n'osaient sortir, qu'elles ne cédaient à aucune tentation ; il fit le mort et se suspendit par la patte à une poutre.

169. — **Transformez les phrases suivantes de telle façon qu'on ait :**
1° *coordination* ; 2° *subordination*.   [Gr. §§ 71-75.]

1. Je suis un homme : je suis faillible. — 2. Le soir tombait : nous fîmes halte. — 3. Tu as fait une bonne action : je te félicite. — 4. L'expérience t'a instruit : tu éviteras à l'avenir de retomber dans cette faute. — 5. Tu te repens : je te pardonne. — 6. C'était un vrai savant ; il était modeste. — 7. Ne sois pas vaniteux : tu t'aliénerais les sympathies. — 8. L'homme propose, Dieu dispose.

Ordre des mots.

170. — Ordonnez de diverses manières les éléments de chacune des phrases suivantes :   **[Gr. §§ 76-78.]**

1. Un grand soleil rouge se plongeait lentement dans les flots. — 2. Les canards sauvages s'abattent tout à coup sur les eaux dans la tranquillité du crépuscule. — 3. Une petite maison isolée montrait son toit de tuiles rouges au flanc de la colline. — 4. Une haute silhouette apparut tout à coup dans le cadre de la porte.

171. — Mettez en relief les mots en italique.   **[Gr. § 79.]**

a) *Par simple mise en tête de la phrase :* 1. L'homme droit écoute la voix de sa conscience *en toutes circonstances*. — 2. Les jours sereins sont *rares*. — 3. Nous n'obtiendrons que des demi-succès *en ne faisant que des demi-efforts*. — Ce jour tant attendu *vint* enfin.

b) *Par la mise en tête de la phrase et la reprise au moyen d'un pronom :* 1. Nous ne pouvons arrêter la marche du *temps*. — 2. Comment pourriez-vous oublier *un tel bienfait* ? — 3. Je ne puis effacer *ce souvenir* de ma mémoire. — 4. Nous n'attachons pas toujours assez d'importance à la *méthode* en étudiant.

c) *Par un pronom annonçant le mot :* 1. J'admirais sincèrement *cet homme* si bon et si juste. — 2. Défions-nous de *ces flatteurs* qui nous accablent d'éloges. — 3. L'*aumône* faite sans bienveillance n'est pas méritoire. — 4. Où sont les *marins* sombrés dans les nuits noires ?

d) *Par l'emploi de* c'est … qui *ou de* c'est … que : 1. La *persévérance* vous conduira au succès. — 2. Vous posséderez vraiment vos âmes par la *patience*. — 3. On entreprend *en souriant* les tâches difficiles. — 4. Votre *mère* a veillé sur votre enfance ; sa *tendresse* vous a préservé de bien des dangers. — 5. Vous exercez un véritable *apostolat*.

172. — Dans chacune des phrases suivantes, mettez successivement en relief, au moyen de *c'est... qui* ou de *c'est... que,* les divers éléments (sauf le verbe) :   **[Gr. § 79.]**

Modèle : Je | vous | apporterai | demain | un beau livre. — C'est moi qui vous apporterai demain un beau livre. — C'est à vous que j'apporterai demain un beau livre. — C'est demain que je vous apporterai un beau livre. — C'est un beau livre que je vous apporterai demain.

1. Le professeur | se plaint | constamment | de votre négligence. — 2. Nous | entreprendrons | ce travail | dans quelques jours. — 3. Mon ami | a fait | pendant les vacances | un beau voyage | avec ses parents. — 4. Les lapins | ont creusé | cette nuit | dans le talus | un profond **terrier.**

CHAPITRE III

LE NOM

Espèces de noms.

173. — Rangez les noms suivants en deux groupes : 1º *noms com-*
muns ; 2º *noms propres* : [Gr. § 81.]

Hiver	Soleil	Vertu	Récit
Village	Jardin	Yser	Jean
Bruxelles	Congo	Bonté	Pain

174. — Discernez les *noms communs* et les *noms propres* et
analysez-les. [Gr. § 81.]

Mon Beau Pays.

Je t'aime, mon beau pays. J'aime cette merveilleuse succession
de paysages qui va des coteaux de l'Ardenne aux plages de la Flandre.
J'aime les forêts du Luxembourg, les vastes horizons d'où l'on voit,
au matin, les vallées enveloppées de brouillards, j'aime la Semois,
l'Ourthe, l'Amblève, et la Meuse, qui concentrent leurs eaux dans son
aimable vallée ; j'aime le noir Borinage, et le Brabant et les étendues
silencieuses de la Campine ; j'aime l'Escaut, et toute la Flandre,
tenacement cultivée comme un jardin.

D'après J. Destrée.

175. — Trouvez trois *noms propres* désignant : [Gr. § 81.]
1º des villes ; 2º des fleuves ; 3º des peuples ; 4º des personnages
de notre histoire nationale ; 5º des écrivains célèbres ; 6º des personnages bibliques.

176. — Rangez les noms suivants en deux groupes : 1º *noms*
concrets ; 2º *noms abstraits* : [Gr. § 82.

cheval	voiture	étang	poirier
franchise	vitesse	pinson	épaisseur
maison	courage	dureté	locomotive

177. — Trouvez trois *noms concrets* désignant :   [Gr. § 82.

1° des outils ; 2° des fruits ; 3° des véhicules ; 4° des liquides ; 5° des métaux.

178. — Quels sont les *noms abstraits* correspondant aux adjectifs suivants :   [Gr. § 82.]

large	fixe	clair	aveugle
petit	candide	opaque	corpulent
rude	pâle	sourd	aigu

179. — Transformez les phrases suivantes par l'emploi de *noms abstraits* :   [Gr. § 82.]

> *Modèle :* Tu es *bon :* tu te concilies les cœurs. Ta *bonté* te concilie les cœurs.

a) 1. Comme nous sommes *faibles,* nous devons demander du secours. — 2. Le danger est *imminent :* nous en sommes *effrayés.* — 3. Il était *incompétent :* on l'a *renvoyé.* — 4. Nous *espérons* des jours meilleurs : cela nous soutient. — 5. Parce qu'il est *bienfaisant,* on *l'aime.* — 6. Comme il est très *vif,* il s'emporte jusqu'à *déraisonner.* — 7. Ils se sont volontairement *soumis :* cela leur a valu d'être *sauvés.*

b) 1. Vous n'êtes pas *conséquent* dans vos raisonnements : on ne vous comprend pas. — 2. Puisque mon ami est *absent,* je ne révélerai rien. — 3. Cette attitude est *réprouvée* par les honnêtes gens. — 4. Étant fort *délicat,* il était choqué par les manières *triviales.* — 5. Si vous m'*approuvez,* j'en serai *fier.* — 6. Ces desseins sont si *vains* qu'ils révèlent un esprit étrangement *faible.* — 7. Ce n'est pas parce qu'ils sont *pauvres* qu'on refusera de les estimer.

180. — Quels sont les *noms collectifs* qui signifient : [Gr. § 83.]

a) 1. Une réunion de choses mises les unes sur les autres. — 2. L'ensemble des personnes unies par le sang ou l'alliance et vivant sous le même toit. — 3. Un ensemble de navires destinés aux mêmes opérations. — 4. Un certain nombre de soldats qui logent et mangent ensemble. — 5. L'ensemble des dents. — 6. L'ensemble des cheveux d'une personne. — 7. Une compagnie de personnes associées pour quelques exercices de piété.

b) 1. Une suite de colonnes rangées avec symétrie. — 2. Un ensemble d'oisillons encore dans le nid. — 3. La quatrième partie d'un cent. — 4. L'ensemble de cinq numéros gagnant ensemble sur la même ligne horizontale au jeu de loto. — 5. Une petite pièce de poésie composée de dix vers. — 6. Une multitude de valets.

Féminin des noms.

181. — Donnez le *féminin* de chacun des noms suivants : [Gr. §§ 86-93.]

a) chameau espion avocat cousin
paysan fou Anglican jumeau
berger sot candidat Hottentot
sultan faisan prisonnier écolier
Lapon Gabriel Persan Jouvenceau
manchot Grec dévot Wallon

b) Flamand Anversois damoiseau colonel
époux curieux marquis orgueilleux
veuf linot Breton orphelin
baron chien idiot Turc
héritier messager Jean infirmier
Frédéric Simon pâtissier préfet

182. — Mettez au *féminin* les noms suivants : [Gr. § 94.]

a) visiteur fondateur semeur flatteur
acteur coiffeur pêcheur médiateur
voleur consolateur lecteur porteur

b) pécheur acheteur spectateur empereur
inspecteur inventeur ambassadeur emprunteur
enchanteur prieur persécuteur protecteur

183. — Mettez au *féminin* les noms suivants : [Gr. § 94.]

a) 1. L'imagination est l'[*inventeur*] des arts. — 2. Les [*pêcheurs*] de moules exercent un bien rude métier. — 3. Notre mère se fait volontiers l'[*exécuteur*] attentive de nos projets d'enfant. — 4. La volupté a été de tout temps la plus redoutable [*persécuteur*] de la vérité. — 5. Le poète tragique grec Euripide était le fils d'une [*vendeur*] d'herbes. — 6. Certaines femmes font profession de prédire les événements qui arriveront ; ces [*devins*] trouvent auprès des gens crédules un étonnant crédit.

b) 1. Les poètes ont célébré Diane [*chasseur*]. — 2. Ce châtelain avait la passion de la chasse ; sa femme, pour lui complaire, était devenue grande [*chasseur*]. — 3. La musique a ses enchantements ; c'est parfois une grande [*charmeur*]. — 4. En termes de droit, celle qui forme une demande en justice s'appelle [*demandeur*]; celle contre laquelle est intentée la demande s'appelle [*défendeur*] : celle qui donne à bail porte le nom de [*bailleur*]; celle qui doit se nomme [*débiteur*]. — 5. Cette femme n'est qu'une [*débiteur*] de fausses nouvelles. — 6. Les Furies étaient, dans le paganisme, les [*vengeurs*] des crimes.

184. — Mettez au *féminin* les noms en italique.   [Gr. §§ 94-95.]

1. Quelques [*pauvres*] se tenaient, pitoyables, sur les marches de la cathédrale. — 2. La [*comte*] de Noailles a été une [*poète*] remarquable. — 3. Rome, au début de l'ère chrétienne, était la [*maître*] du monde. — 4. Il y avait, chez les anciens Gaulois, des [*prêtres*] qui s'appelaient [*druides*]. — 5. Madame de Maintenon a été une remarquable [*éducateur*]. — 6. Les belles-lettres sont, à l'occasion, de douces [*consolateurs*]. — 7. Nous avons été reçus avec cordialité : on nous servit des liqueurs composées par l'[*hôte*] elle-même.

185. — Dites quels sont :   [Gr. §§ 94-97.]

a) Les noms féminins correspondant aux noms masculins suivants :

traître	faune	opérateur	ladre
drôle	daim	pauvre	neveu
poulain	gendre	jars	dindon
parrain	sauvage	loup	lévrier

b) Les noms masculins correspondant aux noms féminins suivants :

borgnesse	brebis	laie	petite-fille
mule	servante	jument	petite-maîtresse
diaconesse	muette	Suissesse	ânesse
chatte	tsarine	héroïne	biche

186. — Mettez au *féminin* les noms en italique (et accommodez dans chaque expression ce qui doit être accommodé).   [Gr. §§ 95-96.]

a) 1. Un *homme* cruel comme un *tigre*. — 2. Le *gouverneur* du *duc*. — 3. Le *serviteur* de mon *frère*. — 4. L'*oncle* du *roi*. — 5. Le *neveu* de l'*abbé*. — 6. Vendre un *étalon* et un *poulain*. — 7. Tuer un *dindon*, un *jars*, un *coq*, et un *canard*. — 8. Le *lévrier* a atteint le *lièvre*. — 9. Le *parrain* de ton *fils*. — 10. Manger comme un *ogre*. — 11. Les *héros* de la tragédie. — 12. Un *cerf* et un *chevreuil* aux abois.

b) 1. Les *compagnons* de mon *père*. — 2. Sacrifier un *bélier*, un *bouc*, un *taureau*. — 3. Tuer un *daim* et un *loup*. — 4. Le *doge* de Venise. — 5. Un *garçon* têtu comme un *mulet*. — 6. Basané comme un *mulâtre*. — 7. Son *mari* est un *Suisse*. — 8. Un *prophète* de malheur. — 9. *Monsieur*, je suis votre *serviteur*. — 10. Une chevelure crépue comme celle d'un *nègre*.

FÉMININ DES NOMS : RÉCAPITULATION

187. — **Mettez au *féminin* les noms en italique.**   [Gr. §§ 86-99.]

a) 1. C'est avec raison que l'histoire a été appelée la sage [*conseiller*] des princes. — 2. Une [*sourd-muet*] mène une existence bien triste. — 3. J'aime à contempler le visage ridé des vieilles [*paysans*], ces rudes [*travailleurs*]. — 4. J'aime la maison parternelle, [*gardien*] de traditions vénérables. — 5. Les oies sauvages, hardies [*voyageurs*], passaient dans l'air déjà chargé de brouillard. — 6. L'imagination, cette [*enchanteur*], sait retracer le passé et devancer l'avenir.

b) 1. Vous aimeriez votre profession ; elle sera pour vous une excellente [*maître*] de conduite et une [*instituteur*] de moralité. — 2. Sainte Barbe est la [*patron*] des mineurs ; ils l'invoquent comme leur [*protecteur*]. — 3. La [*supérieur*] de certains couvents porte le nom de [*prieur*]. — 4. L'empereur Théodose ordonna qu'aucune [*veuf*] ne fût reçue au rang de [*diacre*], qui n'eût soixante ans. — 5. Le renard à qui un os était demeuré dans le gosier appela par signes une cigogne : voilà aussitôt l'[*opérateur*] en besogne.

188. — **Même exercice.**   [Gr. §§ 86-99.]

Les Hirondelles.

La saison printanière, comme une [*enchanteur*], a renouvelé la face de la nature : les tièdes journées de mai, [*exécuteurs*] fidèles des volontés d'avril, ont ramené dans l'air léger les [*ambassadeurs*] des beaux jours : les hirondelles, ces [*voyageurs*] intrépides, ces [*messagers*] ponctuelles, tracent sur l'azur rafraîchi leurs courbes nobles et savantes. Vêtues de noir et de blanc, elles font un peu les [*coquets*] et elles semblent avoir conscience qu'elles sont les [*porteurs*] de magnifiques promesses. Elles vont et viennent ; ce sont les vraies [*rois*] de l'air : elles montent, descendent, virent, piquent tout droit, retombent, toujours [*maîtres*] de leur chute.

Noms dont le genre est à remarquer.

189. — **Mettez l'article *un* ou *une* et accordez les adjectifs.**

a) ... haltère [*pesant*].   ... omoplate [*saillant*].

    ... moustiquaire [*léger*]   ... pore [*étroit*].

... [*frais*] oasis.   ... antichambre [*ouvert*].
... rail [*étroit*].   ... emplâtre [*chaud*].
... autostrade [*nouveau*]. ... équerre [*épais*].
... écritoire [*ancien*].   ... argile [*compact*].
... exorde [*insinuant*].   ... chrysanthème [*blanc*].

b) ... moustique [*agaçant*]. ... ovale [*parfait*].
... atmosphère [*lourd*].   ... orbite [*creux*].
... caramel [*délicieux*].   ... effluve [*odorant*].
... [*petit*] astérisque.   ... athénée [*ancien*].
... en-tête [*manuscrit*].   ... [*petit*] élastique.
... amnistie [*complet*].   ... glaire [*épais*].
... insigne [*nouveau*].   ... après-midi [*pluvieux*].

190. — Accordez les mots en italique.

1. On voyait au mur de la classe, [un] planisphère aux couleurs vives. — 2. Les abeilles construisent des alvéoles parfaitement [*régulier*]. — 3. C'est la procession de la Fête-Dieu : sur le pavé gris, que de pétales [*frais* et *odorant*] ! — 4. Nous pouvons toujours compter sur [*tout*] l'aide de nos parents. — 5. Les domestiques prépareront le service de table dans [*cet*] office [*spacieux*]. — 6. Le navire a trouvé dans ce port [*un excellent*] relâche. — 7. [*Quel beau*] méandres la Semois décrit de Florenville à Monthermé ! — 8. Les architectes ne parviennent pas toujours à obtenir dans les théâtres [*un bon*] acoustique.

Noms à double genre.

191. — Mettez, selon le genre, l'article *un* ou *une*.

1. Manger ... couple d'œufs. Arrêter ... couple de brigands. ... couple de forces parallèles. Attacher des chiens avec ... couple. ... couple de pigeons suffira pour peupler ce colombier. — 2. Mettre ... crêpe à son chapeau. Manger ... crêpe. — 3. Le cadran d'... pendule. Les oscillations d'... pendule. — 4. Suivre ... mode excentrique. Réformer ... mode d'enseignement. — 5. Briser ... moule de plâtre. La coquille d'... moule a deux valves.

192. — Faites l'accord des mots en italique.   [Gr. §§ 100-110.]

a) 1. On entendait entre les branches le vent chanter comme [un] orgue [*aérien*]. — 2. Que notre vie tout entière soit comme [un] hymne de joie et de sérénité. — 3. J'aime d'[un] amour [*profond*] ma terre natale. — 4. Dans la plaine nue et dorée [*seul*] restaient encores quelques orges. — 5. Voici Pâques [*revenu*] ; les cloches sonnent à toute volée, les orgues [*joyeux*] enflent leur grande voix. — 6. Il y a de [*secret*] délices à se vaincre soi-même. — 7. [*Certain*] foudres ou grands tonneaux ont une contenance de 300 hectolitres.

b) 1. L'aigle [*majestueux*] plane plus haut que le sommet des hautes montagnes. — 2. Qu'[*un grand*] amour filial réponde à l'amour [*maternel*]. — 3. De [*fol*] amours ont souvent gâché toute une vie. — 4. [*Quel*] foudre d'éloquence que Démosthène ! [*Quel*] foudre de guerre qu'Alexandre ! — 5. [*Un*] aigle de cuivre étendait ses ailes dans le chœur de l'église. — 6. Dieu de l'univers, par [*quel*] hymnes le poète exprimera-t-il votre infinie grandeur ?

c) 1. La prose de Racine est [*un*] délice. — 2. Ce malade souffre d'une angine de poitrine arrivée [*au dernier*] période. — 3. Les alchimistes du moyen âge cherchaient le moyen de changer en or les métaux inférieurs : cette recherche s'appelait [*le grand*] œuvre. — 4. Boucher a peint un grand nombre de [*petit*] Amours [*joufflu*]. — 5. L'entrepreneur a assuré que [*le gros*] œuvre serait [*achevé*] dans un mois.

193. — Faites l'accord des mots se rapportant à *gens*.

[Gr. § 104.]

a) 1. Les [*vieux*] gens aiment à se rappeler leur passé. — 2. Que de [*petit*] gens ont un grand cœur ! — 3. Fuyez les fourbes et les flatteurs : de [*tel*] gens sont [*dangereux*]. — 4. [*Certain*] gens ne sont [*heureux*] que quand un gros travail s'offre à leur activité. — 5 Les [*vrai*] gens de bien abhorrent le mensonge. — 6. N'en voit-on pas qui, avec leurs amis, paraissent les [*meilleur*] gens du monde, et qui, dans le cercle de leur famille, sont des gens [*hargneux*] ?

b) 1. Il n'est pas convenable de dévisager [*tout*] les gens que l'on rencontre. — 2. Les [*bon*] gens de la rue s'apitoient volontiers sur les enfants malheureux. — 3. Que répondre à de [*pareil*] gens, [*auquel*] toute éducation a toujours fait défaut ? — 4. On a vu de [*malheureux*] gens de lettres mourir dans le besoin. — 5. [*Quel*] gens êtes-vous ? — 6. Ah ! mes grands-parents dont je vois les portraits jaunis, [*cher vieux*] gens que je n'ai pas [*connu*], combien je me sens proche de vous !

194. — Même exercice.

[Gr. § 104.]

a) 1. [*Certain*] gens de robe ont oublié que la justice leur imposait de graves devoirs. — 2. [*Confiné*] dans leurs souvenirs, [*tout*] ces gens sont [*dérouté*] par les événements actuels. — 3. En protestant contre l'infamie, j'aurai l'approbation de [*tout*] les honnêtes gens. — 4. On

prend parfois pour de [*méchant*] et [*malhonnête*] gens, des personnes
à qui il ne manque que les usages du monde. — 5. Le fabuliste donne
au peuple des grenouilles le nom de gent [*marécageux*].

b) 1. Attendez, Monsieur, [*un*] de mes gens va vous accompagner.
— 2. C'était [*un*] de ces gens [*naïfs*] comme on en trouve dans certains
villages. — 3. Ah ! [*quel vilain*] et [*sot*] gens nous avons [*rencontré*] !
— 4. [*Tel*] gens n'ont pas fait la moitié de leur course Qu'[*ils ou elles*]
sont au bout de leurs écus. (La Font.) — 5. Voilà bien les [*meilleur*]
gens [*auquel*] nous ayons jamais eu affaire. — 6. Voyez [*quel*] sont
parmi [*tout*] ces [*brave*] gens, [*ceux ou celles*] [*auquel*] vous donnerez
votre confiance. — 7. Voyez [*quel*] sont, parmi [*tout*] ces [*bon*] gens,
[*ceux ou celles*] [*auquel*] vous donnerez votre confiance. — 8. Ce
sont là de [*vrai*] gens d'affaires.

Pluriel des noms.

195. — Mettez au *pluriel*.   [Gr. §§ 112-117.]

a) 1. Le licou du veau. — 2. L'essieu du tombereau. — 3. Le
chemineau a fait un aveu. — 4. Le cheval du général. — 5. Le museau
du putois. — 6. Un lambeau de sarrau. — 7. Ce travail est un jeu. —
8. Un pneu et un marteau. — 9. La voix du coucou dans le taillis. —
10. Un hibou et un blaireau.

b) 1. Le gaz du fourneau. — 2. Le joujou dans le berceau. —
3. Un trou dans le vitrail. — 4. Le feu du fanal est un signal. —
5. Un cal au genou du chameau. — 6. Un pois et des noix. —
7. Le crucifix de l'hôpital. — 8. Le travail du bourgeois. — 9. L'œil
du lynx et du hibou. — 10. Une croix et un prix.

c) 1. L'étau du forgeron. — 2. L'étal du boucher. — 3. Le gouvernail du bateau. — 4. Le chapeau de l'épouvantail. — 5. Un copeau
mince comme un cheveu. — 6. Le vœu du cardinal. — 7. Un verrou
sur le vantail. — 8. Ce récital est un régal. — 9. Un rail et un tuyau.
— 10. Le portail du château.

196. — Mettez au *singulier*.   [Gr. §§ 112-117.]

a) 1. Les eaux des puits. — 2. Des fruits à noyaux. — 3. Les
troupeaux dans les enclos. — 4. Les avis des journaux. — 5. Les
compas et les niveaux. — 6. Les succès des rivaux. — 7. Des baux
engendrant des procès. — 8. Les remords des filous. — 9. Trouver
des chevaux aux relais. — 10. Les legs aux neveux.

b) 1. Des mets sur des plateaux. — 2. Les poids des métaux.
— 3. Les poitrails de ces animaux. — 4. Des secours aux malheureux.
— 5. Des écriteaux sur des poteaux. — 6. Des matelas dans des
galetas. — 7. Des treillis et des barreaux. — 8. Des poireaux et
des radis. — 9. Les rinceaux des confessionnaux. — 10. Des brebis
et des agneaux dans des enclos.

197. — Mettez au *pluriel* les noms en italique. [Gr. §§ 112-117.]

a) 1. C'est imiter quelqu'un, comme dit Musset, que de planter
des [*chou*]. — 2. J'aime, dans les vieux [*logis*] les vieilles armoires
à [*panneau*] sculptés. — 3. Les [*chacal*] vivent par troupes dans les
régions désertiques ; ils cherchent leur nourriture dans le voisinage
des [*lieu*] habités ; fort timides, ils ne s'attaquent jamais aux autres
[*animal*]. — 4. Ah ! ces [*bocal*] de confitures haut perchés dans les
armoires de ma grand-mère ! Quels [*régal*] j'en faisais en imagination !
— 5. Que d'excentricités dans les [*carnaval*] ! Les [*sarrau*] des casseurs
de [*caillou*] s'y trouvent mêlés aux toilettes chargées de [*bijou*].

b) 1. Les [*hibou*] jetaient dans la nuit leurs appels funèbres. —
2. Observez ces joueurs de cartes : quelle variété dans l'art de replier
et d'ouvrir ces petits [*éventail*] où tiennent leurs espoirs de gagner la
partie ! — 3. Les [*bail*] de maison sont faits généralement pour trois,
six ou neuf ans. — 4. La gare brille de tous ses [*feu*], les [*signal*]
luisent comme des [*clou*] lumineux dans le crépuscule. — 5. La bonne
saison revient : mille artistes ailés, dans les [*rameau*] reverdis, se
préparent à donner leurs merveilleux [*festival*] ; nous entendrons
bientôt les admirables [*récital*] du rossignol. — 6. De nombreuses
îles de la Micronésie ont été formées par des [*corail*].

198. — Mettez au *pluriel* les noms en italique. [Gr. §§ 112-117.]

La Saint-Nicolas.

Vive saint Nicolas ! Que de [*joujou*], que de merveilles sous les [*feu*]
des étalages, et quels reflets mystérieux dans ces rouges, ces [*bleu*],
ces ors, ces couleurs de [*vitrail*] qui papillotent aux yeux des enfants
éblouis ! C'est comme si la porte du bonheur avait ouvert ses deux
[*vantail*]. Partout ce sont des [*tableau*] féeriques : voici des [*château*]
forts, des [*arsenal*] complets, des régiments avec leurs [*général*], des
[*jeu*] de construction, qui vous permettraient d'édifier en un clin
d'œil des [*palais*], depuis les [*soupirail*] jusqu'aux girouettes ; voici
des gares avec tous leurs [*signal*], leurs [*rail*], leurs aiguillages ; voici
des trottinettes aux [*pneu*] rebondis et aux guidons chromés ; voici,

dans des boîtes qui fleurent le sapin frais, des ménageries, avec des
éléphants, des [chacal] ; de grands méchants loups et des [agneau] frisés,
tout cela enveloppé dans des [copeau] minces comme des [cheveu].

199. — Même exercice.   [Gr. §§ 112-117.]

La Fête du Printemps.

Les buissons ont mis leurs [manteau] verts et le ciel a déployé ses
[bleu] les plus frais. Les portes du renouveau se sont ouvertes à deux
[vantail] ; les brises tièdes courent par monts et par [val], caressent
les [rameau] et agitent doucement les [éventail] des verdures nouvelles.
Les [ruisseau] jasent et rient sur les [caillou] ; dans les [bois], les musiciens ailés accordent leurs [voix] pour les [festival] prochains et pour les
[bal] de la lumière de mai. On n'attend plus, semble-t-il, que les [landau]
du Printemps, ce prince enchanteur, qui fera éclore partout les fleurs.

NOMS A DOUBLE FORME AU PLURIEL

200. — Mettez au *pluriel* les noms en italique.   [Gr. § 118.]

a) 1. C'est toujours un tableau touchant que celui d'une famille
de braves gens, avec des enfants qui entourent de soins affectueux
les vieux [aïeul]. — 2. Est-il rien au monde de plus clair, de plus
profond que des [œil] d'enfants ? — 3. Nos bons [aïeul] voyageaient
dans des coches et dans des diligences. — 4. Les [ciel] pour les mortels
sont un livre entrouvert. (Lamartine.) — 5. Les [ciel] de lit sont des
espèces de dais drapés au-dessus des lits. — 6. Les [œil]-de-bœuf
de la cour du Louvre, à Paris, sont ornés de sculptures.

b) 1. Certaines infiltrations se produisent parfois dans les [ciel]
de carrière. — 2. Les botanistes rangent l'oignon, le poireau, l'échalote
dans la famille des [ail]. — 3. Les [œil-de-loup, les [œil]-de-chat,
les [œil]-de-serpent sont des pierres chatoyantes. — 4. Il serait bien
intéressant de connaître la généalogie de ses [aïeul] en remontant
jusqu'aux Croisades. — 5. Alphonse, roi de Castille, institua l'ordre
de la Bande, dont les membres ne devaient manger ni [ail] ni oignons,
sous peine d'être exclus de la cour pendant un mois.

201. — Mettez au *pluriel* les noms en italique.   [Gr. § 118.]

a) 1. Nos bons [aïeul], dit-on, n'étaient guère savants, ils se li-
vraient à de durs [travail], mais ne vivaient-ils pas aussi heureux que
les gens d'à présent, sous les [ciel] du bon Dieu ? — 2. De longs
chapelets d'[ail] pendaient aux poutres du grenier. — 3. Un caractère

énergique sait s'obliger à accomplir des [*travail*] qui lui répugnent. —
4. Certains chevaux peureux refusent de s'engager dans les [*travail*]
des maréchaux-ferrants. — 5. Le peintre français Joseph Vernet a
peint des marines dont les [*ciel*] sont fort beaux. — 6. Les [*œils*] sont
les miroirs de l'âme.

b) 1. Les [*ciel*] racontent la gloire de Dieu. — 2. La mythologie
raconte les douze [*travail*] d'Hercule. — 3. Certaines variétés d'[*ail*]
sont cultivées comme plantes d'ornement. — 4. On taille à deux
[*œil*] bien saillants la brindille du poirier. — 5. J'aime à regarder
la photographie de ma mère, jeune encore ; la voilà, en toilette claire,
à côté de ses parents et de ses deux [*aïeul*]. — 6. Nous vivons dans
des régions tempérées, mais des populations vivent sous des [*ciel*]
incléments. — 7. Étoile du soir, qui brilles au fond des [*ciel*], que
regardes-tu ?

**202. — Faites entrer chacun dans une courte phrase les pluriels
suivants :** [Gr. § 118.]

1. Nos aïeux. — 2. Les travaux. — 3. Les ciels. — 4. Les aulx. —
5. Mes aïeuls. — 6. Plusieurs travaux. — 7. Les cieux.

PLURIEL DES NOMS PROPRES

**203. — Mettez, s'il y a lieu, la marque du pluriel aux noms propres
en italique.** [Gr. §§ 119-121.]

a) 1. Cornélie, la mère des [*Gracque*], disait en montrant ses enfants :
« Voilà mes joyaux, à moi ! » — 2. Il y a en Belgique et en France une
foule de [*Dumont*] et de [*Dupont*]. — 3. L'historien latin Suétone a
écrit la vie des douze [*César*]. — 4. Tite-Live a raconté le combat
des trois [*Horace*] contre les trois [*Curiace*]. — 5. Les [*Bossuet*], les
[*Massillon*], les [*Fléchier*] ont illustré la chaire chrétienne au XVIIe
siècle.

b) 1. Ce sont les deux [*Van Eyck*] qui ont inventé, au XVe siècle,
la peinture à l'huile. — 2. Bibracte était la ville la plus industrieuse
des [*Gaule*]. — 3. Que de nobles jouissances on peut goûter en ad-
mirant dans les musées les [*Rembrandt*], les [*Corot*], les [*Memling*] !
— 4. Que de hautes leçons peuvent nous donner les grands personnages de notre histoire : les [*Charlemagne*], les [*Godefroid de Bouillon*],
les [*Artevelde*] ! — 5. Le grand Condé était de la famille des [*Bourbon*].
— 6. Il n'est pas rare que, dans une même bibliothèque, on trouve
plusieurs [*Molière*].

204. — **Même exercice.**   [Gr. §§ 119-121.]

a) 1. Suivant la tradition, la famille des [*Capulet*] et celle des
[*Montaigu*] se sont livré, au XVᵉ siècle, à Vérone, une lutte sans pitié.
— 2. Hélas ! tous les [*César*] et tous les [*Charlemagne*] Ont deux ver-
sants ainsi que les hautes montagnes. (Hugo.) — 3. On voyait, tapis-
sant le manteau de la cheminée, un arbre généalogique de la famille
des [*Chateaubriand*]. — 4. Les [*Alexandre*], les [*Napoléon*] ont fait
beaucoup de bruit dans le monde, mais leur œuvre a-t-elle subsisté ?
— 5. Existe-t-il encore des [*Aristide*] et des [*Socrate*] ?

b) 1. On trouve parfois, se coudoyant dans les assemblées, des
sages et des bouffons, de graves [*Solon*] et de facétieux [*Paillasse*].
— 2. Deux [*Phèdre*] furent représentées à Paris en janvier 1677 :
l'une de Racine, l'autre du méchant poète Pradon. — 3. Vivent
les scouts, ces courageux petits [*Aymerillot*] modernes ! — 4. Le
libraire a annoncé qu'il enverrait sans retard trente [*Énéide*] et trente
[*Histoire de Belgique*]. — 5. Les deux [*Lenoir*] se prêtent, en toutes
circonstances, un mutuel appui.

205. — **Formez de petites phrases où vous fereze ntrerles expressions suivantes :**   [Gr. §§ 119-121.]

1. Les deux Flandres. — 2. Les Bonaparte. — 3. Les frères Le-
grand. — 4. Les Grétry, les César Franck, les Vieuxtemps, les Ysaye.
— 5. Des Gargantuas.

PLURIEL DES NOMS COMPOSÉS

206. — **Mettez au pluriel les expressions suivantes :**
                                                        [Gr. §§ 122-128.]

a) 1. Le chef-lieu de la province. — 2. La table du wagon-res-
taurant. — 3. La clef du coffre-fort. — 4. L'aile de la chauve-souris.
— 5. Le cadre de cette eau-forte. — 6. Le nid de l'oiseau-mouche.
— 7. La tige du chou-fleur. — 8. Le noyau de la reine-claude. —
9. Le piquant du porc-épic. — 10. L'arc-boutant de ce mur.

b) 1. L'anniversaire de la grand-mère. — 2. Le chef-d'œuvre de
l'artiste. — 3. L'appel du haut-parleur. — 4. Le faux-fuyant de l'hypocrite. — 5. Le timbre-poste de ce pays. — 6. L'architecte du gratte-
ciel. — 7. L'arrière-boutique du brocanteur. — 8. Le pétale de la
perce-neige. — 9. La porte du rez-de-chaussée. — 10. L'auteur de
l'avant-projet.

c) 1. Le nom de l'ayant-droit. — 2. La clef de la garde-robe. —
3. Le modèle de ce couvre-lit. — 4. Un rôle de bouche-trou. —
5. Le personnage de ce bas-relief. — 6. Ce cabaret est un coupe-gorge.

— 7. Le mot du pince-sans-rire. — 8. Le banc du terre-plein. — 9. Le post-scriptum de la lettre. — 10. L'inscription de l'ex-voto.

207. — Mettez au *pluriel* les *noms composés* en italique.

[Gr. §§ 122-128.]

a) 1. Quelle variété de teintes dans ces [*plate-bande*] ! Les [*reine-marguerite*] y voisinent avec les [*bouton-d'or*], les [*gueule-de-lion*], les [*pied-d'alouette*] et les [*belle-d'un-jour*]. — 2. On a fait aux [*belle-mère*] une réputation détestable. — 3. Les [*avant-bec*] d'un pont sont les contreforts en avant et en arrière de la pile de ce pont. — 4. La prudence, mes amis, est une belle qualité : ne soyez pas des [*casse-cou*]. — 5. Quels tristes contrastes parfois entre nos pensées, que nous exprimons, et nos [*arrière-pensée*], que nous n'exprimons pas !

b) 1. L'hiver s'en va ; déjà voici les premières [*perce-neige*]. — 2. Il faut savoir examiner sa conscience et ne pas fuir les [*tête-à-tête*] avec soi-même. — 3. Un homme droit dit franchement ce qu'il pense : il ne parle pas par [*sous-entendu*], il ne fait pas de [*croc-en-jambe*] à la vérité. — 4. Pour bien prouver l'authenticité de certains textes, on en donne parfois les [*fac-similé*] photographiques. — 5. Les [*perce-oreille*] sont inoffensifs : ils ne percent que des fruits.

208. — Même exercice. [Gr. §§ 122-128.]

a) 1. Les [*eau-de-vie*] ne devraient-elles pas s'appeler eaux de mort ? — 2. Quel est l'enfant qui n'a pris un plaisir intense à collectionner les [*timbre-poste*] ? — 3. L'opinion publique est versatile : elle a parfois d'étranges [*volte-face*]. — 4. Un vrai fonds de culture générale comporte la connaissance des grands [*chef-d'œuvre*] de la littérature universelle. — 5. Je me fais de la vie des [*garde-chasse*] une image charmante. — 6. Il ne faudrait pas que, dans un État bien organisé, les [*touche-à-tout*] de la politique puissent se donner carrière. — 7. Certaines gens ont un malin plaisir à colporter les [*on-dit*] ; leurs conversations sont pleines de [*guet-apens*]. — 8. On ne peut s'empêcher de sourire quand on voit dans les vieux albums de photographies, les [*couvre-chef*] de nos [*arrière-grand-père*] et les toilettes de nos [*arrière-grand-mère*], mais nos [*arrière-neveu*] souriront aussi de nos modes actuelles.

b) 1. Quand on dit : ces gens sont des [*écoute s'il pleut*], on veut dire que ce sont des personnes faibles se laissant arrêter par les moindres obstacles. — 2. Dans la nuit d'encre, les lanternes des [*garde-barrière*] jetaient une clarté sinistre. — 3. Tous les [*porte-drapeau*] se rangent dans le chœur de l'église, derrière les [*prie-Dieu*]. — 4. Nos [*amour-propre*] sont très susceptibles. — 5. Ayons de la continuité dans

nos efforts : ne soyons pas énergiques par brusques [*à-coup*]. —
6. Après tant de [*chef-d'œuvre*] des plus fameuses littératures, l'Évan-
gile, dit Lacordaire, est demeuré un livre unique au monde.

**209. — Faites de courtes phrases dans lesquelles vous ferez entrer,
au *pluriel*, les expressions suivantes :**   [Gr. §§ 122-128.]

1. Le chef-d'œuvre. — 2. Un avant-coureur. — 3. Un arc-en-ciel.
— 4. Un après-midi. — 5. Le garde-chasse. — 6. Le timbre-poste.

210. — Mettez au *pluriel* les *noms composés* en italique.
[Gr. §§ 122-128.]

Chez Grand-Mère.

a) Ah ! les [*grand-mère*] ! De quelle tendresse elles savent entourer
l'enfance de leurs [*petit-fils*] et de leurs [*petite-fille*] ! La mienne était
une adorable vieille, à la figure encore fraîche, mais un peu parcheminée
et sur laquelle j'aimais à passer la main dans les [*tête-à-tête*] en suivant
les [*va-et-vient*] d'une conversation familière. Grand-mère aimait
le linge immaculé, les bonnets tuyautés, vrais [*chef-d'œuvre*] de fine
batiste. Et quel ordre dans son boudoir ! J'y passais les [*après-midi*]
des jeudis pluvieux. Dans un vase de vieux Saxe, quelques [*gueule-de-
lion*] ouvraient leurs pétales de velours ; les gouttes de pluie, derrière
les [*brise-bise*] de tulle, traçaient sur les vitres leurs itinéraires brusques
et onduleux.

b) La grande horloge à gaine de chêne ciré, appuyée au trumeau, et
la pendule de marbre vert sur la cheminée faisaient chevaucher leurs
[*tic-tac*] dans un cheminement bizarrement discordant. A quatre heures,
on mangeait. C'était un des [*amour-propre*] de grand-maman de disposer
sur la nappe à carreaux les tasses et les soucoupes de porcelaine fleurie.
Ah ! la savoureuse confiture de [*reine-claude*] faite par elle, suivant sa
recette à elle ! Le soir venait : sur la table laquée et sur la cheminée
deux [*abat-jour*] de soie verte tamisaient une lumière de bonheur, qui
faisait luire, dans les pendeloques du lustre, de minuscules [*arc-en-ciel*].

PLURIEL DES NOMS ÉTRANGERS
ET DES NOMS ACCIDENTELS

**211. — Cherchez dans le dictionnaire la signification des mots
suivants et mettez-les au *pluriel* :**   [Gr. §§ 129-131.]

a) 1. Un cicerone. — 2. Un factotum. — 3. Un duplicata. —
4. Une vendetta. — 5. Un lazarone. — 6. Un carbonaro.

b) 1. Un sportsman. — 2. Un   placet. — 3. Un   dilettante. — 4. Un impromptu. — 5. Un hidalgo. — 6. Un imbroglio.

212. — **Mettez au *pluriel* les expressions suivantes :**
[Gr. §§ 129-131.]

1. Un Alléluia s'élève. — 2. Un nouvel alinéa. — 3. L'agenda de l'homme d'affaires. — 4. Un sandwich beurré. — 5. Un in-folio épais. — 6. L'indication du cicerone. — 7. Un concerto de Beethoven. — 8. Réciter un Pater et un Avé. — 9. La chambre du sanatorium.

213. — **Mettez, quand il y a lieu, la marque du *pluriel* aux noms en italique.**
[Gr. §§ 129-131.]

a) 1. Les [*dandy*] se piquaient d'une suprême élégance dans leurs toilettes et dans leurs manières. — 2. Les [*domino*] sont des costumes de bal masqué, composés d'une robe ouverte tombant jusqu'aux talons et d'une sorte de capuchon. — 3. Certains commerçants n'ont à subir des [*déficit*] que parce qu'ils manquent d'ordre ; leurs affaires iraient mieux si leurs [*agenda*] étaient régulièrement tenus. — 4. Il y a dans le rosaire cent cinquante [*Avé*] et quinze [*Pater*]. — 5. L'honnêteté et la franchise vous défendent mieux que les longs [*factum*] ou que les [*quolibet*].

b) 1. Celui qui invoque un alibi allègue qu'il était présent dans un lieu autre que celui où a été commis le crime ou le délit dont on l'accuse ; les [*alibi*] innocentent les accusés. — 2. Les [*sportsman*] tombent parfois dans de fâcheux excès. — 3. Les [*pallium*] sont des ornements faits de laine blanche et semés de croix noires et que le pape envoie aux archevêques. — 4. Les [*policeman*] sont des agents de police anglais, les [*alguazil*] sont des agents de police espagnols. — 5. L'administration exige parfois les [*duplicata*] de certains actes.

214. — **Même exercice.**
[Gr. §§ 129-131.]

a) 1. Voici Pâques : les [*Alléluia*] expriment l'allégresse des fidèles. — 2. Les [*factotum*] sont des personnages qui s'occupent de tout dans une maison. — 3. Mozart et Beethoven ont écrit de beaux [*quintette*]. — 4. Il y a dans les comédies de Molière d'amusants [*quiproquo*]. — 5. Tel élève qui n'avait eu jusque-là que quelques [*accessit*] passe brillamment ses [*examen*]. — 6. Au lieu de critiquer inconsidérément vos supérieurs, exposez-leur, dans les formes requises, vos [*desideratum*].

b) 1. Les [*bravo*] sont des assassins à gages. — 2. Il est des orateurs dont les discours sont suivis de mille [*bravo*] et qui ne savent cependant

que flatter les instincts populaires. — 3. Il est bon de piquer des
[« *peut-être* »] aux ailes de ses projets. — 4. Le carnaval bat son plein :
quelle débauche de [*confetti*] ! — 5. Si vous ne répondez que par des
[*oui*] et des [*non*], on pensera que vous êtes peu aimable. — 6. Cet
enfant a un grand désir de savoir : que de [*pourquoi*], que de [*comment*]
dans sa conversation ! — 7. Sur tout le parcours du cortège, les
[*vivat*] montaient, enthousiastes.

215. — Mettez au *pluriel* les expressions suivantes et faites-les
entrer chacune dans une petite phrase :   [Gr. §§ 129-131.]

1. L'appel de cicerone. — 2. Le pensum infligé à l'élève paresseux.
— 3. Un parfait gentleman. — 4. Un Te Deum. — 5. Un si, un mais,
un cependant.

PLURIEL DES NOMS : RÉCAPITULATION

216. — Mettez au *pluriel* les noms en italique.   [Gr. §§ 112-131.]

La Vraie Bienfaisance.

a) L'aumône n'est bien souvent, hélas ! qu'un de ces [*faux-fuyant*]
dont nous usons pour écarter de nous le spectacle de la misère ou les
sollicitations des [*malheureux*]. Ces [*vieux*] que vous rencontrez, pitoyables [*meurt-de-faim*] aux vêtements en [*lambeau*] et aux [*genou*]
tremblants, vous assaillent de lamentations et de plaintes. Ces [*tableau*]
de la détresse humaine offusquent vos [*œil*] et c'est plutôt pour échapper
aux importunités de ces [*vieux*] à [*cheveu*] blancs que vous leur jetez
quelques [*sou*].

b) Une telle bienfaisance se réduit à quelques [*faux-semblant*]
de pitié : elle n'est, au fond, que de l'égoïsme. D'ailleurs, elle risque
d'encourager parfois les [*chemineau*] à vagabonder et à mendier.
Le pain, les vêtements, le logement et surtout des [*travail*] appro-
priés à leur âge et à leur situation, voilà ce qu'il importerait de
procurer à ces déshérités du sort. En outre, la vraie bienfaisance
sans s'arrêter aux [*pourquoi*] et aux [*comment*] des enquêteurs, com-
patit aux [*mal*] de ceux qui souffrent : dans des [*tête-à-tête*] intimes,
elle se penche sur la misère, elle console, fait luire des espoirs,
elle vient du fond du cœur et repousse toutes les [*arrière-pensée*]
de l'égoïsme ; en un mot, c'est la charité des [*Vincent de Paul*] et
des [*Damien*].

NOMS SANS SINGULIER OU SANS PLURIEL
OU CHANGEANT DE SENS AU PLURIEL

217. — Cherchez dans le dictionnaire le sens des noms suivants, qui ne s'emploient qu'au pluriel ; faites-les entrer chacun dans une expression : [Gr. § 132.]

agapes	branchies	fastes	nippes
ambages	calendes	frusques	prémices
arrérages	errements	mânes	sévices

218. — Faites entrer chacun des noms suivants dans deux phrases en l'employant d'abord au singulier, puis au pluriel, avec des sens différents : [Gr. § 133.]

humanité	attention	or	vacance
lunette	bonté	impatience	vue

———

CHAPITRE IV

L'ARTICLE

Espèces et Emploi.

219. — Analysez les *articles* (ils sont en italique).

[Gr. §§ 134 et suiv.]

    Modèle : Le soleil brille ; — *le :* article défini ; masc. sing., se rapporte à *soleil.*

a) 1. *Les* yeux sont *le* miroir de *l'*âme. — 2. *Les* chiens dormaient et *le* berger, à *l'*ombre d'*un* grand ormeau, jouait de *la* flûte avec d'autres bergers voisins. — 3. *La* modestie donne à *la* vertu *un* beau relief.

b) 1. De *la* même manière qu'*un* poison se répand dans *les* veines, *la* flatterie s'insinue dans *l'*âme. — 2. Lorsque Dieu forma *le* cœur et *les* entrailles de *l'*homme, dit *un* orateur sacré, il y mit premièrement *la* bonté.

220. — Dans les phrases suivantes, on a mis en italique les ***articles contractés*** et les ***articles partitifs ;*** discernez les uns et les autres.

[Gr. §§ 139 ; 145-146.]

    1. L'automne vient : les feuilles *des* marronniers prennent *des* teintes jaunâtres ; *de la* brume flotte le matin *au* fond *des* vallées. — 2. La modestie est *au* mérite ce que les ombres sont *aux* figures dans un tableau : elle lui donne *de la* force et *du* relief. (La Bruyère). — 3. Nous trouvons toujours *de la* consolation dans les paroles *des* amis qui s'émeuvent *du* mal qui nous accable. — 4. Il faut *de l'*énergie et *de la* patience pour surmonter les difficultés *des* temps présents.

221. — Discernez les divers *articles* et analysez-les.

[Gr. §§ 134 et suiv.]

Étranges Bûcherons.

    La manière dont les castors abattent les arbres est très curieuse : ils les choisissent toujours au bord d'une rivière. Des travailleurs,

dont le nombre est proportionné à l'importance de la besogne, rongent
incessamment les racines. Il y faut de la patience, mais le travail
avance. On n'incise point l'arbre du côté de la terre, mais du côté
de l'eau, pour qu'il tombe sur le courant. Un castor, placé à quelque
distance avertit les bûcherons par un sifflement quand il voit pencher
la cime de l'arbre attaqué, afin qu'ils se mettent à l'abri de la chute.

D'après CHATEAUBRIAND.

222. — Analysez les différents *articles*.   [Gr. §§ 134 et suiv.]

a) 1. La plus belle parure est la modestie. — 2. La crainte du Seigneur est le commencement de la sagesse. — 3. Le temps est l'étoffe
dont la vie est faite. — 4. Quand les chats sont partis, dit un proverbe,
les souris dansent. — 5. Le sage ne se fie pas aux apparences.

b) 1. Les hommes doivent compatir aux maux de leurs semblables ;
il n'y a que les parricides et les ennemis du genre humain qui
disent comme Caïn : «Suis-je donc le gardien de mon frère ? » —
2. La soif des honneurs fait oublier à certains personnages l'amour du
vrai et de la justice. — 3. Prenons garde que l'aise et l'abondance
ne tarissent en nous les sources de la compassion et ne nous rendent
insensibles aux souffrances du prochain.

223. — Exercice oral : Rendez raison de l'mploi des *articles définis*
en italiques.   [Gr. § 141.]

1. La science la plus utile est la connaissance exacte de soi-même :
la maxime est judicieuse. — 2. Au siège de Frederikshall, en 1718, une
balle atteignit Charles XII à *la* tempe ; le roi avait encore eu la force,
en expirant, de mettre *la* main sur la garde de son épée et il fut trouvé
dans cette attitude. — 3. Musset a écrit sur *la* Malibran des stances
célèbres. — 4. *Les* Bossuet, *les* Bourdaloue, *les* Massillon, *les* Fléchier
ont porté l'éloquence de la chaire à un haut degré de perfection. —
5. *La* Rome des Césars était bien différente de *la* Rome d'aujourd'hui.

ARTICLE DEVANT PLUS, MOINS, MIEUX

224. — Exercice oral : Rendez raison de l'emploi de l'article devant
plus, moins, mieux.   [Gr. § 141.]

1. La rose est sans conteste *la* plus belle des fleurs. — 2. C'est
au sein de notre famille que nous nous trouvons *le* plus heureux. —
3. *Les* plus désespérés, disait Musset, sont les chants *les* plus beaux. —
4. Nos maîtres nous guideront toujours dans la direction qu'ils ju-
geront *la* meilleure. — 5. Quand la campagne est-elle *le* plus belle
si ce n'est au printemps ? — 6. De toutes les sciences, dit plaisamment
un personnage de Voltaire, *la* plus absurde, c'est la géométrie.

225. — Remplacez les points par *le,* ou *la,* ou *les.* [Gr. § 141.]

a) 1. César a dit que de tous les peuples de la Gaule, les Belges étaient ... plus braves. — 2. Les fortunes qui se sont édifiées très rapidement sont ... moins solides parce qu'il est rare qu'elles soient l'ouvrage du mérite. — 3. Les belles actions cachées sont ... plus méritoires. — 4. Ce sont les bonheurs ... moins compliqués qui ont des chances d'être ... plus durables. — 5. C'est dans la solitude que nous sommes ... mieux disposés à nous examiner nous-mêmes.

b) 1. Nos protecteurs ... plus sûrs sont nos talents acquis. — 2. Les vers ... mieux remplis, les pensées ... plus nobles ne sauraient plaire à l'esprit quand l'oreille est blessée. — 3. C'est quand nos amis nous abandonnent que nous sommes ... plus contents de nous réfugier dans le cœur de notre mère ; c'est alors que nous éprouvons ... mieux que les affections qui paraissent ... plus sincères ne sont rien au prix de l'amour maternel. — 4. L'imagination est une maîtresse d'erreur : c'est surtout quand elle nous paraît ... raisonnable qu'il faut nous défier de ses suggestions.

226. — **Sur chacun des thèmes suivants formez deux phrases où vous emploierez devant** *plus,* **ou** *moins,* **ou** *mieux :* 1º l'article variable *le, la, les ;* 2º l'article invariable *le.*

1. La famille. — 2. Notre patrie. — 3. La paresse. — 4. Les sports. — 5. Les promenades à vélo.

227. — **Discernez les cas où** *du, de la, de l', des* **(ils sont en italique) sont des articles partitifs.** [Gr. § 146.]

a) 1. Avec *de la* patience on vient à bout *des* difficultés les plus grandes. — 2. Dans la cour *de la* ferme, *des* chiens aboyaient furieusement. — 3. Ayons *de l'*énergie et *de la* persévérance, et nous surmonterons beaucoup d'obstacles. — 4. Comment un élève, même s'il à *de l'*intelligence, *de la* mémoire, *du* jugement, retirerait-il *du* fruit *des* études qu'il fait s'il n'a en même temps *de la* méthode et *du* caractère ? — 5. Il y a, dans l'ordre *du* cœur, *des* raisons, que la raison ne connaît point. — 6. Il y a *de l'*éloquence dans le ton *de la* voix non moins que dans le choix *des* paroles.

b) 1. Il faut *de l'*héroïsme pour s'acquitter très exactement *des* petites obligations *de la* vie quotidienne. — 2. *Des* hirondelles poussaient *des* cris aigus en virant autour *du* clocher. — 3. La reconnaissance est la mémoire *du* cœur. — 4. Cueille-t-on *du* raisin sur des épines ou *des* figues sur les ronces ? — 5. Les chasseurs s'assirent au revers d'un fossé : *des* sacs, *des* gibecières on vit sortir *du* pain, *de la* viande froide, *du* fromage, *des* boîtes de conserves, tout le menu *des* repas champêtres.

228. — Même exercice. [Gr. § 146.]

La Forêt au crépuscule.

Quelle belle chose qu'une forêt à l'heure *du* soir où le soleil glisse
des traits de feu dans l'épaisseur *des* branches ! *Des* hêtres et *des* chênes
monte comme une rumeur ; ils élancent vers les hauteurs *de l'*air
leurs troncs sveltes et nus. Le sol, débarrassé *des* broussailles, laisse
le regard plonger dans les profondeurs *de la* forêt ; *de la* lumière baigne
la futaie et si *des* pas ou *des* voix s'y font entendre, ils y prennent
une sonorité particulière. La forêt au crépuscule est comme un temple
avec *des* piliers puissants, *des* nefs spacieuses : tout au loin dans la
zone la plus reculée *du* silence, on voit briller dans l'ombre des rayons
lumineux semblables à *des* lueurs de cierges.

D'après A. Theuriet.

**229. — Formez sur chacun des thèmes suivants deux petites phrases
où vous ferez entrer *du,* ou *de la,* ou *de l',* ou *des,* avec deux valeurs
différentes, la 1º partitive, la 2º non partitive.**

[Gr. § 146.]

Modèle : a) La lune pousse *de la* lumière dans l'épaisseur des branches.
— *b)* Dans la profondeur *de la* nuit, on voit clignoter les étoiles.

1. L'hiver. — 2. La pluie. — 3. L'orage. — 4. Le brouillard. —
5. Le soir. — 6. La neige.

**230. — Analysez, dans les phrases suivantes, la préposition *de*
servant d'*article partitif* :** [Gr. § 146.]

Modèle : Il n'a pas *de* courage. — *De :* préposition servant d'article
partitif ; se rapporte à *courage.*

1. Ces gens n'ont plus de vin, dit Marie à son Fils. — 2. Nous avons
fondé de grands espoirs sur nos amis, mais auront-ils de bonnes dispositions à notre égard si nous n'avons plus de ressources ? — 3. On
éprouve en se sacrifiant pour son pays de nobles jouissances. —
4. Il n'y a pas de vraie grandeur sans dévouement à une noble cause.
— 5. Si vous n'avez pas de patience, comment entrerez-vous en possession de vos énergies ?

**231. — Remplacez les points par *du, de la, de l', des* — ou par
le simple *de.*** [Gr. § 147.]

a) 1. Quand on a ... bonne volonté, on se concilie la bienveillance de ses chefs. — 2. Heureux les enfants qui ont ... grands-pères
encore assez alertes pour les accompagner dans leurs promenades !

Heureux aussi les grands-pères qui ont ... petits-enfants dociles et
affectueux ! — 3. La paix du cœur procure ... douces jouissances.
— 4. Qu'est-ce que les vertus sinon ... bonnes habitudes morales ?
— 5. Avec ... bonne humeur et ... grands efforts, on vient à bout des
choses les plus difficiles. — 6. Ne choisissez pour amis que ...
honnêtes gens.

b) 1. On a vu ... grands hommes mourir pauvres et ignorés. —
2. Il est ... jeunes gens qui croient trouver ... vrais amis dans certains
personnages qui ne sont que ... joyeux convives ou ... habiles flatteurs.
— 3. Que faut-il penser de ces gens qui n'ont pour tout idéal que ...
plantureux repas avec ... bons rôtis, ... bons vins et ... épaisses joies ?
— 4. On voyait s'allumer au loin ... petits carrés de lumière. —
5. J'ai passé bien ... belles soirées en tête-à-tête avec mes auteurs fa-
voris. — 6. Bien ... jeunes gens n'ont pas d'autres préoccupations
que celles qui concernent leurs plaisirs ; la vie les obligera cependant
à avoir bien ... autres préoccupations que celles-là.

232. — **Exercice oral : Rendez raison de l'emploi de *du, de la,
de l', des* — ou du simple *de* — avec la négation.**   [Gr. § 148.]

1. Il n'avait pas *de* fange en l'eau de son moulin. (Hugo.) — 2. Vos
parents ne se sont-ils pas donné *de la* peine pour vous procurer une
excellente éducation ? — 3. Certaines gens se félicitent de leur fierté,
mais ils n'ont pas *de la* fierté, ils ont de l'orgueil. — 4. Cet élève
n'a pas *de* courage : il court à un échec. — 5. Cet élève n'a pas *du*
courage, il a de l'acharnement ; il aura un succès complet. — 6. Il
y a, dans les profondeurs de l'océan, des poissons qui n'ont pas *d'*yeux.
— 7. De quoi vous plaignez-vous ? N'avez-vous pas la santé ? n'avez-
vous pas *des* yeux, qui peuvent jouir de la lumière, et *des* oreilles,
qui peuvent entendre la voix de ceux que vous aimez ?

233. — **Remplacez les points par *du, de la, de l', des* — ou par
le simple *de*.**   [Gr. § 148.]

a) 1. Ne faut-il pas que l'on se donne ... peine pour arriver au
succès ? — 2. Comment seraient-ils heureux ceux qui n'ont pas ...
idéal ? — 3. On ne fait pas ... omelette sans casser ... œufs. —
4. Nos éducateurs ne mettent pas ... vérités dans notre esprit pour que
nous marchions dans les sentiers de l'erreur. — 5. Si vous n'avez
pas ... patience envers autrui, comment voulez-vous qu'on en ait
envers vous ? — 6. On ne vous demande pas seulement ... bonne
volonté, mais de la volonté tout court.

b) 1. Un bon citoyen doit être instruit et éclairé : n'a-t-il pas ...
devoirs à remplir, d'où peut dépendre le salut de l'État ? — 2. On ne

trouve … générosité que dans les âmes nobles. — 3. Celui qui n'a pas … volonté est semblable à un vaisseau sans gouvernail. — 4. Aimez le foyer paternel : n'y trouvez-vous pas toujours … bonté, … affection, … sécurité ? — 5. Nous n'avons pas … intelligence pour la mettre au service de l'erreur. — 6. Il n'y a pas de vraie grandeur là où la vertu n'est pas. — 7. Il y a des gens qui, sans avoir fait … études, possèdent une véritable éloquence.

Répétition de l'article.

234. — Exercice oral : Dites pourquoi, dans les phrases suivantes, l'article est répété ou non. [Gr. §§ 149-150.]

1. Quand les beaux jours reviennent, les prés, les bois, les champs, les jardins, sous les souffles tièdes, se mettent à revivre. — 2. La gloire, les richesses, les plaisirs sont-ils capables de procurer un bonheur véritable ? — 3. Les bons et beaux livres sont pour moi d'excellents amis. — 4. Cet orateur nous a forcés à entendre un long et ennuyeux discours. — 5. La haute, l'admirable éloquence de Bossuet a des mouvements qui nous touchent. — 6. Nous avons reçu la visite d'un collègue et ami de mon père.

235. — Répétez l'article s'il y a lieu. [Gr. §§ 149-150.]

a) 1 Bossuet connaissait merveilleusement … Ancien et… Nouveau Testament. — 2. Dans le petit bois de chênes verts, il y a des oiseaux, … violettes, et … sources sous l'herbe fine. (A. Daudet.) — 3. De même qu'il y a la vraie et … fausse monnaie, de même il existe un vrai et … faux bonheur. — 4. Un père de famille a une haute et … importance mission à remplir. — 5. Certains guerriers francs avaient à la ceinture une francisque ou … hache à deux tranchants. — 6. Il y a les grands et … petits devoirs : acquittons-nous consciencieusement des uns et des autres.

b) 1. Dans la bonne et … mauvaise fortune, gardez une âme sereine. — 2. Il est bon de se conformer aux us et … coutumes des lieux où l'on habite. — 3. Le général a ordonné que les officiers, … sous-officiers et … soldats participeraient à la cérémonie. — 4. Les bons et … vrais amis sont unis en toute occasion. — 5. Pasteur fut une belle et … grande âme de savant. — 6. Il serait souhaitable que les plus capables et … plus vertueux occupent les plus hauts et … plus nobles emplois. — 7. Le grand, … sublime Corneille a ouvert dans son théâtre une école de grandeur d'âme.

Omission de l'article.

236. — Exercice oral : Rendez raison de l'omission de l'article.
[Gr. § 151.]

1. Bonne renommée vaut mieux que ceinture dorée. — 2. Celui qui a conscience de sa faiblesse se gardera de l'orgueil. — 3. Le renard est l'ennemi commun des villageois : chiens, chasseurs, fermiers et cultivateurs s'assemblent pour sa perte. — 4. Gloire, jeunesse, orgueil, la mort implacable emporte tout. — 5. Volontiers gens boiteux haïssent le logis. (La Font.) — 6. Le lièvre passe sur le bord d'un étang : grenouilles aussitôt de sauter dans l'eau. — 7. Bossuet fut un orateur de génie. — 8. Vous êtes écolier.

237. — Trouvez cinq proverbes où l'on constate l'omission de l'article.
[Gr. § 151.]

238. — Employez chacune dans une petite phrase les expressions suivantes :
[Gr. § 151.]

a) 1. Donner carte blanche. — 2. Faire grise mine. — 3. Perdre courage. — 4. Ajouter foi. — 5. Faire long feu. — 6. Imposer silence. — 7. Être chef. — 8. Être le chef.

b) 1. Noir comme jais. — 2. Amer comme chicotin. — 3. Tenir sous clef. — 4. Garder confiance. — 5. Garder la confiance. — 6. Avoir à cœur.

CHAPITRE V

L'ADJECTIF

Féminin des adjectifs.

239. — Joignez chacun des adjectifs suivants à un nom féminin et faites l'accord : [Gr. §§ 156-167.]

Modèle : Clair ; une voix *claire.*

a)

clair	honnête	droit	gris
trapu	rapide	vert	haut
petit	intelligent	crochu	violent
étourdi	futur	pesant	timide
joufflu	jeune	froid	compact

b)

éternel	nouveau	vermeil	certain
pareil	aérien	solennel	vieux
gentil	glouton	chrétien	malin
nul	réparateur	lapon	mou
bénin	musulman	beau	persan

c)

douillet	contigu	sot	blanc
peureux	public	doux	oblong
hospitalier	complet	juif	amer
naïf	majeur	secret	sec
vieillot	bas	turc	vengeur

240. — Donnez le masculin des adjectifs dont voici la forme féminine : [Gr. §§ 156-167.]

a)

étrangère	personnelle	maigriotte	tierce
pâlotte	franche	inquiète	neuve
grecque	fraîche	rousse	plaintive
honteuse	lasse	secrète	andalouse

b)

nombreuse	persécutrice	expresse	replète
caduque	ambiguë	folle	professe
lumineuse	vindicative	salvatrice	pécheresse
enchanteresse	rédemptrice	jumelle	flatteuse

241. — Mettez à la forme convenable les adjectifs en italique.
[Gr. §§ 156-167.]

a) 1. De l'eau [*clair*]. — 2. Une confiance [*mutuel*]. — 3. La littérature [*français*]. — 4. Une [*pareil*] ardeur. — 5. Un [*nouveau*] ouvrage. — 6. Un [*fou*] orgueil. — 7. Une coutume [*païen*]. — 8. Une chapelle [*votif*]. — 9. Une maison [*princier*]. — 10. Une demande [*exprès*].

b) 1. Une personne [*jumeau*]. — 2. Une [*vieux*] chanson. — 3. Une [*fou*] entreprise. — 4. De la cire [*mou*]. — 5. Une figure [*vieillot*]. — 6. Une solution [*boiteux*]. — 7. Une [*bref*] harangue. — 8. La nation [*franc*]. — 9. Une physionomie [*franc*]. — 10. Une tumeur [*malin*].

c) 1. Une parole [*flatteur*]. — 2. Une mélodie [*charmeur*]. — 3. Une joie [*intérieur*]. — 4. Une attitude [*provocateur*]. — 5. Une roue [*moteur*]. — 6. Une nation [*pécheur*]. — 7. Une fée [*protecteur*]. — 8. Une vallée [*enchanteur*]. — 9. Une volonté [*dominateur*]. — 10. Une personne [*grondeur*].

242. — Joignez comme épithète à un nom féminin chacun des adjectifs suivants, et faites l'accord : [Gr. §§ 156-167.]

a) 1. Passager. — 2. Solennel. — 3. Frais. — 4. Pâlot. — 5. Exprès. — 6. Désuet. — 7. Quotidien. — 8. Caduc. — 9. Expressif. — 10. Sauveur.

b) 1. Ambigu. — 2. Citérieur. — 3. Vengeur. — 4. Bouffon. — 5. Hospitalier. — 6. Modérateur. — 7. Compensateur. — 8. Public. — 9. Tapageur. — 10. Faux.

243. — Accordez les adjectifs en italique.
[Gr. §§ 156-167.]

a) 1. Des inquiétudes [*continuel*] rendent l'humeur [*ombrageux*]. — 2. Les richesses d'ici-bas sont [*faux*] et [*passager*] ; le vrai sage considère que leur possession est [*caduc*] et que leur perte est [*léger*]. — 3. Une véritable œuvre de science doit être [*étranger*] à toute passion [*partisan*]. — 4. La race [*lapon*] est simple et [*hospitalier*], mais quelque peu [*paresseux*]. — 5. Une humeur [*doux*] et [*bénin*] vous conciliera les sympathies de tous ; une humeur [*grognon*] ou des allusions [*malin*] vous aliéneront les cœurs.

b) 1. Quand vous faites une communication [*secret*], ne la faites pas en présence d'une [*tiers*] personne : celle-ci pourrait être [*indiscret*]. — 2. Il faut savoir accomplir avec une joie [*discret*] sa besogne [*quotidien*] : c'est un des meilleurs moyens de se préserver de cette langueur [*inquiet*] qui consume tant de [*beau*] énergies. — 3. N'alléguez pas la [*sot*] raison : « Les autres le font bien ! » Si vous avez mal agi, ayez l'âme assez [*franc*] pour reconnaître votre faute et assez [*fier*] pour n'y plus retomber.

244. — Même exercice.   [Gr. §§ 156-167.]

a) 1. L'enfance est [*naïf*] : elle éprouve une joie [*vif*] au récit des histoires [*merveilleux*]. — 2. Garde ta conscience [*net*] ; abstiens-toi de toute parole [*bas*] et que ton âme soit [*franc*] de toute [*vain*] ambition. — 3. L'opinion [*public*] est versatile : parfois, [*las*] de louer quelqu'un, elle se prend à le blâmer. — 4. La face de la nature n'est-elle pas [*expressif*] comme celle de l'homme ? — 5. Chez les écrivains classiques, la raison est la faculté [*maître*].

b) 1. La gomme [*ammoniac*] est une gomme résine d'une odeur forte et d'une saveur âcre. — 2. Une parole [*indiscret*] ou [*ambigu*] cause parfois de regrettables querelles. — 3. Si un enfant a la figure [*pâlot*], qu'il fasse un séjour à la campagne ; sa santé s'accommodera fort du grand air et de la vie [*paysan*]. — 4. Les livres de l'Ancien Testament, écrits en langue [*hébreu*], furent traduits en langue [*grec*] au IIIe siècle avant notre ère. — 5. Lorsqu'on dit, dans la langue [*familier*], que telle personne est demeurée [*capot*], on veut dire qu'elle est restée confuse, interdite, embarrassée.

245. — Même exercice.   [Gr. § 166.]

1. Craignons les [*trompeurs*] amorces des charlatans. — 2. Une âme forte, au milieu des épreuves, sait se montrer [*supérieur*] aux événements. — 3. Les paroles [*moqueur*] révèlent souvent une certaine indigence d'esprit. — 4. Gardez-vous de la pompe [*enchanteur*] des grandeurs et de la voix [*séducteur*] des faux plaisirs. — 5. Dans les troubles sociaux de notre époque, c'est d'une doctrine [*sauveur*] que les peuples auraient le plus grand besoin. — 6. Les paroles [*consolateur*], quand elles ne sont pas sincères, risquent d'aigrir les affligés. — 7. Nos actes nous suivent et ils ont parfois des conséquences [*vengeur*].

246. — Faites entrer chacun dans une phrase de votre invention les adjectifs suivants, mis au féminin :   [Gr. §§ 156-167.]

1. Favori. — 2. Discret. — 3. Faux. — 4. Caduc. — 5. Frais. — 6. Rémunérateur.

FÉMININ DES NOMS : RÉCAPITULATION

247. — Mettez à la forme convenable les adjectifs en italique.

[Gr. §§ 156-167.]

L'Espérance.

La [*doux*] espérance murmure à nos oreilles des paroles [*consolateur*] ; elle fait luire à nos yeux des perspectives [*enchanteur*] et quoique les visions [*merveilleux*] qu'elle déroule se révèlent chaque jour plus ou moins [*faux*], quoique les satisfactions qu'elle nous a promises soient [*fugitif*] et [*caduc*], parfois même [*traître*], nous nous laissons attirer et solliciter jusqu'au jour où tout vient à manquer et où notre âme reste [*inquiet*] de l'avenir. C'est avec peine que nous reprenons chaque jour notre tâche de la veille, mais chaque jour une espérance [*nouveau*], une illusion [*secret*] nous rend des forces [*frais*] et relève notre courage. Nous savons bien que les suggestions de l'imagination ne sont pas, hélas ! toujours [*sauveur*] et que même elles sont souvent [*fallacieux*], mais nous aimons à être dupes et complices de son prestige.

D'après P. JANET.

248. — Même exercice. [Gr. §§ 156-167.]

La Maison paternelle.

Lorsque après une [*long*] absence, je revois fumer le toit de la maison [*paternel*], une [*doux*] émotion m'étreint, une joie [*intérieur*] m'envahit. Voici, dans la façade blanchie à la chaux, les fenêtres [*jumeau*] avec le sourire de leurs géraniums et la [*frais*] invitation de leurs rideaux de tulle. Voici la cuisine [*propret*] pavée de céramique [*blanc*] ; elle est un peu [*vieillot*] sans doute, avec la [*maître*] poutre qui barre son plafond avec sa batterie [*compet*] de cuivre rouge et sa cheminée à la vaste hotte sur le bord de laquelle s'appuient une série d'assiettes [*fleuri*]. Voici la chambre [*coi*] où la famille se réunissait le soir sous la lampe à pétrole ; voici, au coin de l'âtre, la place [*favori*] de mon grand-père et voici la [*grand*] horloge à gaine de chêne ciré, qui rythme toujours comme autrefois sa [*discret*] chanson.

Pluriel des adjectifs qualificatifs.

249. — Mettez au *pluriel*. [Gr. §§ 168-171.]

a) 1. Un cœur pur. — 2. Une nation pacifique. — 3. Un bon

auteur. — 4. Un long voyage. — 5. Un léger effort. — 6. Un poème lyrique. — 7. Une belle action. — 8. Un conte bleu.

b) 1. Un gros livre. — 2. Un brouillard épais. — 3. Un doux murmure — 4. Un mot trivial. — 5. Un hideux épouvantail. — 6. Un hôtel luxueux. — 7. Le nouveau cardinal. — 8. Un beau vitrail. — 9. Un affreux fléau. — 10. Un landau somptueux.

c) 1. Un chantier naval. — 2. Un bijou précieux. — 3. Un succès final. — 4. Un discours banal et injurieux. — 5. Un livre hébreu. — 6. Un rocher fatal. — 7. Un moulin banal. — 8. Un texte original — 9. Un prince féodal. — 10. Un fruit jumeau.

250. — Accordez les adjectifs en italique.   [Gr. §§ 168-171.]

a) 1. Les climats [*équatorial*] ne connaissent pas de saison sèche ; les climats [*tropical*] ont deux périodes : l'une courte et pluvieuse, l'autre longue et sèche. — 2. Certains vents [*régional*] ont reçu des noms populaires, par exemple : le mistral, le sirocco, le simoun, etc. — 3. Les véritables historiens doivent se montrer [*impartial*]. — 4. La piété patriotique vous a-t-elle conduit à ces lieux [*fatal*] où périt tragiquement le roi Albert ? — 5. L'époque féodale a connu les fours, les moulins, les pressoirs [*banal*].

b) 1. Sur la côte du Jutland se livra, le 31 mai 1916, un des [*principal*] combats [*naval*] de la guerre de 1914-1918. — 2. Il y a en Ardenne des rivières resserrées entre des talus presque [*vertical*]. — 3. Laissez parler votre cœur quand vous écrivez à vos parents : vous aurez alors à leur dire bien autre chose que des mots [*banal*], vous leur exprimerez des sentiments [*filial*]. — 4. Déjà l'hiver s'annonce et la nature présente les tableaux [*final*] de la féerie de l'automne. — 5. Il y a d'autres infirmités que les infirmités du corps, et l'on constate qu'il y a, par exemple, des esprits [*bancal*].

Degrés des adjectifs qualificatifs.

251. — Donnez pour chacun des adjectifs suivants : le comparatif (d'égalité, de supériorité, d'infériorité).   [Gr. § 174.]

1. Beau. — 2. Froid. — 3. Juste. — 4. Vieux. — 5. Modeste.

252. — Remplacez les points par le comparatif de supériorité de l'adjectif placé en tête de la phrase.   [Gr. § 174.]

a) 1. [*Haut*] Il n'est pas toujours bon d'occuper un emploi ... que celui qu'on occupe. — 2. [*Précieux*] Est-il un bien ... que l'honneur ? — 3. [*Attentif*] Nous prêtons une oreille … quand on parle de nos qualités. — 4. [*Grand*] Les malheurs nous ont blessés, mais nous avons acquis une expérience… — 5. [*Sot*] Il n'est pas rare qu'un sot personnage trouve un personnage … encore pour l'admirer.

b) 1. [*Bon*] Il n'est pas de … remède à l'ennui que le travail. — 2. [*Mauvais*] Le proverbe dit qu'un coup de langue est parfois … qu'un coup de lance. — 3. [*Bon*] Le vrai bien est celui qui rend les hommes … — 4. [*Petit*] Les maux d'autrui nous semblent souvent … que les nôtres. — 5. [*Mauvais*] Il n'y a point de … sourd que celui qui ne veut pas entendre. — 6. [*Petit*] Le chevreuil est … que le cerf.

253. — Faites entrer chacun dans une phrase les adjectifs suivants mis au *comparatif* (d'égalité, ou de supériorité, ou d'infériorité) :
[Gr. § 174.]

1. Utile. — 2. Grand. — 3. Clair. — 4. Bon. — 5. Simple. — 6. Petit. — 7. Instruit. — 8. Important.

254. — Donnez pour chacun des adjectifs suivants : 1º le comparatif de supériorité ; 2º le superlatif absolu (avec *très*) et relatif avec *le plus*).
[Gr. §§ 174-175.]

1. Long. — 2. Agréable. — 3. Facile. — 4. Dur. — 5. Riche. — 6. Courageux. — 7. Actif. — 8. Rapide.

255. — Discernez les *superlatifs* et dites s'ils sont absolus ou relatifs.
[Gr. § 175.]

a) 1. Les plus désespérés, disait Musset, sont les chants les plus beaux. — 2. Les gens les plus accommodants sont souvent les plus habiles. — 3. Quand on souffre d'un mal très grave, il est sage d'user d'un remède fort énergique. — 4. Le style le moins noble a cependant sa noblesse. — 5. Les plus grands événements sont parfois produits par les causes les plus méprisables.

b) 1. C'est une joie bien douce que celle d'une grand-mère fêtée par ses petits-enfants. — 2. Les fautes les plus graves peuvent, si l'on en a un repentir très sincère, être pardonnées. — 3. Ce philatéliste possède des timbres rarissimes : il en est extrêmement fier. — 4. Il faut considérer comme une chose très grave la moindre tache faite à notre honneur. — 5. Vos meilleurs protecteurs sont vos talents. — **6.** On trouve parfois dans les greniers des meubles archivieux dormant sous la poussière.

256. — Discernez parmi les adjectifs qualificatifs ceux qui sont au *positif,* ceux qui sont au *comparatif* (d'égalité, de supériorité, d'infériorité) et ceux qui sont au *superlatif* (absolu, relatif).

[Gr. §§ 172-176.]

a) 1. Une bonne conscience est le meilleur des oreillers. — 2. Une bonne action cachée est plus estimable qu'une autre. — 3. Une faute de français gâte le plus beau vers. — 4. Les plus purs héros sont ceux qui ont consacré leur vie au plus grand bien de l'humanité. — 5. Il est infiniment regrettable que certains hommes soient moins attentifs à leur devoir qu'à l'approbation de l'opinion publique.

b) 1. La gloire des savants n'est pas moindre que celle des conquérants ; l'œuvre d'un Pasteur n'est-elle pas aussi estimable et même plus estimable que celle de Napoléon ? — 2. Les petits ruisseaux font les grandes rivières. — 3. Se vaincre soi-même est le plus beau triomphe. — 4. Nous estimons volontiers que nos qualités ne sont guère moindres que celles des meilleurs hommes. — 5. Où vous trouvez-vous plus heureux qu'au sein de votre famille ?

257. — Donnez pour ceux des adjectifs ci-après employés qui admettent les divers degrés : 1º le *comparatif* (d'égalité, de supériorité, d'infériorité) ; 2º le *superlatif* (absolu, relatif).   [Gr. §§ 174-176.]

> *Modèle :* L'homme pauvre ; — aussi pauvre, plus pauvre, moins pauvre ; — très pauvre, le plus pauvre, le moins pauvre.

a) 1. Un climat *froid.* — 2. Une somme *triple.* — 3. Un livre *intéressant.* — 4. Une *grosse* déception. — 5. Un bois *épais.* — 6. Le *dernier* jour. — 7. Une retraite *sûre.* — 8. Un *grand* cœur.

b) 1. Un *bon* auteur. — 2. Une tâche *pénible.* — 3. Un *noble* devoir. — 4. La *principale* obligation. — 5. Un *haut* édifice. — 6. Un champ *carré.* — 7. Le globe *terrestre.* — 8. De *mauvaises* jambes.

Accord de l'adjectif qualificatif.

258. — Justifiez l'*accord* des adjectifs en italique.

[Gr. §§ 177-178.]

a) 1. Il convient de se défier des *belles* paroles des gens qui se vantent d'être *vertueux* ; c'est par leurs actions qu'il faut les juger. — 2. Le génie, disait Buffon, est une *longue* patience. — 3. On trouve, dans les ouvrages de Bossuet, une noblesse et une solidité *singulières*. — 4. Une troupe de soldats *précise* dans ses évolutions peut, dans un moment critique, décider de la victoire. — 5. Un chef doit montrer, dans l'exercice de ses fonctions, un courage et un zèle *exemplaires*.

b) 1. Les paroles et les gestes *violents* ne sont pas l'indice d'une âme délicate. — 2. Le héron a les pieds et le cou très *longs*. — 3. Le sentiment de l'avenir inconnu qui s'ouvre devant nous peut plonger certaines âmes dans une inquiétude et un émoi *profonds*. — 4. Voici des personnages dont la taille et l'air *sinistre* inspirent la terreur. — 5. Armez-vous d'un courage et d'une foi *nouvelle*. (Racine.) — 6. Ils me communiquaient la plupart de leurs lettres ; je les copiai. J'en surpris même quelques-unes dont ils se seraient bien gardés de me faire confidence, tant elles étaient mortifiantes pour la vanité et la jalousie *persane*. (Montesquieu.)

259. — Accordez les adjectifs en italique.   [Gr. §§ 177-178.]

a) 1. Suivez les [*bon*] conseils des personnes [*sage*] et [*expérimenté*]. — 2. Ceux qui aiment mieux être [*grand*] que d'être [*humble*] s'évanouissent dans leurs pensées. — 3. Les âmes [*pur, simple, ferme*] dans le bien ne sont jamais [*inquiet*] au milieu même des plus [*nombreux*] préoccupations. — 4. C'est une [*grand*] folie de négliger les choses [*utile*] et [*nécessaire*] pour s'appliquer curieusement aux choses [*nuisible*].

b) 1. Mes [*cher*] enfants, je vous sais [*droit*] et [*bon*]. — 2. [*innombrable*] sont ceux qui s'ignorent eux-mêmes. — 3. Un échec ne décide de rien lorsqu'il laisse [*intact*] votre force et votre talent. — 4. Nous admirons la grâce et la blancheur [*éclatant*] du cygne. — 5. Nous trouvons [*grand*] les hommes qui ont consacré leur vie au soulagement de ceux qui souffrent. — 6. Le vol des hirondelles éveille dans notre cœur des impressions d'une délicatesse et d'une douceur [*singulier*]. — 7. Bien [*mûr*], la poire et l'abricot sont des fruits délicieux.

260. — Faites l'accord des adjectifs en italique.   [Gr. § 178.]

a) 1. Mon père et ma mère sont [*bon*]. — 2. Une rose et un œillet [*blanc*]. — 3. Le lièvre et la grenouille sont [*craintif*]. — 4. Une table et une armoire [*verni*]. — 5. Ce dessin et cette caricature sont [*amusant*]. — 6. Un roman et plusieurs nouvelles [*intéressant*]. — 7. Des chrysanthèmes et des héliotropes [*charmant*]. — 8. Des chemins et des autoroutes [*nouveau*].

b) 1. Des chansons et des effluves [*printanier*]. — 2. Des moustiquaires et des oriflammes [*neuf*]. — 3. Cet officier et son ordonnance sont [*prêt*] à partir. — 4. L'enclume et le marteau [*pesant*]. — 5. L'épeautre et le seigle sont [*mûr*]. — 6. L'exorde et la péroraison de ce discours sont trop [*long*]. — 7. L'atmosphère et la mer sont [*bleu*]. — 8. Ces arabesques et ces parafes sont [*prétentieux*].

261. — Même exercice.   **[Gr. §§ 177-178.]**

Les Nuages.

L'enfant et le rêveur [*oisif*], tous ceux dont l'âme et les yeux sont [*frais*] *et* [*naïf*] se plaisent à regarder dans le ciel la fuite tantôt [*lourd*], tantôt [*léger*] des nuages.

Lorsque du haut d'une colline d'où la vue et le rêve peuvent s'étendre, [*large*] et [*profond*], on observe ces masses et ces entassements, on les voit accourir du bout de l'horizon, d'abord [*confus*] et un peu [*indécis*], puis se séparer peu à peu. Les nuages les plus [*léger*] flottent comme des écharpes et des voiles [*transparent*] de tulle [*noir*], puis se dispersent et s'évanouissent ; les plus [*lourd*] cheminent lentement et leur marche [*continu*] ressemble à une caravane de tribus [*errant*].

Les nuages dessinent parfois aussi dans le ciel des paysages et des visions [*fantastique*] : falaises et rochers [*noir*] surplombant une mer [*bleu*] ; tours et murs [*branlant*] de châteaux [*féodal*] qui s'écroulent lamentablement ; montagnes et pics [*abrupt*] qu'égaient brusquement le sourire et le poudroiement [*doré*] du soleil entre deux ondées.

262. — Accordez les adjectifs en italique.   **[Gr. §§ 179-181.]**

a) 1. Certains malheureux ont l'âme, de même que le corps [*affligé*] de maladies pernicieuses. — 2. Le héron a le cou ainsi que les pattes fort [*long*]. — 3. Le cardinal Mercier montrait une douceur, une bonté [*séduisant*]. — 4. Il faut, pour vaincre certaines difficultés, une volonté, une opiniâtreté [*inébranlable*]. — 5. Après la bataille de Cannes, il régnait à Rome un désordre, une confusion [*indescriptible*].

b) 1. Certains peuples habitant les régions glacées du nord de l'Asie se nourrissent de chair ou de poisson [*cru*]. — 2. Les Nerviens ont opposé à César un courage, une valeur [*étonnant*]. — 3. Si nous jugeons les biens de ce monde sous le point de vue de l'éternité, qu'importe une richesse ou une pauvreté [*extrême*] ? — 4. Vit-on jamais un homme connaître un bonheur ou un malheur [*complet*] ?

263. — Même exercice.   **[Gr. §§ 179-181.]**

a) 1. Le roi Albert avait une modestie, une réserve peu [*commun*]. — 2. Moyennant des efforts patients et persévérants, on arrive à rendre l'homme et l'enfant [*capable*] de regarder le danger en face. — 3. Louis XIV a exercé sur son siècle une autorité, un empire [*extraordinaire*]. — 4. L'autruche a la tête, ainsi que le cou, [*garni*] de duvet. — 5. Une âme forte sait être [*maître*] du corps qu'elle anime :

certains hommes valétudinaires ont su déployer une énergie, une vigueur [*étonnant*].

b) 1. Les journées de mai ont une grâce, un charme vraiment [*prenant*]. — 2. La guerre a des cruautés atroces : que de fois un père de famille a vu sa femme ainsi que tous ses enfants, [*innocent*] ou [*inoffensif*] cependant, brutalement [*enlevé*] à son affection ! — 3. Un bon citoyen a le respect des lois et de l'autorité [*public*]. — 4. Ne vous flattez-vous pas trop de trouver chez votre mère une bonté, une tendresse [*attentif*] à ne vous causer aucune peine ? — 5. Plût au Ciel que les mandataires du peuple fussent toujours plus soucieux des affaires et de l'intérêt [*public*] que de leurs affaires et de leur intérêt [*particulier*] !

264. — Même exercice.   [Gr. § 182.]

1. Des feuilles de papier [*rectangulaire*]. — 2. Une corbeille de fruits [*mûr*]. — 3. Des vêtements de drap trop [*large*]. — 4. Des livres d'images [*nouveau*]. — 5. Des bas de coton [*troué*]. — 6. Un verre d'eau [*gazeux*]. — 7. Un verre d'eau [*renversé*]. — 8. Des colonnes de marbre [*épars*]. — 9. Un vol d'oies [*sauvage*]. — 10. Un tas de feuilles [*mort*].

265. — Justifiez l'accord de l'adjectif se rapportant à « avoir l'air ».
[Gr. § 183.]

1. Ils m'avaient l'air terriblement *hardis*. (A. France.) — 2. Ses sourcils jaune d'or avaient l'air *peints* de frais. — 3. Sa tête a l'air *inquiet et ardent*. (J. de Pesquidoux.) — 4. Leur vitesse n'avait pas l'air *excessive*. (Flaubert.) — 5. Elle a l'air *étonnée* mais non inquiète. (G. Duhamel.) — 6. Elle avait l'air doucement *ébloui* des convalescents. (Id.) — 7. A Paris les oranges ont l'air *triste* de fruits tombés ramassés sous l'arbre. (A. Daudet.) — 8. La nuit, Venise est incroyablement solitaire et la plupart de ses maisons ont l'air *abandonnées*. (E. Jaloux.)

266. — Justifiez l'accord des adjectifs en italique.   [Gr. § 184.]

1. Leur tâche est des plus *délicates* et demande le calme. (G. Duhamel.) — 2. La demande était d'ailleurs des plus *simples*. (E. Jaloux.) — 3. Un rat plein d'embonpoint, gras et des mieux *nourris*, Et qui ne connaissait l'avent ni le carême, Sur le bord d'un marais égayait ses esprits. (La Font.) — 4. M. Coutre était des plus *satisfait* de sa femme. (É. Henriot.) — 5. Je me prépare des mets trop épicés, bien que ma cuisine soit des plus *simple*. (A. Thérive.)

MOTS DÉSIGNANT UNE COULEUR

267. — Justifiez l'*accord* des mots en italique.   [Gr. § 185.]

1. Entre les nuages *noirs*, le soleil glisse ses rayons *jaune clair*. — 2. La propreté de la pièce est parfaite ; les meubles dorment sous leurs housses de percale *blanche*, striées de minces raies *rouge vif*. — 3. Voici novembre ; à la place des roses fleurissent dans les parterres les chrysanthèmes *blancs* ou *jaune foncé*. — 4. Quelle santé florissante ! Ses joues sont *pourpres*. — 5. La mer, sous la lumière de juin, étale sa nappe *vert d'émeraude*. — 6. Il portait une redingote *marron ;* son œil avait des reflets *lie de vin*. — 7. Que d'uniformes *gros bleu !*

268. — Mettez à la forme convenable les mots en italique.
[Gr. § 185.]

a) 1. Des cheveux [*châtain*]. — 2. Des rubans [*brun foncé*]. — 3. Des bannières [*rouge vif*]. — 4 Des étoffes [*mauve*]. — 5. Des corolles [*bleu de ciel*]. — 6. Des tulipes [*vieil or*]. — 7. Des salons [*blanc et or*]. — 8. Des foulards [*chocolat*].

b) 1. Des sourcils [*châtain clair*]. — 2. Une toilette [*pervenche*]. — 3. Des broderies [*gris perle*]. — 4. Une vareuse [*kaki*]. — 5. Des rubans [*vert pomme*]. — 6. Des rubans [*tête de nègre*]. — 7. Des cravates [*café au lait*]. — 8. Des blouses [*bleu marine*].

269. — Examinez s'il faut faire l'accord des mots en italique.
[Gr. § 185.]

a) 1. Le crépuscule déploie ses voiles [*violet clair*]. — 2. La pluie a lavé le jardin : les feuilles luisent, plus [*vert*], les choux ont des reflets [*vert de gris*] ; dans les plates-bandes, les mufliers, les capucines, les dahlias ont ravivé leurs pétales [*pourpre, ponceau, rouge feu*] ou [*ivoire*]. — 3. Sous le jeune soleil d'avril, les narcisses jettent dans le taillis leurs teintes [*jaune clair*]. — 4. Dans le miroir de l'eau où frissonnent des rides [*vert bronze*] se reflètent des rochers [*brun pourpre*].

b) 1. L'horizon se charge de gros nuages [*violet sombre*]. — 2. Dans la vallée, où flotte une brume [*gris de fer*], le crépuscule entasse de l'ombre ; çà et là des vitres éclairées mettent des taches [*cramoisi*]. — 3. Septembre vient : les feuilles des marronniers se piquent de taches [*roux*] ; quelques-unes déjà montrent des tons [*bistre*]. — 4. Mon chien a des yeux [*marron*] : j'y vois passer par instants des lueurs [*vert d'eau*]. — 5. La Campine déploie son décor de bruyère : partout ce sont des étendues [*ardoise, lie de vin, améthyste*].

270. — Complétez de trois manières différentes les expressions suivantes, en notant chaque fois une couleur : [Gr. § 185.]

Modèle : Des cheveux noirs ; — châtain clair ; — filasse.

a) 1. Des feuilles. — 2. Des chrysanthèmes. — 3. Des nuages. — 4. Des reflets. — 5. Des lueurs.

b) 1. Des pétales. — 2. Des étoiles. — 3. Des rideaux. — 4. Des ombres. — 5. Des yeux.

271. — Accordez, quand il y a lieu, les mots en italique.

[Gr. § 185.]

Les Nuages sous les Tropiques.

a) Les nuages amoncellent leurs masses [*blanchâtre*]. Au milieu de leurs croupes superposées, une multitude de vallons [*incarnat*] ou [*rose*] s'étendent à l'infini. Les divers contours de ces vallons célestes présentent des teintes [*blond*], [*vieil ivoire*], [*ventre de biche*], [*mastic*], [*beige*], qui fuient à perte de vue dans le blanc ou des ombres [*marron*], [*feuille morte*], [*brique*], qui se prolongent, sans se confondre sur d'autres ombres. On voit çà et là sortir du flanc caverneux de ces montagnes des fleuves d'une lumière [*argenté*] qui se précipitent en coulées [*gris jaunâtre*] sur des récifs [*orange*].

b) Ici ce sont de [*noir*] rochers qui se dressent sur l'étendue [*bleu sombre*] du firmament ; là ce sont de longues grèves [*or et cuivre*], qui s'étendent sur des fonds de ciel [*bleu*], [*ponceau*], [*écarlate*] et [*vert émeraude*]. La réverbération de ces couleurs se répand sur la mer dont elle glace les flots [*azuré*] de reflets [*safran*] et [*pourpre*].

D'après BERNARDIN DE SAINT-PIERRE.

ADJECTIFS COMPOSÉS

272. — Justifiez l'accord des adjectifs composés. [Gr. § 186.]

1. Soyez bons et patients : aux paroles *aigres-douces* répondez par des paroles d'apaisement. — 2. Déjà les pessimistes apercevaient les signes *avant-coureurs* d'une catastrophe. — 3. Les personnes *haut placées* devraient toujours se souvenir qu'il n'y a de supériorité véritable que celle de la vertu. — 4. Un homme sans caractère n'accomplira rien de grand : ses résolutions sont pour la plupart *mort-nées*. — 5. C'est une joie pour les yeux qu'un parterre de roses *fraîches écloses*.

273. — Donnez aux adjectifs composés la forme convenable.
[Gr. § 186.]

a) 1. L'abbé de l'Épée recueillit d'abord deux fillettes [*sourd-muet*] et s'appliqua à développer leur intelligence à l'aide d'un certain nombre de signes conventionnels. — 2. Que nos dernières pensées et même les [*avant-dernier*] soient à Dieu ! — 3. Les historiens [*grand-ducal*] ont établi qu'il y eut sept comtes luxembourgeois du nom de Henri. — 4. Perrette, légère et [*court-vêtu*], prétendait arriver sans encombre à la ville. — 5. Si vous avez un reproche à faire à votre ami, faites-le-lui franchement, sans paroles [*aigre-doux*] ni blâmes [*sous-entendu*]. — 6. Il y a des personnes qu'on dit [*tout-puissant*] et qui sont les esclaves de leurs passions.

b) 1. Certaines gens sont dénués d'esprit d'observation : ils ont les yeux [*grand ouvert*] et semblent ne rien voir. — 2. On a vu des élèves médiocrement doués, mais travailleurs et méthodiques, arriver [*bon premier*]. — 3. La fortune est changeante : des personnages qu'elle avait faits [*tout-puissant*] ont été par elle dépouillés brusquement de toute autorité et voués à l'abjection. — 4. Vive le mois de mai ! Dans les nids, les oiseaux [*nouveau-né*] gazouillent tout joyeux ; dans les vergers, les arbres [*frais taillé*] se parent de feuilles tendres. — 5. Dans les quartiers populaires, les locataires [*nouveau venu*] sont l'objet des conversations de tous. — 6. En une seule nuit l'Ange du Seigneur frappa de mort tous les enfants [*premier-né*] des Égyptiens : ce fut la dixième plaie d'Égypte. — 7. En juin 1944, les troupes [*anglo-américain*] débarquèrent en Normandie. — 8. L'art byzantin a combiné les procédés des artistes [*gréco-romain*] et les influences orientales. — 9. Les collectionneurs considèrent volontiers leurs collections comme [*sacro-saint*] : on n'y touche qu'avec d'infinies précautions. — 10. Au passage du Rhin, en 1672, les Hollandais firent une décharge si vigoureuse que le duc de Longueville et d'autres gentilshommes français tombèrent [*raide mort*].

ADJECTIFS PRIS ADVERBIALEMENT

274. — Faites entrer dans de petites phrases, avec un sujet au pluriel, les expressions suivantes :
[Gr. § 187.]

1. Sentir bon. — 2. Parler haut. — 3. Coûter cher. — 4. Voir clair. — 5. Penser juste. — 6. Marcher droit. — 7. Tenir ferme. — 8. Voler bas.

275. — Justifiez l'*accord* ou le non-accord des mots en italique.
[Gr. § 187.]

1. Quelques fumées montent là-bas, *droites* dans l'air froid du matin. — 2. Les arbres, dans la nuit claire, jaillissaient *droit* vers le ciel.

— 3. Si vous ne dites au roi que le pré que vous fauchez appartient à monsieur le marquis de Carabas, vous serez tous hachés *menu* comme chair à pâté. — 4. Les balles tombaient *dru* comme mouches. — 5. Cette grêle d'insectes tomba *drue* et bruyante. (A. Daudet.) — 6. Il n'y a rien d'aimable comme des prêtres aimables ; leur gaîté détachée sonne *franc et clair*.

276. — Distinguez, en vue de l'accord, si les mots en italique gardent leur valeur adjective ou s'ils sont pris adverbialement. [Gr. § 187.]

a) 1. Comment un homme qui a trahi la foi jurée pourrait-il marcher la tête [*haut*] ? — 2. Ceux qui s'élèvent trop [*haut*] ou qui portent [*haut*] la tête seront abaissés. — 3. Ceux qui défendent la vérité ne doivent pas craindre de parler [*haut*] et [*clair*]. — 4. Les fourbes et les intrigants ne sont jamais [*court*] d'inventions. — 5. Que de gens ne voient pas [*clair*] en eux-mêmes ! — 6. Nous aimons les nuits sereines où la lune monte [*clair*] dans un ciel étoilé. — 7. La grêle tombait [*dru*] et [*menu*].

b) 1. Avant d'apprendre à bien parler, les futurs orateurs doivent s'appliquer à penser [*droit*] et à raisonner [*juste*]. — 2. Vos marques de reconnaissance iront [*droit*] au cœur de vos parents. — 3. On n'aime pas les gens sournois qui ne savent jamais parler [*franc*] et [*net*]. — 4. La fortune tient parfois la dragée [*haut*] aux ambitieux : elle leur fait attendre longtemps ce qu'ils désirent ou elle leur fait payer [*cher*] les avantages qu'elle leur accorde. — 5. On voyait là des bijoux admirables, ciselés [*fin*] comme des dentelles. — 6. Il y a des adversaires acharnés qui ne prétendent pas, même quand leur défaite est certaine, mettre les armes [*bas*]. — 7. Les âmes fortes savent tenir [*bon*] contre l'adversité et rester [*ferme*] dans les dangers. — 8. Quand les hirondelles volent [*bas*], on peut prévoir du mauvais temps.

ACCORD DE CERTAINS ADJECTIFS

277. — Accordez, s'il y a lieu, les mots en italique. [Gr. § 188.]

1. Il convient que l'on se satisfasse ici-bas de [*demi*]-bonheurs et de [*demi*]-satisfactions. — 2. Vous êtes absorbé, le soir, dans la lecture d'un livre intéressant : neuf heures et [*demi*] sonnent et vous êtes tout étonné de constater que vous avez lu pendant deux heures et [*demi*] sans vous apercevoir que le temps s'écoulait. — 3. Si vous ne savez faire que des [*demi*]-efforts, comment vous étonnez-vous de n'obtenir que des [*demi*]-succès ? — 4. Combien de [*demi*]-savants s'imaginent qu'ils ont atteint les sommets du savoir ! — 5. La phoné-

tique enseigne qu'il y a des [semi]-voyelles. — 6. Voici la [mi]-carême : le carnaval déploie ses joyeuses excentricités. — 7. Une [demi]-heure de travail méthodique est plus féconde qu'une matinée entière à [demi] remplie de vagues rêveries. — 8. Les horloges à carillon sonnent des airs différents aux heures, aux [demi] et aux quarts. — 9. Il est midi et [demi]. — 10. Quatre [demi] valent deux unités. — 11. Cette vieille personne fut prise d'une peur extrême : elle était comme [demi]-folle. — 12. Je rêvais, les paupières [mi]-closes.

278. — Faites, s'il y a lieu, l'accord des mots en italique.
[Gr. §§ 189-191.]

1. Ma [feu] mère se plaisait à secourir les malheureux. — 2. Je me rappelle avec émotion [feu] mes tantes, si douces, si indulgentes. — 3. Mes [feu] oncles ont toujours vécu en gens d'honneur. — 4. On ne dit plus guère aujourd'hui : la [feu] reine ; on dit : la reine défunte. — 5. Certaines personnes distraites oublient qu'une lettre doit être expédiée [franc de port]. — 6. Vous avez reçu [franc de port] les objets qu'un ami vous a prêtés ; renvoyez-les également [franc de port]. — 7. Il y a des personnes présomptueuses qui se font [fort] de renverser tous les obstacles. — 8. Les avocats qui plaident coupable reconnaissent la culpabilité de l'accusé en se faisant [fort] de l'excuser ou de l'atténuer.

279. — Accordez, s'il y a lieu, les mots en italique.
[Gr. §§ 192-196.]

1. Les [grand]-mamans ont pour leurs petits-enfants des trésors d'indulgence. — 2. Si nous laissons le mal s'invétérer, nous ne l'extirperons qu'à [grand]-peine. — 3. Mes chers amis, voilà la difficulté : elle est grande, mais vous êtes courageux et vous ferez tous les efforts [possible] ; ainsi donc, [haut] les cœurs ! — 4. Les villes et les campagnes ravagées par la guerre font [grand]-pitié. — 5. Il est bon sans doute que chacun ait le plus de droits [possible], mais il ne dépend de personne de faire que ces droits soient égaux quand ils correspondent à des situations inégales. — 6. Il n'est pas bon que les jeunes gens aient de l'argent [plein] les poches. — 7. J'aime me promener dans la forêt, le matin, [nu]-tête. — 8. Si vous félicitez quelqu'un, tâchez de lui adresser les compliments les plus justes [possible].

b) 1. Avec de la volonté, vous vaincrez la difficulté [haut] la main. — 2. Un orateur ne peut pas [grand]-chose pour la gloire des hommes extraordinaires : leurs seules actions, dit le Sage, les peuvent louer. — 3. On voit certains personnages proclamer leurs droits d'une manière

insistante et sur tous les tons [*possible*], avec des mots [*plein*] d'arrogance. — 4. Le philosophe Diogène allait pieds [*nu*]. — 5. Une équipe
de travailleurs, [*nu*]-bras, ouvrait une tranchée en travers de la route.
— 6. Vivent les scouts, ces vaillants qui vont [*nu*]-jambes, l'air décidé
et qui ont l'âme noble !

ACCORD DE L'ADJECTIF : RÉCAPITULATION

280. — **Mettez à la forme convenable les adjectifs en italique.**
[Gr. §§ 177-196.]

a) 1. Rien ne nous rend si [*grand*], dit Musset, qu'une grande douleur. — 2. C'est une [*grand*] misère que le penchant qu'ont les hommes
à s'inquiéter de mille [*vain*] questions, tandis qu'ils ne trouvent qu'à
[*grand*]-peine le temps de songer aux vérités les plus [*important*].
— 3. L'adversité laisse les hommes [*meurtri*], mais elle a cela d'excellent qu'elle peut les rendre [*humble*] et les prémunir contre la [*vain*]
gloire. — 4. Dans la [*demi*]-clarté du crépuscule, les paysans, les
bras et le cou [*nu*], soulevaient à la pointe des fourches les gerbes.
— 5. Il fut tout à coup saisi d'une inquiétude et d'une angoisse [*extrême*].

b) 1. L'expérience tient une école où les leçons coûtent [*cher*],
mais c'est la seule où les insensés peuvent s'instruire. — 2. C'est
par tous les moyens [*possible*] que nous devons nous efforcer de devenir
[*meilleur*] et le plus [*sage*]. — 3. Pourriez-vous, mes chers amis, rester
[*insensible*] à la détresse d'une mère et d'un enfant [*dénué*] de tout
moyen de subsister ? — 4. Le soleil va se lever : des [*demi*]-clartés
hasardent leurs teintes [*gris perle*] sous le bleu de la nuit. — 5. Se
bien connaître soi-même : n'est-ce pas là une règle des plus [*important*]
de la vie morale ? — 6. Les boiseries [*acajou*] ressortent vivement
sur les teintes [*jaune pâle*] des tentures.

281. — **Même exercice.**   [Gr. §§ 177-196.]

a) 1. Il y a une témérité qui n'est pas le vrai courage : elle s'avance
[*droit*] sur tout adversaire, elle va sans rien examiner au-devant de
tous les dangers [*possible*]. — 2. Dans la lumière [*rose clair*] du soleil
levant, les feuillages [*nouveau-né*] vibrent doucement. — 3. Dans
la [*demi*]-obscurité du soir, j'aime à rêver au coin du feu, observant,
les paupières [*mi*]-closes, les lueurs, les reflets [*capricieux*] de la flamme.
— 4. Il n'est pas bon de s'exposer longtemps [*nu*]-tête à un soleil
ardent. — 5. Il faut avoir perdu tout contrôle de soi pour s'abandonner à une colère, à une fureur [*pareil*].

b) 1. Dix heures et [*demi*] : de la vallée monte l'appel des cloches de la [*grand*]-messe. — 2. Dans le matin d'avril, les premiers narcisses ouvraient leurs corolles [*jaune vif*] ; les sources chantaient plus [*clair*] sous la mousse ; les violettes sentaient [*bon*] au pied des haies. — 3. Quand on est adolescent, on se met volontiers des projets [*plein*] la tête, parce qu'on a de l'enthousiasme [*plein*] l'âme. — 4. Ce malheureux avait les bras ainsi que le tronc tout [*noir*] des coups qu'il avait reçus.

282. — Donnez aux mots en italique la forme convenable.
[Gr. §§ 177-196.]

Les Fumées du Pays noir.

Aux jours pluvieux, quand la bourrasque secoue sur les champs les traînées [*blanc cendré*] de l'averse, j'aime à suivre, par les fenêtres [*large ouvert*], la fuite des fumées de mon cher pays noir. Ah ! le beau poème qu'elles déroulent dans les [*demi*]-clartés du ciel et combien [*lointain*] semblent leurs voyages, leurs évolutions quand elles disparaissent dans les masses de brouillard qui flottent [*bas*] en s'étirant vers l'horizon mélancolique ! Sous le ciel maussade et sous le déploiement de ses draperies [*gris sombre*], les arbres ont l'air plus [*vert*], les tuiles rouges ont des teintes et des reflets [*indécis*] ; dans la pluie, les cheminées ont un aspect les plus [*étrange*]. Écrasées sous l'ondée, vaincues par la rafale, les fumées vagabondent et s'échappent, mettant dans la tristesse et la régularité [*géométrique*] des constructions industrielles la turbulence et la souplesse [*plaisant*] de leurs contours changeants.

D'après J. DESTRÉE.

283. — Même exercice.   [Gr. §§ 177-196.]

Pour bien se connaître soi-même.

S'observer soi-même est une tâche des plus [*difficile*] : nous ne voyons pas [*clair*] en nous si nous n'arrêtons le mouvement, le flux [*continuel*] des événements extérieurs qui nous empêche de descendre en nous-mêmes. Pour bien nous examiner, il conviendrait de nous retirer au moins dans une [*demi*]-solitude et d'y méditer dans les conditions de tranquillité les plus parfaites [*possible*]. On ne se connaît pas bien si on ne se compare.

Au point de vue physique, tel s'émerveille de sauter avec élan quatre mètres en longueur qui aura une idée et une image plus [*exact*] de son agilité et de sa force [*musculaire*] s'il s'aperçoit que ses camarades sautent jusqu'à quatre mètres et [*demi*]. Au point de vue intellectuel, l'enfant qui étudie dans sa famille sous un précepteur se connaîtra moins bien que celui qui, dans une école, fait tous les efforts [*possible*] pour égaler ou surpasser des condisciples.

Mais pour nous connaître mieux encore, il faut recourir aux lumières d'autrui ; pour vous, chers amis, il n'y a pas de direction ou d'aide plus [*certain*] que celles que peuvent vous donner vos parents ou vos maîtres.

Place de l'adjectif épithète.

284. — Mettez à la place convenable, c'est-à-dire avant ou après les noms, les adjectifs en italique. [Gr. §§ 197-198.]

a) 1. [*Rapide*] Un fleuve. — 2. [*Perpendiculaire*] Une droite. — 3. [*Harmonieux*] Un mot. — 4. [*Long*] Un compliment. — 5. [*Rouge*] Une tuile. — 6. [*Tortueuse*] Une route. — 7. [*Gothique*] L'architecture. — 8. [*Ardennais*] Un site.

b) 1. [*Vieux*] Un vagabond. — 2. [*Dormantes*] Des eaux. — 3. [*Étoilé*] Le ciel. — 4. [*Premiers*] Les hommes. — 5. [*Royal*] Le pouvoir. — 6. [*Troisième*] Le rang. — 7. [*Ovale*] Un visage. — 8. [*Petites*] Les fleurs des champs.

285. — Donnez aux adjectifs entre crochets la place convenable, c'est-à-dire avant ou après le nom. [Gr. §§ 197-198.]

a) 1. [*Honnête*] Un … commerçant … ne prend pas un bénéfice exorbitant. — 2. [*Triste*] C'est un … métier … que celui de pamphlétaire. — 3. [*Brave*] Un … homme … est un homme honnête, bon, obligeant. — 4. [*Bon*] Un … élève … étudie non pour l'école, mais pour la vie. — 5. [*Ancien*] Un … ami … est un homme qui n'est plus ami ou du moins avec qui les relations sont devenues moins étroites ; un … ami … est un homme avec qui on est ami depuis longtemps.

b) 1. [*Pauvre*] Un … auteur … est un auteur indigent ; un … auteur … est un mauvais écrivain. — 2. [*Bon*] Un … chef … est un chef qui réunit toutes les qualités requises chez celui qui commande ; un … chef … est un chef qui a de la bonté. — 3. [*Plaisant*] Un … homme … est un homme impertinent ridicule ; un … homme … est un homme qui divertit, qui fait rire. — 4. [*Simple*] Une … observation … suffit pour ramener dans le devoir un élève docile. — 5. [*Commune*] Le parterre a proclamé d'une … voix … que ce chanteur n'avait qu'une … voix …

286. — Expliquez le sens de l'adjectif dans chacune des expressions suivantes : [Gr. §§ 197-198.]

1. Un homme seul ; un seul homme. — 2. De l'eau pure ; une pure calomnie. — 3. Un écrivain méchant ; un méchant écrivain. — 4. Une nouvelle vraie ; du vrai marbre. — 5. Un repas maigre ; un maigre repas. — 6. Un enfant propre ; son propre enfant. — 7. Un visage triste ; un triste personnage. — 8. Une pomme verte ; une verte vieillesse.

Adjectifs numéraux.

287. — Écrivez les nombres en toutes lettres ; orthographiez correctement les mots en italique. [Gr. §§ 200-202.]

a) 1. L'homme a 32 dents. — 2. L'air contient environ 21 parties d'oxygène pour 79 parties d'azote. — 3. Pascal est mort à l'âge de 39 ans. — 4. La distance de Bruxelles à Paris est de 300 kilomètres. — 5. Le plomb fond à 335 degrés ; l'étain, à 230 degrés. — 6. La lumière parcourt 300 000 kilomètres par seconde.

b) 1. La lune est à 384 000 kilomètres de la terre. — 2. Le canal Albert a 122 kilomètres de longueur ; il peut porter des bateaux de 2 000 tonnes. — 3. La bombe atomique lancée sur Hiroshima a fait périr en quelques instants 260 000 hommes. — 4. Les anciennes diligences pesaient jusqu'à 4 000 kilogrammes. — 5. Dix [*mille*] anglais font 16 093 mètres ; dix [*mille*] marins font 18 522 mètres.

288. — Écrivez les nombres en toutes lettres. [Gr. §§ 200-202.]

a) 80 ans — 82 hectolitres — 200 francs — 530 hommes — 480 mètres — 185 ares — 888 kilomètres — 325 litres.

b) 1 050 francs — 8 200 volumes — 10 520 kilos — 80 680 habitants — 285 000 hommes — 5 380 400 francs.

c) 201 grammes — 102 litres — 81 ans — 1 805 hectares — 561 204 habitants — 86 384 680 francs — 2 300 480 000 francs.

289. — Écrivez les nombres en toutes lettres. [Gr. §§ 200-202.]

a) 1. Dans l'air, la vitesse du son est d'environ 340 mètres par seconde ; dans l'eau, elle est d'environ 1 435 mètres par seconde ; dans les solides, elle est de plus de 3 000 mètres par seconde. — 2. L'art de fabriquer des vitres, porté en Angleterre par les Français, vers l'an 1180, y fut regardé comme une grande magnificence. — 3. L'aéronaute français Tissandier fit en 1875, avec Crocé-Spinelli et Sivel, une ascension qui est restée célèbre ; son ballon, le « Zénith », s'éleva à 8.600 mètres ; malheureusement ses deux compagnons périrent asphyxiés.

b) 1. La plus grande des pyramides d'Égypte a une hauteur de 138 mètres ; le côté de sa base mesure 227 mètres. — 2. La tour Eiffel a été édifiée en 1889 à Paris, par l'ingénieur Eiffel ; elle a 300 mètres de hauteur et pèse plus de 9 000 000 de kilos. — 3. Les tours de Notre-Dame de Paris, ont une hauteur de 68 mètres ; la tour de la cathédrale de Saint-Rombaut, à Malines, a 97 mètres de hauteur. — 4. Charles-Quint est né à Gand en l'an 1500. — 5. Le tunnel du Simplon n'a pas moins de 80 kilomètres de longueur. — 6. Il y avait en Belgique, en 1949, environ 370 000 véhicules à moteur et environ 2 863 000 bicyclettes.

290. — Même exercice.   [Gr. §§ 200-202.]

a) 1. Léopold II est monté sur le trône en 1865 ; il est mort en 1909 : son règne a donc duré 44 ans. — 2. Des 600 000 guerriers qui étaient partis pour la première croisade, 50 000 seulement restaient lorsqu'on commença le siège de Jérusalem ; la ville fut prise d'assaut le 15 juillet 1099. — 3. Le 18 juin 1815, Napoléon fut vaincu à Waterloo. — 4. Les baleines peuvent atteindre une longueur de 25 mètres et peser jusqu'à 150 000 kilos.

b) 1. Le mont Blanc est la montagne la plus élevée des Alpes ; son point culminant est à 4 810 mètres au-dessus du niveau de la mer. — 2. Aux approches de l'an 1000, on crut, dit-on, à la fin du monde. — 3. Quand l'an 2000 arrivera, l'humanité sera-t-elle plus heureuse ? — 4. Il serait bien intéressant d'avoir des détails sur la vie des populations qui habitaient nos régions vers l'an 1500 ou vers l'an 2000 avant Jésus-Christ. — 5. Le pôle nord a été atteint par l'Américain Peary le 6 avril 1909 ; quant au pôle sud, c'est le Norvégien Amundsen qui l'atteignit le premier, le 14 décembre 1911, devançant l'Anglais Scott, qui y arriva le 18 janvier 1912.

291. — Même exercice.

Un peu de Démographie.

a) La population du royaume de Belgique était **au 31 décembre** 1949 de 8 625 084 habitants. Si l'on compare ce **chiffre avec celui** que donnait le recensement de 1930, on constate que **la population** a augmenté d'environ 500 000 habitants. Cette augmentation concerne surtout la catégorie des personnes âgées ; en effet le **nombre des habi-**

tants âgés de moins de 15 ans a diminué de 100.000 pendant que celui des vieillards, c'est-à-dire des habitants âgés de 70 ans et plus, a augmenté de 200.000.

b) Ce phénomène serait encore plus apparent si nous remontions jusqu'à l'année 1910 : nous avions alors, en chiffres ronds, 2.250.000 enfants et 275.000 vieillards seulement. On vit donc, en Belgique, plus longtemps qu'autrefois. En 1900, nous n'avions que 48.000 personnes âgées de 80 ans et plus, alors que nous en avons maintenant 111.000. Jamais on n'a vu dans notre pays plus de centenaires qu'à l'époque actuelle.

Adjectifs possessifs.

292. — Analysez les *adjectifs possessifs* et indiquez s'ils concernent un ou plusieurs possesseurs, un ou plusieurs objets possédés.

[Gr. § 207.]

Modèle : J'aime *mes* parents ; — *mes :* adjectif possessif ; masc. plur. ; 1re pers. ; se rapporte à *parents ;* concerne un seul possesseur, plusieurs êtres possédés.

1. J'aime mes parents ; je me conforme à leur volonté. — 2. Nous avons tous notre défaut dominant : faisons tous nos efforts pour nous en corriger. — 3. Vous aurez beau ouvrir vos coffres, si vous n'ouvrez pas aussi votre cœur, celui des autres restera fermé. — 4. Le travail, mon ami, est un des meilleurs moyens d'ennoblir ta vie. — 5. Voyez les lis et leur riche parure : Salomon, dans toute sa gloire, a-t-il été vêtu comme l'un deux ?

293. — Remplacez les points par l'*adjectif possessif* convenable.

[Gr. § 207.]

1. Nous devons rechercher l'approbation de ... conscience bien plutôt que celle de ... amis. — 2. Secourons les malheureux et allégeons ... maux. — 3. Un bon prince fait fleurir dans ... États la justice et la paix. — 4. D'ordinaire l'homme juge les choses selon l'inclination de ... cœur ; mais la rectitude de ... jugement s'en trouve altérée. — 5. Quand tu fais l'aumône, que ... main gauche ignore ce que donne ... main droite. — 6. Chacun se soulage à parler de ... maux. — 7. Sachez à ... devoirs immoler ... plaisirs.

294. — Mettez l'*adjectif possessif* convenable ou bien l'article défini (contracté au besoin). [Gr. § 210.]

1. C'est un tableau touchant que celui du vieux père tendant ... bras

au fils prodigue qui lui exprime ... repentir. — 2. Quand on dit, en
style familier, qu'une personne a ... bras long, on veut dire qu'elle
a un crédit, un pouvoir qui s'étend bien loin. — 3. On rapporte que
Colbert se frottait ... mains en voyant le matin qu'il avait beaucoup
de travail à accomplir. — 4. Le coq tend ... cou et lance un cocorico
sonore. — 5. La vieillesse, en général, nous ôte ... mémoire, mais les
vieillards se rappellent presque toujours le temps de ... enfance. —
6. La Bruyère dépeignant Gnathon, l'égoïste, écrit non sans réalisme :
Le jus et les sauces lui dégouttent de ... menton et de ... barbe ; s'il
enlève un ragoût de dessus un plat, il le répand dans un autre plat
et sur la nappe ; on le suit à ... trace. Il mange haut et avec grand
bruit ; il roule ... yeux en mangeant ; la table est pour lui un râtelier ;
il écure ... dents, et il continue à manger.

295. — Justifiez l'emploi des *adjectifs possessifs* en italique.
[Gr. § 210.]

1. Dans un livre de Duhamel, le médecin dit à un soldat mourant :
Oui, je resterai près de toi, et je serrerai *ta* main. — 2. J'ai *ma* mi-
graine. — 3. Le médecin qui veut prendre le pouls du malade, lui dit :
Donnez-moi *votre* main. — 4. Grand-père est assis devant le feu, *ses*
grandes jambes allongées de tout leur long.

296. — Remplacez les points par l'*adjectif possessif* convenable.
[Gr. § 211.]

a) 1. Chacun a ... qualités et ... défauts. — 2. Condé et Turenne
avaient chacun ... génie. — 3. Il faut, mes amis, que vous appliquiez
chacun ... esprit à penser juste et à raisonner droit. — 4. Les ouvriers
vignerons de la parabole ont reçu chacun un denier pour ... salaire.
— 5. Aimez à descendre en vous-mêmes et à examiner chacun ...
conscience.

b) 1. Vous aurez chacun ... joies et ... peines ; que chacun de vous
soit assez maître de ... âme pour rester modéré dans la joie et ferme
dans la peine. — 2. Quelle que soit leur condition, les hommes doivent,
dans le champ de la vie, creuser chacun ... sillon et moissonner ...
gerbe. — 3. Les soldats démobilisés rentrent chacun dans ... foyers.
— 4. Nous exercerons chacun ... profession : nous l'exercerons avec
conscience. — 5. Les diverses raisons ont chacune ... plaisirs.

**297. — Mettez l'*adjectif possessif* convenable — ou bien l'article
— ou bien l'article avec le pronom *en*.** [Gr. § 212.]

a) 1. La vertu est le plus précieux des trésors : sachez reconnaître

... prix. — 2. Il se présenta, un arc sur ... épaule, un fouet à ... main.
(Flaubert.) — 3. Il faut proscrire tout ouvrage qui incite au vice,
quelle que soit ... valeur littéraire. — 4. Nous aimons d'un amour
profond les lieux qui nous ont vus naître : pourrions-nous oublier
... image ? — 5. L'homme espère toujours un sort meilleur : cette
espérance amuse ... désirs.

b) 1. Si une lecture vous inspire des sentiments nobles et généreux,
ne doutez pas de ... valeur. — 2. L'éloge qu'on fait des grands hommes
ne doit pas défigurer ... actions. — 3. C'est quand nous avons perdu
un bonheur que nous apprécions le mieux ... valeur. — 4. Une mère
emmenant son enfant, le prend instinctivement par ... main. —
5. Le travail est pénible à l'homme ; il fait cependant ... félicité.

298. — Même exercice.   [Gr. § 212.]

a) 1. Admirons les héros ; ... exemples nous soutiennent. —
2. J'aime Bruges et j'admire ... beauté voilée de tristesse ; je goûte
le charme de ... canaux et de ... quais taciturnes. — 3. Vous puis-je
offrir mes vers et ... grâces légères ? (La Font.) — 4. J'aperçois
la-bas la maison paternelle ; je reconnais ... toit de tuiles rouges et ...
façade blanche. — 5. L'esprit qu'on a, c'est souvent le prochain qui
fait ... frais. — 6. L'instruction est un trésor dont le travail est ... clef.

b) 1. Nous étudions l'histoire : ... utilité est certaine. — 2. Quand
le lève ... yeux vers le firmament étoilé, j'admire ... beauté et je
reconnais l'infinie grandeur de ... Auteur. — 3. Ah ! combien j'aime
les Ardennes et comme je goûte la beauté de ... paysages ! ... charmes
sont pour moi toujours nouveaux. — 4. Un père qui aime vraiment
... enfants doit savoir corriger ... défauts. — 5. Voyez ces chênes
puissants dont ... racines descendent profondément dans le sol et
dont ... ramure est voisine des nuages : la tempête peut abattre ...
puissance.

299. — Justifiez l'accord des mots en italique.   [Gr. § 213.]

1. Les avares emporteront-ils dans la tombe *leur or* et *leurs pierreries ?*
— 2. Les castors construisent *leurs huttes* dans les cours d'eau ; ils
abattent les jeunes arbres pour consolider *leurs barrages;* on fait à
ces rongeurs une chasse active pour *leurs fourrures.* — 3. Mes jeunes
amis, aimez bien *votre patrie.* — 4. Nous mettrons *notre honneur*
à ne rien concéder à la mollesse et à l'hypocrisie. — 5. Cependant
les marchands ont rouvert *leurs boutiques.* (Hugo.) — 6. Quelques
guerriers en cheveux blancs laissaient tomber de grosses larmes qui
roulaient sur *leurs boucliers.* Tous penchés en avant et appuyés sur

leurs lances, ils semblaient déjà prêter l'oreille aux paroles de la drui-
desse. (Chateaubriand.) — 7. Chers élèves, tout à l'heure vous prendrez,
sans vous bousculer, *vos pardessus* et *vos coiffures,* et vous sortirez
sans désordre.

Adjectifs démonstratifs.

300. — Remplacez les points par *ce* ou par *cet.*   [Gr. § 215.]

1. Le sergent De Bruyne, … héros, restera une des plus belles figures
de l'histoire de notre pays ; qui n'admirerait … admirable modèle
de patriotisme et de fidélité à la parole donnée ? — 2. L'alouette,
… humble oiseau des champs, est la compagne du laboureur et
lui chante l'espérance. — 3. La Fontaine, … Homère français, a
donné dans ses Fables une sorte d'épopée animale. — 4. Il faut
condamner cette duplicité et … honteux commerce de semblants
d'amitié auxquels se plaisent les hypocrites.

301. — Remplacez les points par *ces* ou par *ses.*   [Gr. § 215.]

1. Voulez-vous juger d'un homme : observez … amis. — 2. Il
faut que vous pratiquiez … belles vertus sans lesquelles l'homme
n'est rien. — 3. La science est bornée ; le savoir sans la conscience
n'est que ruine de l'âme : … vérités sont indiscutables. — 4. Chaque
âge a … défauts. — 5. Admirons … héros qui ont voué leur vie au
soulagement de l'humanité. — 6. Le cœur a … raisons, que la raison
ne connaît point. — 7. Chacun est fils de … œuvres.

Adjectifs indéfinis.

302. — Analysez les *adjectifs indéfinis.*   [Gr. §§ 217-218.]

Modèle : Tout homme est mortel ; — *tout :* adjectif indéfini ; masc.
sing. ; se rapporte à *homme.*

a) 1. Aucun homme ne sait le tout de rien. — 2. Nulle paix pour
l'impie. (Racine.) — 3. Quand on dit de certaines personnes qu'elles
ont plusieurs cordes à leur arc, on veut dire qu'elles ont plusieurs
moyens pour parvenir à leur but ou qu'elles ont, pour vivre, diverses
ressources. — 4. Toute profession peut nous ennoblir si nous l'exerçons
très consciencieusement. — 5. Plus d'un savant est mort dans la
misère.

b) 1. Chaque effort que vous faites pour devenir meilleur est méritoire. — 2. On éprouve je ne sais quelle joie intime quand on a accompli un acte de vraie charité. — 3. L'opinion publique est diverse et ondoyante : en plus d'une occasion, on l'a vue blâmer tel personnage qu'elle louait jusque-là. — 4. Maintes gens croient que le bonheur est dans la richesse : ils se trompent. — 5. Quelle que soit votre fortune, vous ne goûterez nulle paix si votre conscience n'est pas pure.

303. — Même exercice.   [Gr. §§ 217-218.]

L'Héroïsme des petits devoirs.

En toute occasion, quelle que soit votre condition, il y a place pour l'héroïsme, car partout il y a place pour le devoir. Certaines gens croient que l'héroïsme véritable est celui qui, en quelque circonstance grave, élève subitement et par je ne sais quel élan violent la nature humaine au-dessus d'elle-même. Certes il y a là une variété d'héroïsme et pas un homme ne manquera de l'admirer.

Mais il y a aussi un héroïsme obscur dont vous verrez différents exemples autour de vous si vous savez examiner les divers mérites acquis au long d'une journée par le bon ouvrier, par le fonctionnaire consciencieux, par la ménagère diligente : ils ont fait souvent les mêmes gestes, mais toujours avec le même courage et avec la conscience de faire leur devoir.

304. — Exercice oral : Expliquez l'emploi ou le sens des adjectifs en italique.   [Gr. § 219.]

1. Est-il *aucun* moment Qui vous puisse assurer d'un second seulement ? (La Font.) — 2. *Aucunes* funérailles ne furent plus émouvantes que celles de la reine Astrid. — 3. C'est une charité *nulle* que celle qui ne s'exerce qu'en vue de recueillir des approbations. — 4. Je ne crois pas qu'*aucun* homme puisse se flatter d'être sans défauts. — 5. Vous ferez ce voyage sans *aucuns* frais. — 6. *Nuls* pépiements d'oiseaux n'égayaient cette solitude. (H. Lavedan.)

305. — Justifiez l'orthographe de *quel que* ou de *quelque*.   [Gr. § 220.]

a) 1. *Quelques* crimes toujours précèdent les grands crimes. (Racine.) — 2. *Quelle que* puisse être votre valeur, soyez modeste. — 3. Il n'est pas nécessaire d'être très perspicace pour apercevoir en chacun de nous *quelques* défauts. — 4. *Quelques* éloges qu'on nous donne, nous nous persuadons volontiers que nous les méritons. — 5. *Quelle que* soit votre science, n'en tirez pas vanité : les *quelques* connaissances que vous possédez ne sont que peu de chose auprès de toutes celles que vous ne possédez pas.

b) 1. *Quelque* puissante que soit votre imagination, vous ne sauriez bien décrire ce que vous n'avez jamais vu. — 2. S'il y a en vous *quelques* qualités, croyez qu'il y en a davantage dans les autres, afin de conserver l'humilité. — 3. *Quelque* profondément enracinés que soient vos défauts, vous pouvez les extirper si vous vous armez d'une volonté énergique et persévérante. — 4. *Quelques* beaux pays que vous ayez visités, n'êtes-vous pas heureux en revoyant les paysages familiers de votre région natale ? — 5. Le cours du Rhin est long de *quelque* treize cents kilomètres. — 6. *Quelque* belles œuvres que soient l'Iliade et l'Énéide, il s'est trouvé des critiques malveillants pour tenter de les discréditer.

306. — Remplacez les points par ***quel que*** ou par ***quelque*** et faites l'accord quand il y a lieu.   [Gr. § 220.]

a) 1. Nous pouvons, ... soit notre profession, acquérir beaucoup de mérite en l'exerçant consciencieusement. — 2. Il y a des gens aigris, qui se donnent toujours ... raisons de n'être contents de rien ni de personne. — 3. Il faut aimer sa patrie, ... injustices qu'on y essuie. — 4. Une difficulté, ... elle soit, ne rebute pas dès l'abord un homme énergique. — 5. ... puisse être la fortune d'un homme, elle est périssable.

b) 1. ... puissants que soient les grands de ce monde, il ne faut toujours, comme dit Bossuet, qu'une seule mort pour les abattre. — 2. ... beaux éloges qu'un écrivain ait reçus, on ne peut pas pour cela infailliblement conclure que ses ouvrages sont excellents. — 3. ... méchants que soient les hommes, ils n'oseraient paraître ennemis de la vertu. — 4.... graves offenses qu'on vous ait faites, rappelez-vous que le pardon des offenses est une vertu très haute. — 5. ... bons écrivains que soient Hugo et Flaubert, ils ne sont point parfaits.

307. — Même exercice.   [Gr. § 220.]

a) 1. ... soit la chose que vous voulez dire, appliquez-vous à l'exprimer clairement. — 2. ... vraies que soient nos pensées, nous en sommes souvent séparés par le dérèglement de notre imagination. — 3. ... différences qu'on aperçoive entre les fortunes, il y a une certaine compensation de biens et de maux qui les rend égales. —

4. ... soit la beauté, le charme de la forêt au printemps, c'est à l'automne que le peintre la contemple le plus volontiers. — 5. De ... superbes distinctions que se flattent les hommes, ils ont tous même origine, dit Bossuet. — 6. Le proverbe « A tout péché miséricorde » signifie que les fautes, ... graves qu'elles puissent être, ne doivent pas être jugées sans indulgence ou qu'elles ne doivent pas ôter tout espoir de pardon.

b) 1. ... en soit la difficulté, si vous êtes homme de devoir, vous accomplirez consciencieusement la tâche que vous avez assumée. — 2. Je fis ... cents mètres sur la route pour dissiper mon ennui. — 3. ... doive être l'avenir, nous ne pouvons mieux faire pour nous préparer à l'affronter que de former notre caractère. — 4. Le mont Everest, sommet culminant des monts Himalaya, s'élève à ... 8 840 mètres. — 5. ... soit la richesse ou la pauvreté d'un homme, ce qui fait sa vraie valeur, c'est sa vertu.

308. — Même exercice. [Gr. § 220.]

a) 1. ... puissent être les défauts d'un enfant, sa mère ne saurait le croire indigne de sa tendresse. — 2. ... grands crimes qu'un homme ait commis, un repentir sincère peut lui valoir le pardon. — 3. Un homme, ... soient sa puissance ou sa richesse, n'est toujours qu'un être mortel. — 4. Les vrais sages, ... durement que l'adversité les frappe, ne se laissent pas abattre. — 5. ... adroits que soient les méchants et ... habilement qu'ils s'y prennent pour paraître ce qu'ils ne sont pas et pour ne point paraître ce qu'ils sont, ils ne peuvent cacher toujours leur malignité.

b) 1. ... malheureux que nous soyons, nous en trouverons de plus malheureux que nous. — 2. A ... catégorie sociale qu'il appartienne, un citoyen doit se dévouer à son pays. — 3. ... soient notre intelligence ou notre perspicacité, ne sommes-nous pas faillibles ? — 4. La flamme de l'espoir, ... vacillante qu'elle soit, est une présence dans la nuit du malheur. — 5. ... beaux voyages qu'on ait faits, le voyage qu'on fait autour de sa chambre en rentrant, a bien des charmes.

309. — Même exercice. [Gr. § 220]

a) 1. ... beaux livres que vous ayez lus, que vous ont servi vos lectures si vous n'en êtes devenus ni meilleurs ni plus sages ? — 2. ... haut que nous nous élevions dans la hiérarchie sociale, nous nous rappellerons toujours que c'est notre vertu qui doit être la vraie mesure de notre valeur. — 3. La durée moyenne de la vie humaine qui était, au dix-huitième siècle, de ... vingt-trois ans, est aujourd'hui de ...

quarante ans. — 4. Le décisionnaire n'hésite point : ... complexes
que soient les difficultés, il prétend les résoudre en un instant. —
5. ... belles régions que soient la Campine et les Ardennes, certains
Belges en ignorent les charmes.

b) 1.... séduisantes apparences que fasse briller à vos yeux votre
imagination, soumettez-les à l'examen de votre raison. — 2. Nos décisions, ... elles soient, ne doivent jamais être précipitées. — 3. ... accablants que fussent ses malheurs, le bûcheron de la fable aimait mieux
souffrir que mourir. — 4. ... bonnes qualités que vous puissiez avoir,
vous serez insupportables aux gens bien élevés si vous n'avez pas de
savoir-vivre. — 5. Les citoyens, ... ils soient, sont égaux devant
la loi.

**310. — Composez, sur chacun des thèmes suivants, une phrase
contenant les mots *quel que* ou *quelque* :**   [Gr. § 220.]

1. Les plaisirs de l'hiver. — 2. La difficulté de nos travaux. —
3. La beauté des apparences. — 4. Les raisons d'espérer. — 5. La
toute-puissance de Dieu.

311. — Analysez le mot *tout*.   [Gr. § 223.]

a) 1. *Toute* puissance et *toute* bonté viennent de Dieu. — 2. Nous
devons à nos parents *toute* notre affection. — 3. *Tout* homme se
soulage à parler de ses maux. — 4. Nous avons marché *toute* une
après-midi dans la forêt. — 5. Vos parents sont *tout* contents quand
ils apprennent vos succès scolaires. — 6. *Tout* chante quand revient
le gai printemps. — 7. Dans chacun de ses ouvrages, un bon auteur
ordonne ses idées de manière qu'elles forment des *touts* solidement
organisés.

b) 1. C'est par une pente *toute* naturelle que nous cherchons aide et
protection auprès de nos parents. — 2. Les hommes sont *tous* mortels.
3. *Tous* cherchent le bonheur, peu le trouvent. — 4. Ces malheureux n'avaient pour *toute* nourriture qu'un bol de soupe claire et un
morceau de pain noir. — 5. *Tout* nous paraît facile, quand nous
travaillons avec *tout* notre cœur. — 6. *Tous* ceux qui ont vu la vallée
de la Semois ont admiré le site de Frahan. — 7. *Tout* agréables que
sont les voyages, le moment du retour a sa douceur.

**312. — Composez, sur chacun des thèmes suivants, une phrase où
vous emploierez le mot *tout* :**   [Gr. § 223.]

a) Comme *adjectif* : 1. Passer une journée. — 2. Avoir une occu-
pation. — 3. Les saisons. — 4. Nos devoirs. — 5. Nos habitudes.

b) Comme *pronom* : 1. Ennui du paresseux. — 2. Joies de l'été. — 3. Nécessité du travail. — 4. Avantages de l'instruction.

c) Comme *nom* : 1. Diverses branches du programme scolaire. — 2. Nos habitudes morales.

d) Comme *adverbe* : 1. Mélancolie d'un jour de pluie. — 2. Fierté d'un succès. — 3. L'infini dans les cieux. — 4. Grandeur de Dieu.

313. — Remplacez les points par le mot *tout*, que vous orthographierez correctement. [Gr. § 223.]

a) 1. ... les hommes doivent s'entraider comme des frères. — 2. Il y a des phrases ... faites dont on se sert ... les jours sans en peser le sens. — 3. ... Liège accueillit avec enthousiasme les libérateurs. — 4. Nous ne savons le ... de rien : nos connaissances sont ... bornées. — 5. Les méchants, en dépit de ... les ruses auxquelles ils ont recours, n'arrivent pas toujours à se faire passer pour vertueux : leur malignité empreint leur personnalité ... entière. — 6. Notre mère n'est-elle pas ... heureuse quand nous lui donnons une marque d'affection ? — 7. ... nos plaisirs ne sont que vanité. (Pascal.)

b) 1. Nos idées morales sont le reflet de notre vie ... entière. — 2. Un homme qui a vécu dans l'intrigue pendant ... une longue période ne peut plus s'en passer : ... autre vie pour lui est fade et languissante. — 3. Ma grand-mère paraît rêver parfois ; elle est là, immobile, ... à ses souvenirs. — 4. L'espérance, ... illusoire et ... trompeuse qu'elle est parfois, donne à nos maux une ... autre physionomie et nous aide à les mieux supporter. — 5. Apprenez à vivre en gens d'honneur et à faire le bien : ... autre science est vaine sans celle-là.

314. — Même exercice. [Gr. § 223.]

a) 1. Au banquet de la vie, ... ne sont pas assis également à l'aise ; cependant, ... pourraient y trouver place si les hommes faisaient régner sur la terre la justice et la charité. — 2. Certains élèves qui étaient dans les ... premiers au début de l'année scolaire n'ont pas gardé leur place, parce que leur ardeur au travail a été ... autre. — 3. Il est pénible de converser avec des personnes pédantes, ... hérissées de grec et de latin. — 4. Quoi de plus noble qu'une vie consacrée ... entière au soulagement des maux de l'humanité ? — 5. Il y a des caractères ... d'une pièce, qui heurtent de front les difficultés : ... autre attitude leur paraîtrait marquer une sorte de faiblesse.

b) 1. La jeunesse est généralement ... ardeur, ... feu, ... enthousiasme. — 2. Quand l'orateur parut, la salle ... entière applaudit ;

... grave que fut la conférence, elle fut écoutée avec une attention soutenue. — 3. On préfère généralement à ... autre contrée celle où l'on a passé son enfance. — 4. L'art de vivre, les mœurs, les usages étaient, il y a un siècle, ... autres qu'ils ne sont aujourd'hui. — 5. ... éclairés que nous pouvons être, nous ne devons pas présumer de nos connaissances. — 6. Les professions sont diverses, mais ... ont leur utilité et leur noblesse.

315. — Même exercice. [Gr. § 223.]

a) 1. ... humble qu'elle peut être, une profession honore celui qui l'exerce avec ... la conscience dont il est capable. — 2. Ce n'est parfois qu'après avoir réfléchi ... une journée sur un problème qu'on en aperçoit la solution. — 3. Ces enfants, après un séjour de quelques semaines dans les Ardennes, sont revenus ... autres que je ne les avais vus. — 4. Grand-maman raconte une histoire : autour d'elle, Jean, René, Françoise se sont installés ... à leur aise ; ils sont ... yeux, ... oreilles. — 5. Il y a des gens qui se déclarent prêts à vous rendre ... les services que vous voudrez ; mais chaque fois que vous avez recours à eux, ils s'excusent de ne pouvoir rien faire pour vous ; ils ajoutent volontiers : demandez-moi ... autre chose, et je la ferai de grand cœur.

b) 1. Certaines mamans se plaignent amèrement du caractère difficile de leurs enfants, mais parfois ce sont elles ... les premières qui sont à blâmer, parce qu'elles ont, par faiblesse ou par ignorance, laissé se développer ... sortes de mauvaises habitudes. — 2. Dans les yeux du moucheron, ... petits qu'ils sont, se peint l'image du vaste firmament. — 3. Défiez-vous des gens trop doucereux, qui sont ... sucre et ... miel. — 4. ... vaine et ... insignifiante que peut paraître la vie humaine, elle est infiniment précieuse quand elle est ... consacrée à la pratique de la charité. — 5. Rares sont ceux qui ont lu ... l'Iliade et ... l'Énéide. — 6. Bien des enfants ont lu ... « Les Mémoires d'un Ane », ... « Les Malheurs de Sophie » ; il en est même qui ont lu ... la comtesse de Ségur.

316. — Faites entrer chacune dans une phrase les expressions suivantes : [Gr. § 223.]

1. Toute autre. — 2. Tout autres. — 3. Tout entière. — 4. Tout entiers. — 5. Tout agréables que sont ... — 6. Tout émues. — 7. Toutes honteuses. — 8. Être tout ardeur. — 9. Plusieurs touts.

317. — Analysez le mot *même*. [Gr. § 224.]

a) 1. Les *mêmes* causes produisent les *mêmes* effets. — 2. Nous sommes souvent nous-*mêmes* les auteurs de nos misères. — 3. Ma mère est la bonté *même*. — 4. C'est un admirable principe de la charité chrétienne qu'il faut faire du bien *même* à ses ennemis. — 5. Le spectacle de la nature émeut le poète, tout parle à son âme : le firmament étoilé, les forêts, les champs de blé, les brins d'herbe *même*. — 6. Certains jeunes gens volontaires ont appris l'anglais ou l'allemand à coups de dictionnaire, sur les œuvres *mêmes*.

b) 1. Les traités, *même* issus d'une victoire, ne valent que par l'usage qu'on sait en faire. — 2. Quand nous voyageons à l'étranger, observons le plus de choses possible : les villes, les monuments, les musées, les campagnes, les usines, les auberges *même*. — 3. Les légions de César ont été la discipline et la solidité *mêmes*. — 4. Un homme respectueux de la réputation d'autrui ne se permet pas de médisances, *même* badines. — 5. Il arrive que les criminels n'aient pas besoin d'autre châtiment de leurs crimes que leurs crimes *mêmes*.

318. — Composez sur chacun des thèmes suivants, une phrase où vous emploierez le mot *même* :   [Gr. § 224.]

a) Comme *adjectif* : 1. Les soucis qu'on a. — 2. Les caractères. — 3. Les lectures.

b) Comme *adverbe* : 1. Les divers métiers. — 2. Les êtres de la création. — 3. Les conquêtes de la science.

319. — Remplacez les points par le mot *même*, que vous orthographierez correctement.   [Gr. § 224.]

a) 1. Les enfants sont tous les ... : ils aiment les beaux récits, les contes bleus, les histoires merveilleuses. — 2. Comment prétendrons-nous qu'un autre garde notre secret si nous ne savons pas le garder nous-... ? — 3. On voit des hommes tomber d'une haute fortune par les ... défauts que ceux qui les y avaient fait monter. — 4. Les historiens ont observé des ressemblances frappantes entre Charles XII, roi de Suède, et Charles le Téméraire : ... ambitions, ... succès, ... malheurs et ... fin. — 5. On voit des paysans, ... fort riches, répugner à suivre les progrès de l'économie domestique.

b) 1. Les arbres ont aujourd'hui les ... formes et portent les ... fruits qu'ils portaient il y a deux mille ans, les abeilles construisent les ... alvéoles qu'elles construisaient au temps de Virgile. — 2. Beaucoup d'hommes sont des fugitifs d'eux-... : on en voit qui s'absorbent dans l'étude de la nature ou qui explorent les régions ... les plus reculées et qui ne veulent pas descendre dans le fond de leur cœur. — 3. Tous les bruits de la nature ont leur beauté et leur majesté, ... lorsqu'ils sont terribles. — 4. Dieu est la sagesse et la vérité ... — 5. Il faut nous défier des flatteries, ... désintéressées.

320. — Même exercice.   [Gr. § 224.]

a) 1. Je regarde mes amis comme d'autres moi-... — 2. Il convient que notre ardeur au travail et notre volonté de bien faire non seulement soient toujours les ..., mais aillent croissant. — 3. Tous les emplois et les plus humbles ... ont, dans l'organisation de la société, leur utilité ; sans doute tous ne comportent pas les ... honneurs, mais du point de vue du mérite moral, de simples commis, des concierges ... peuvent en s'acquittant très consciencieusement de leur tâche, n'être pas moins dignes d'estime que les personnages les plus haut placés. — 4. Ceux ... qui ont de l'expérience se heurtent à de nombreuses difficultés ; vous, mes amis, qui êtes jeunes, tout en ayant confiance en vous-..., ne soyez pas téméraires.

b) 1. L'opinion publique est parfois injuste : il arrive qu'elle blâme des personnes qui sont la droiture et la sagesse ... — 2. Il est affligeant de voir des enfants manquer de respect à leurs supérieurs et à leurs parents ... — 3. La vertu a une beauté telle que ceux ... qui ne la pratiquent pas ne peuvent pas ne pas la reconnaître. — 4. Les nuages les plus noirs ... ont comme une bordure d'argent. — 5. Quand un homme s'humilie de ses défauts, il se concilie aisément ceux ... qui sont irrités contre lui. — 6. Si vous avez le goût du travail, les tâches quotidiennes, les besognes difficiles ... auront pour vous des attraits.

321. — Composez, sur chacun des thèmes suivants, une phrase où vous emploierez le mot *même* :   [Gr. § 224.]

a) Comme *adjectif* : 1. Les devoirs de chacun. — 2. Les peines. — 3. Les tendresses des mamans. — 4. Les charmes de la forêt.

b) Comme *adverbe* : 1. Les moindres brins d'herbe. — 2. Nos petits défauts. — 3. Les plus puissants personnages. — 4. Quelques paroles, quelques simples gestes, quelques regards.

322. — Analysez le mot *tel*.   [Gr. § 225.]

1. Quel déploiement de verdures toutes nouvelles ! Une *telle* variété de tons est un vrai charme pour le regard. — 2. Les compagnons de notre enfance peuvent avoir sur la formation de notre caractère une grande influence : *tel* camarade peut vous inciter à être sincère et droit ; mais prenez garde : *tel* soi-disant ami est peut-être déjà un menteur ou un hypocrite. — 3. *Tel* échoue misérablement qui avait

cru remporter un brillant succès. — 4. Un élève ordonné retrouve ses livres et ses cahiers *tels* qu'il les avait rangés la veille : il gagne ainsi un temps précieux. — 5. Bien des fleurs communes, *telles* que la pâquerette, la violette, le liseron, ont une beauté simple qui me plaît. — 6. Quelques nuages blancs, *telles* des écharpes légères, flottent à la cime des chênes.

323. — Remplacez les points par le mot *tel,* **que vous orthographierez convenablement.** [Gr. § 225.

a) 1. Nous n'estimerons pas la science qui n'a pas de conscience : une ... science n'a aucune noblesse. — 2. ... était la discipline des anciens Romains qu'on a vu chez eux des généraux condamner à mourir leurs propres enfants. — 3. Notre mère a pour consoler nos chagrins, ... paroles, ... gestes, ... regards que nous connaissons si bien ! — 4. ... auraient pu faire de grands progrès, qui aboutissent à un échec : souvent ils n'ont qu'à s'en prendre à eux-mêmes. — 5. Quelques pépiements, ... qu'un prélude indécis, circulent dans la ramure. — 6. Le Père Damien mourut au service des lépreux : une ... abnégation n'est rien de moins qu'héroïque.

b) 1. Certaines fleurs exotiques, ... que le chrysanthème, ont des grâces un peu fières et aristocratiques. — 2. Quelle douce joie nous éprouvons quand, après une longue absence, nous retrouvons la maison natale, et son jardin ... que nous les avions quittés ! — 3. Les flatteurs sont adroits : si vous ne vous défiez pas d'eux et aussi de vous-mêmes, vous buvez leurs paroles ... une liqueur sucrée, mais capiteuse. — 4. Les régiments, ... que la haute mer contre les rochers, se sont rués au combat. — 5. Certains carnivores, ... que l'hermine, la loutre, la zibeline, fournissent des fourrures très estimées. — 6. Notre imagination nous trompe : nous attendions des cadeaux merveilleux, et nous ne trouvons que des bibelots ... quels.

RÉCAPITULATION : ADJECTIFS NUMÉRAUX, POSSESSIFS, DÉMONSTRATIFS, RELATIFS, INTERROGATIFS, INDÉFINIS.

324. — Discernez les divers adjectifs : numéraux, possessifs, démonstratifs, relatifs, interrogatifs, indéfinis ; analysez-les.
[Gr. §§ 199-225.]

1. Votre avenir, mes chers enfants, pour une bonne part du moins, dépend de vous-mêmes. — 2. Mille cris joyeux résonnent ; divers murmures circulent dans les branches : toute cette agitation annonce

le lever du jour. — 3. Quels succès pouvez-vous espérer si vous remplissez vos journées de je ne sais quelles frivolités ? — 4. L'homme, cet être faible dans la nature, est exposé à maints dangers ; quelques vapeurs suffisent parfois pour le tuer ; mais, par sa pensée, il domine les forces qui le tuent. — 5. A quels inconvénients de toutes sortes s'expose le paresseux ! — 6. Quels que puissent être vos mérites, ces mérites mêmes prendront un relief plus accusé si vous avez cette modestie qui sied si bien à la véritable valeur. — 7. Il n'y a aucune méthode facile pour apprendre les choses difficiles. — 8. Chaque âge a ses défauts. — 9. Le bailleur et le preneur ont signé le bail après lecture, lequel bail a été dûment enregistré.

325. — Même exercice.   [Gr. §§ 199-225.]

La Famille.

Parfois un certain enivrement du succès ou la fièvre de la lutte éloignent l'homme de sa famille. Mais si quelque insuccès arrive, cet homme se replie sur lui-même. Dans quelles réflexions douloureuses il reste plongé ! Il a l'impression que tout son passé s'écroule ; sur quelle aide comptera-t-il ? Il cherche tout près de lui quelqu'un qui soutienne ses défaillances ; il penche son front vers son enfant, il prend la main de sa femme et il la serre. Il semble inviter ces deux êtres à partager son fardeau. Quand il voit des larmes dans leurs yeux, les siennes lui paraissent moins amères et il retrouve dans leur chaude affection quelque courage. Les enfants ont l'instinct de tous ces sentiments et ils éprouvent toujours une émotion extrême en voyant leur père pleurer. Ils sentent que c'est la même souffrance qui atteint la famille dans tous ses membres.

D'après G. Droz.

CHAPITRE VI

LE PRONOM

Emploi général.

326. — Chaque fois que la chose est possible, remplacez par un pronom les mots en italique. (On prendra garde qu'en principe un nom qui n'est pas déterminé ne peut pas être représenté par un pronom).　　　　　　　　　　　　　　　　　　　　　[Gr. §§ 226-227.]

a) 1. Quand vous implorez le pardon d'une faute, on vous accorde *ce pardon* si vous êtes repentant. — 2. Devant un malheureux qui souffre, vous êtes touchés d'une vive compassion, mais *cette compassion* doit se traduire en actes. — 3. Il y a des âmes douées d'une énergie extraordinaire ; rien ne résiste à *cette énergie.* — 4. Vous avez avoué vos torts avec franchise ; *cette franchise* vous honore. — 5. On rencontre parfois des gens à qui on a fait grâce et qui ne veulent pas faire *grâce* à autrui.

b) 1. A quoi vous servent les conseils de vos parents si vous ne voulez pas suivre *ces conseils ?* — 2. Vous m'avez demandé conseil, mais vous ne paraissez pas disposé à suivre *mon conseil.* — 3. La rouille use plus que le travail : il n'y a que les paresseux qui n'admettent pas *que la rouille use plus que le travail.* — 4. Nous devons travailler avec une ardeur soutenue ; les petites difficultés de la vie courante ne doivent pas éteindre *notre ardeur.* — 5. Il est beau, il est utile d'être patient ; si nous sommes *patients,* nous acquerrons plus sûrement la maîtrise de nous-mêmes.

327. — Faites passer, dans les phrases suivantes, les mots en italique en les faisant précéder, quand il y a lieu, de mots qui les déterminent ; au besoin, modifiez la tournure.　　　　　　　　　　　[Gr. § 227.]

1. [*Duvet*] Les rapaces nocturnes ont le corps couvert de ... qui les protège contre le froid. — 2. [*Voix*] Sous l'effet d'une peur extrême, certaines personnes restent sans ... et n'en reprennent l'usage qu'après quelque temps. — 3. [*Gloire*] Alexandre et César se sont couverts de

... éclatante, mais celle d'Homère et de Virgile n'est-elle pas plus haute ? — 4. [*Raison*] Il y a des gens qui veulent toujours avoir ... ; ils prétendent même l'avoir quand tout prouve qu'ils ont tort. — 5. [*Courage*] Vous nous exhortez à ne pas perdre ... ; comment donc le perdrions-nous quand nous considérons votre fermeté et que nous nous rappelons votre exemple ? — 6. [*Honte*] Si, après avoir commis une faute, vous pleurez de ..., celle-ci peut être le point de départ de votre redressement.

Pronoms personnels.

328. — Discernez les *pronoms personnels* et analysez-les.

[Gr. §§ 229-230.]

> *Modèle : Nous* aimons notre patrie ; — *nous :* pronom personnel ; masc. plur. ; 1re pers. ; sujet de *aimons*.

La Maîtrise de soi.

Mon cher ami, je voudrais que tu te persuades qu'il faut acquérir la maîtrise de soi-même. Crois-moi : c'est à se rendre maître de soi, à se gouverner, que doit s'appliquer avant tout le jeune homme qui va assumer les charges et les responsabilités que la vie lui imposera. Cette action constante sur soi-même, tu l'assureras par l'apprentissage et l'exercice de la volonté. L'homme qui sait être énergique, qui veut l'être, paralyse les impulsions mauvaises de sa nature, les arrête et les enchaîne ; il repousse les sollicitations du mal et leur oppose une fermeté inébranlable.

329. — Parmi les pronoms personnels distinguez ceux qui sont *toniques* et ceux qui sont *atones*.

[Gr. § 230.]

1. Dis-moi qui tu hantes, je te dirai qui tu es. — 2. Il importe de se connaître soi-même. — 3. Vous, vous cherchez les rieurs ; nous, nous les évitons. — 4. Je soussigné certifie exacte la copie du présent contrat. — 5. Nous nous réjouissons quand nous avons employé notre journée avec fruit. — 6. Le travail ennoblit l'homme et lui procure de la joie ; la paresse, elle, l'avilit ; évitons-la.

330. — Remplacez les points par *leur* ou par *leurs*. [Gr. § 230.]

1. Ceux qui consacrent ... forces au soulagement des maux de ... semblables méritent bien l'admiration que nous ... vouons. — 2. Les

chênes montrent au bout de ... branches de légères taches vertes, mais les hêtres déjà ouvrent ... bourgeons pointus et laissent tomber ... dernières feuilles mortes de l'autre année. — 3. Bien des gens s'étonnent quand on ... montre ... défauts ; mais si quelque flatteur ... énumère ... qualités, ils n'en sont guère surpris. — 4. La plupart des hommes occupent ... pensées de ce qui ... paraît agréable, de ce qui fait l'objet de ... désirs ou de ce qui ... cause des ennuis ou des contrariétés. — 5. Aimez vos parents et montrez-... votre affection ; prouvez-... que vous êtes reconnaissants de tous ... bienfaits.

331. — **Même exercice.** [Gr. § 230.]

L'Art de donner.

Vous voyez autour de vous des hommes que le malheur a frappés : ... maux vous émeuvent et vous ... venez volontiers en aide. Mais les secours que vous ... procurez, le bien que vous voulez ... faire, tout cela ne sera efficace et vraiment méritoire que si vous mettez sur ... douleurs le baume de la véritable charité. Celui qui ... distribuerait, à ces malheureux, quelque aumône ou contraint par ... importunités ou touché par la compassion naturelle que suscitent ... souffrances, ne serait pas vraiment intelligent sur les pauvres. Ce qu'il faut ... donner, ce ne sont pas seulement des secours matériels, mais encore des consolations, des espoirs, du courage ; bref, ouvrez-... votre cœur.

332. — **Remplacez la proposition relative en italique par le simple participe passé précédé d'un pronom personnel avec à.**
[Gr. § 234, Rem.]

Modèle : La lettre *qui lui a été envoyée ;* — la lettre *à lui envoyée.*
1. Nous ne trahirons pas le secret *qui nous a été confié* par un ami. — 2. Tous ces bonheurs *que vos secrets espoirs vous ont promis,* la vie vous les procurera-t-elle ? — 3. Les fils du laboureur retournèrent le champ *qui leur avait été laissé* par leur père. — 4. Vous ne manquerez pas d'accomplir exactement toutes les tâches *qui vous ont été imposées.* — 5. Bien des personnes exagèrent, en les racontant, les maux *que la vie leur a infligés.* — 6. Je serais plus sage si j'avais toujours suivi les bons conseils *que m'ont donnés les personnes expérimentées.*

333. — **Remplacez les points par un des pronoms *le, la, l', les.***
[Gr. § 239.]

a) 1. Vous êtes les défenseurs de la vérité ; vous ... serez avec fierté. — 2. Soyez respectueux comme doivent ... être des enfants

bien élevés. — 3. Les méchants seront punis : la justice veut qu'ils ...
soient. — 4. Rome voulut être la maîtresse du monde, et elle ...
devint en effet. — 5. Jeanne d'Arc fut fidèle à sa mission et elle
... fut jusqu'à l'héroïsme. — 6. Si nous sommes charitables, nous
nous regarderons comme les frères des pauvres et nous ... serons d'une
manière effective.

b) 1. Il y a des gens qui paraissent instruits sans ... être, et d'autres
qui sont instruits sans ... paraître. — 2. Êtes-vous les deux secrétaires que mon frère m'a recommandés ? Oui, nous ... sommes. —
3. Êtes-vous secrétaires ? Non, nous ne ... sommes pas. — 4. Braves,
les Belges ... étaient déjà à l'époque de César. — 5. Puisque mes
petites sont heureuses, je ... suis aussi, disait une mère de famille. —
6. On accuse cette personne d'être une esclave de la mode, mais
comment ... serait-elle, pauvre comme elle est ? — 7. Vous n'êtes
pas encore écrivains, sans doute, mais si vous ... devenez, vous mettrez
votre plume au service de la vérité et du bien. — 8. « Les autres
le font bien » est une sotte maxime : si les autres sont des scélérats,
est-ce une raison pour que vous ... soyez aussi ?

334. — Remplacez les points par *soi* ou par un des pronoms *lui,
elle, eux, elles.* [Gr. § 242.]

a) 1. Lorsque les membres d'une famille sont désunis et que chacun
ne songe qu'à ..., c'est la porte ouverte à la souffrance et à la pauvreté.
— 2. Quiconque ne voit que ... et ses intérêts personnels, n'est pas
digne d'être un chef. — 3. L'effort est salutaire en ...-même : il nous
élève à chaque instant un peu au-dessus de nous-mêmes. — 4. Si,
dans un État, chacun est sûr de sa personne et de la propriété de ses
biens, si chacun travaille pour ... avec confiance, la paix et l'ordre y
fleuriront. — 5. Dans le danger, on ne voit que ... généralement ;
mais les héros de la charité s'oublient ...-mêmes et se portent au
secours du prochain. — 6. Personne, semble-t-il, ne voit vraiment
clair en ...-même.

b) 1. L'homme qui s'écoute et se consulte ...-même sent bien
qu'il est libre. — 2. Plus on a voyagé et plus on se convainc que
l'on n'est bien que chez ... — 3. Ceux qui, dans le malheur, se
replient sur ...-mêmes, en souffrent davantage. — 4. Les gens qui
ne songent qu'à ... quand la fortune est bonne risquent fort de se
trouver seuls dans l'adversité. — 5. Nul n'est prophète chez ... —
6. La guerre traîne après ... une lamentable suite de malheurs.
— 7. L'amour de ..., quand il est désordonné, est la cause de bien
des fautes.

335. — Mettez, au lieu des mots en italique, soit l'un des pronoms *en* ou *y*, soit un autre pronom personnel, précédé éventuellement de la préposition convenable.   [Gr. §§ 243-244.]

a) 1. Notre opinion nous semble généralement plus sûre que toute autre : c'est que l'amour-propre nous attache *à notre opinion.* — 2. Si vous possédez des talents, ne vous prévalez pas *de ces talents.* — 3. Quand un homme consciencieux entreprend un travail, il donne tous ses soins *à ce travail.* — 4. Lorsque vous avez reçu une lettre, répondez *à cette lettre* sans retard. — 5. Certaines gens n'aiment leurs amis qu'autant qu'ils peuvent recevoir *de ces amis* quelque bienfait.

b) 1. Il faut admirer les héros ; pensons *à ces héros* quand le devoir nous paraît difficile. — 2. L'examen de conscience est très utile ; il serait souhaitable que vous consacriez chaque jour quelques minutes *à cet examen.* — 3. Dès que le mal se manifeste, portez remède *au mal* : sinon il s'enracinera et vous subirez les fâcheux effets *de ce mal.*— 4. Vos maîtres ne veulent que votre bien : fiez-vous *à vos maîtres* et témoignez *à vos maîtres* votre reconnaissance. — 5. Nous aimons notre patrie ; quand nous sommes éloignés *de notre patrie*, nous la regrettons ; quand nous revenons *dans notre patrie*, une douce émotion nous envahit.

Pronoms possessifs.

336. — Discernez les pronoms possessifs et analysez-les.
[Gr. §§ 245-246.]

Modèle : Chacun a ses défauts ; nous avons *les nôtres ;* — *les nôtres :* pronom possessif ; masc. plur. ; 1ʳᵉ pers. ; complément d'objet dir. de *avons.*

1. Les injustices des méchants servent parfois d'excuse aux nôtres. — 2. Au lieu de scruter la conduite d'autrui, vous ferez mieux de scruter la vôtre. — 3. En défendant l'honneur de la famille, je défends aussi le mien. — 4. Les pauvres ont leurs fardeaux, mais les riches aussi ont les leurs. — 5. C'est un effort de notre amitié que de montrer nos défauts à nos amis, mais nous faisons un plus grand effort en leur faisant voir les leurs. — 6. Si tu aimes ton pays, ses intérêts doivent être les tiens. — 7. Qu'un autre mette sa fierté à recueillir beaucoup d'éloges, pour moi je mets la mienne dans l'approbation de ma conscience.

337. — Composez, sur chacun des thèmes suivants, une phrase où vous emploierez un pronom possessif :   [Gr. §§ 245-246.]

1. Honorer ses parents. — 2. Se corriger de ses défauts. — 3. Faire son devoir. — 4. Former son caractère. — 5. Les soucis de l'existence.

Pronoms démonstratifs.

338. — Discernez les *pronoms démonstratifs* ; analysez-les.
[Gr. §§ 248-249.]

Modèle : Consolons *ceux* qui pleurent ; — *ceux :* pronom démonstratif ; masc. plur. ; complément d'objet direct de *consolons*.

1. Celui qui ne sait pas souffrir n'a pas un grand cœur. — 2. Ce qui importe, ce n'est pas le succès, c'est l'effort. — 3. La vraie politesse est celle qui procède de la justice et de la charité. — 4. Ne regardez comme biens véritables ni les plaisirs ni les richesses : celles-ci sont instables, ceux-là sont éphémères. — 5. Il est bon de voyager quelquefois, a-t-on dit : cela étend les idées et rabat l'amour-propre. — 6. Le plus fort n'est pas celui qui fait les efforts les plus violents, c'est celui qui sait gouverner sa force.

339. — Remplacez les mots en italique par le *pronom démonstratif* convenable.
[Gr. §§ 248-249.]

1. La jalousie est de tous les maux *le mal* qui fait le moins de pitié aux personnes qui le causent. — 2. Nos droits finissent là où commencent *les droits* des autres. — 3. La leçon des exemples vaut mieux que *la leçon* des préceptes. — 4. L'esprit que nous voulons avoir gâte *l'esprit* que nous avons. — 5. Les caprices de notre humeur sont encore plus bizarres que *les caprices* de la fortune. — 6. Sache quelles sont tes qualités, quels sont tes défauts ; recherche *tes défauts* pour les corriger, *tes qualités* pour les perfectionner.

340. — Dites si le pronom *ce* est sujet, attribut ou complément ; distinguez aussi les cas où il reprend ou annonce un sujet. [Gr. §§ 251-252.]

1. Il faut s'entraider, c'est une règle de charité chrétienne. — 2. C'est une belle vertu que la franchise. — 3. Ce dont on n'a pas besoin est toujours trop cher. — 4. Vouloir paraître ce que l'on n'est pas, c'est le fait d'une âme vaniteuse. — 5. Vous êtes aujourd'hui ce que vos pères ont été autrefois. — 6. Faites bien ce que vous faites. — 7. Ce serait une erreur grossière de croire que l'oisiveté puisse rendre les hommes plus heureux.

341. — Mettez en relief au moyen de *c'est... qui* ou de *c'est... que* les termes en italique.
[Gr. § 252.]

a) 1. Nous devons fuir *l'erreur*, nous devons aimer *la vertu*. — 2. *La cendre des morts*, dit le poète, créa la patrie. — 3. *Dans l'adver-*

sité, nous apprenons à connaître ce que nous sommes réellement. — 4. *La nature* nous convie en hiver à la vie de famille au coin du feu. — 5. On atteint le mieux le littoral *par le chemin de fer*, paraît-il. — 6. *La Fontaine* est le premier des fabulistes. — 7. On trouve la véritable paix du cœur *en résistant aux passions*.

b) 1. Que le poète se frappe le cœur : *là* est son vrai génie. — 2. Vous entrerez en possession de vous-mêmes *dans la patience et la méditation*. — 3. Le *cœur* bien souvent nous entraîne à agir. — 4. Il importe de prendre de bonnes habitudes *dans notre enfance*. — 5. *L'appât du gain* séduit peut-être le plus les hommes. — 6. Nous ne manquons pas *de bonne volonté*, mais de volonté tout court. — 7. Il me semble que vous manquez *de méthode*.

342. — Remplacez les points par un pronom démonstratif *prochain* ou par un pronom démonstratif *lointain*.   [Gr. §§ 255-256.]

1. Ne vous glorifiez point dans vos richesses ni dans vos amis : ... peuvent vous abandonner, ... peuvent vous être ôtées en un jour. — 2. Vous qui aspirez à devenir des chefs, dites-vous bien ... : nul ne commande sans danger s'il n'a pas appris à obéir. — 3. Vous craignez le mépris : à cause de ... vous ne voulez pas être repris de vos fautes et vous cherchez des excuses pour les pallier ; réfléchissez bien à ... : ... est digne d'estime qui avoue humblement ses fautes et qui veut les éviter à l'avenir. — 4. Il faut séparer la comédie d'avec la tragédie : ... représente les grands événements qui excitent les violentes passions ; ... se borne à représenter les mœurs des hommes dans une condition privée. — 5. ... possède la vraie science qui fait la volonté de Dieu et renonce à la sienne. — 6. Ne vous laissez pas séduire par les flatteries : ... est toujours bon à rappeler. — 7. Choisis plutôt une perte qu'un gain honteux, car ... t'affligera sur le moment, tandis que ... t'affligera toujours.

Pronoms relatifs.

343. — Discernez les *pronoms relatifs* et analysez-les.
                                             [Gr. §§ 256-257.]

Modèle : L'homme *qui* ment s'avilit ; — *qui :* pronom relatif ; antécédent *homme ;* masc. sing. ; sujet de *ment.*

a) 1. Les fleuves sont des chemins qui marchent. — 2. La vertu qui demande un salaire change de nom et s'appelle l'habileté. — 3. Le bien que nous faisons, voilà l'ouvrage dont nous pouvons être contents. — 4. Le plus solide des biens de ce monde est un noble idéal auquel on s'attache et dans lequel on s'oublie. — 5. Chacun a son défaut où toujours il revient. — 6. Les causes qui meurent sont celles pour lesquelles on ne meurt pas. — 7. Qui que tu sois, sache rester modeste. — 8. Qui veut peut.

b) 1. La vie est un combat dont la palme est aux cieux. — 2. Ce que vous êtes aujourd'hui, le serez-vous encore demain ? Vous vous flattez d'être sûrs de l'avenir ; imprudents que vous êtes ! Cet avenir que vous voyez briller devant vous ne s'assombrira-t-il pas ? Votre bonheur ne durera peut-être que ce que durent tant de bonheurs humains : l'espace d'un matin. — 3. Il n'y a que ceux auxquels on a tout dit à qui on a toujours quelque chose à dire. — 4. Quiconque trahit sa patrie est un monstre d'ingratitude. — 5. Contre qui que ce soit qu'un chef ait à sévir, que sa sévérité soit tempérée par la bonté. — 6. Quoi que vous fassiez, faites-le avec soin. — 7. Que de choses merveilleuses se sont passées du temps qu'il y avait des fées !

344. — Même exercice.   **[Gr. §§ 256-257.]**

La Vieille Horloge.

Dans la chambre qui s'endort, tranquille, la vieille horloge, dont la voix grince un peu, scande la paix de l'heure qui passe. Elle est si vieille que la mémoire est presque perdue de l'endroit où on la fit et que le nom est effacé de l'artiste qui la sculpta. On sait seulement qu'elle fut fabriquée par un maître ébéniste de chez nous, qui la travailla dans le goût de son temps, qui était un temps où l'on avait du goût et aussi des rêves auxquels on donnait des formes charmantes.

Les sculptures dont elle est ornée, les guirlandes de roses qui s'épanouissent à son frontispice, l'étain où les chiffres sont gravés parmi les arabesques et les cuivres fantaisistes de son cadran, le panneau de sa caisse où sont représentés les renards de je ne sais quel apologue du temps que les bêtes parlaient : tout cela est tellement familier à nos yeux que cette chère vieille horloge, à laquelle nous tenons tous, appartient au cercle de la famille.

D'après P. Demade.

345. — Faites passer, dans les phrases suivantes, les mots en italique et donnez à chaque élément la place qui lui convient :

1. [*Qui sont de vrais trésors*] Il y a des tableaux dans nos musées. — 2. [*Dont nous ne contrôlons guère la valeur*] Nous donnons parfois des raisons dans le feu de la discussion. — 3. [*Qui vous charmeront*] Vous trouverez bien des endroits en lisant les fables de La Fontaine. — 4. [*Où l'on aimerait à vivre*] N'est-il pas vrai qu'il y a de beaux vil-

lages, tant en Flandre qu'en Wallonie ? — 5. [*Dont chaque page est remplie de merveilles*] Le firmament étoilé est comme un livre pour le philosophe et pour le poète. — 6. [*Que nous négligeons à tort*] Il y a beaucoup de petites choses au cours de chacune de nos journées.

346. — Remplacez les points par le *pronom relatif* convenable, précédé, s'il y a lieu, d'une préposition. [Gr. §§ 257-265.]

1. Il y a du plaisir à rencontrer les yeux de celui ... on vient de donner. — 2. L'avare se refuse même les choses ... il aurait besoin pour faire face à des nécessités impérieuses. — 3. Il n'est rien ... nous ne devions être disposés pour faire plaisir à nos parents, ... nous avons reçu tant de marques d'affection. — 4. Il est affligeant de voir des élèves bien doués s'abandonner à la paresse et user mal de dons ... ils pourraient recueillir tant de profit. — 5. Il y a chez les grands auteurs classiques des beautés ... nul homme de goût ne reste insensible. — 6. Malheur à ceux ... le scandale arrive ! — 7. La vertu ... nous parlons le plus volontiers est quelquefois celle ... nous sommes privés.

347. — Remplacez les points par *quoique* ou par *quoi que*.
[Gr. § 261.]

a) 1. Nous ferons notre devoir, ... il puisse arriver. — 2. ... jeunes, nous devons faire tous les efforts possibles pour former notre caractère. — 3. ... on en ait dit, la vertu n'est point affaire de tempérament, mais de volonté. — 4. Le travail, ... très pénible parfois, fait notre félicité bien plutôt que notre misère. — 5. Le printemps s'annonce, mais ... les premières anémones et les premières violettes aient déjà ouvert leurs corolles, le gel est encore à craindre. — 6. Certains fruits, ... séduisants par leur couleur, sont funestes ; ainsi en est-il de certains livres : ... agréables par le style, ils sont pervers. — 7. Marchez toujours dans la voie de l'honneur, ... on puisse dire pour vous en faire sortir.

b) 1. ... que vous écriviez, appliquez-vous à exprimer correctement votre pensée. — 2. Le bûcheron de la fable, ... il fût accablé de malheur, aimait mieux souffrir que de mourir. — 3. La fortune, ... elle puisse avoir de solide, est toujours instable. — 4. ... La vieillesse soit l'âge de la décrépitude, on voit parfois des gens de quatre-vingts ans, garder une vigueur étonnante. — 5. ... nous apercevions clairement la beauté de la vertu et ... nous convenions qu'il faut la pratiquer, nous n'avons pas toujours l'énergie de le faire. — 6. ... les flatteurs trouvent en nous d'excellent, nous estimons qu'ils pourraient encore y ajouter quelque chose. — 7. L'œil du moucheron, ... à peine perceptible, reçoit l'image du firmament.

348. — Analysez le relatif *dont*. [Gr. § 264.]

1. Avant de reprendre vos amis, ayez soin de vous reprendre vous-mêmes des fautes *dont* vous êtes coupables. — 2. Il n'est guère de difficultés *dont* un travail opiniâtre ne puisse venir à bout. — 3. La science pénètre aujourd'hui jusqu'aux profondeurs de ce monde invisible *dont* Pasteur lui a ouvert les portes, le monde des microbes. — 4. La clef *dont* on se sert est toujours claire. — 5. Les hauts peupliers *dont* on voit l'image renversée dans l'eau du fleuve, frémissent sous la brise de mai. — 6. Dans le lourd crépuscule d'été, les hirondelles évoluent au-dessus du lac, *dont* elles effleurent l'eau bleue avec leurs ailes coupantes. — 7. Presque toutes les choses que nous disons frappent moins que la manière *dont* nous les disons. — 8. La voix *dont* notre mère nous parle est toujours agréable à nos oreilles.

349. — Remplacez les points par *dont* ou par *d'où*. [Gr. § 264.]

1. La race ... nous descendons a le sens de la charité et le goût des observations fines. — 2. Ce jardin ... vous sortez a imprégné vos vêtements de toutes les senteurs pénétrantes du printemps. — 3. Il nous arrive d'abandonner trop tôt nos efforts : que d'esquisses inachevées ... pouvaient sortir des œuvres solides et peut-être des chefs-d'œuvre ! — 4. Aimez votre patrie : votre foyer, tout ce qui vous paraît bon et beau autour de vous, vos aspirations les plus chères, tout cela, vous l'avez reçu du peuple ... vous êtes issu. — 5. Ah ! quelle douce émotion quand, après une longue absence, on revoit à l'horizon la maison paternelle et sa cheminée ... sort un filet de fumée blanche ! — 6. Bien des gens gardent toujours l'accent de la région ... ils viennent. — 7. Gardons jalousement les traditions d'honneur et de droiture de la famille ... nous descendons. — 8. Apprenez à vous défier des raisonnements captieux, ... l'on tire des conclusions qui offensent le bon sens. — 9. Considérons ... nous descendons et ne dégénérons pas.

Pronoms interrogatifs.

350. — Distinguez les *pronoms interrogatifs* d'avec les pronoms relatifs. Analysez chacun de ces pronoms interrogatifs ou relatifs.
[Gr. §§ 266-271.]

Modèle: Que me demandez-vous ? — *que :* pronom interrogatif ; neutre sing. ; complément d'objet direct de *demandez*.

1. Qui pourrait compter les étoiles qui brillent au firmament ou les grains de sable que la mer roule sur le rivage ? — 2. Qu'avez-

vous de plus précieux que cet honneur dont tous vos aïeux se sont faits les gardiens ? — 3. De quoi demain sera-t-il fait ? — 4. Que vaut une science qui veut ignorer la conscience ? — 5. Pour qui vos parents font-ils les efforts que vous leur voyez faire si ce n'est pour vous ? — 6. Quoi de plus changeant que l'opinion publique ? quoi de plus instable que les faveurs qu'elle accorde ? — 7. Desquels de ses enfants la Belgique a-t-elle le droit d'être fière si ce n'est de ceux qui sont morts pour elle ?

351. — **Composez sur chacun des thèmes suivants une phrase où vous emploierez un *pronom interrogatif* :** [Gr. §§ 266-271.]

1. La découverte de l'Amérique. — 2. Le choix d'une profession. — 3. L'esclavage du vice. — 4. La puissance de la volonté. — 5. Les effets de la douceur ou de la violence. — 6. Les bienfaits d'une mère.

352. — **Renforcez, au moyen de *est-ce qui* ou *est-ce que*, les pronoms interrogatifs.** [Gr. § 267.]

1. Qui choisirez-vous pour ami : l'homme droit ou le fourbe ? — 2. A qui recourrez-vous dans vos difficultés si ce n'est à vos parents ? — 3. Qui a créé le ciel et la terre ? — 4. De quoi demain sera-t-il fait ? — 5. Qu'est la vérité ? demandait Pilate. — 6. Qu'avez-vous de plus précieux que votre honneur ? — 7. De Hugo ou de Lamartine, lequel préférez-vous ?

Pronoms indéfinis.

353. — **Discernez les *pronoms indéfinis* et analysez-les.**
[Gr. §§ 272-281.]

Modèle : Ne désirez pas le bien d'*autrui* ; — *autrui* : pronom indéfini ; masc. sing. ; complément déterminatif de *bien*.

a) 1. L'homme n'est quelqu'un que s'il fait quelque chose de sa vie. — 2. Tout est vain dans l'homme si nous regardons le cours de sa vie mortelle, mais tout est précieux si nous considérons le terme où elle aboutit. — 3. On grandit par la souffrance et par la bonté. — 4. Peu de chose nous console, dit Pascal, parce que peu de chose nous afflige. — 5. Il est noble de chercher son bonheur dans le bonheur d'autrui. — 6. Il ne faut dédaigner personne, car chacun a sa dignité.

b) 1. Nul ne sait le tout de rien. — 2. Aucun n'est prophète chez soi. — 3. Si quelqu'un vient vous dire qu'on peut rendre sa vie fé-

conde autrement qu'en travaillant, considérez-le comme un imposteur. — 4. Plus d'un, qui avait visité bien des contrées lointaines,
s'est senti tout heureux en rentrant au pays natal. — 5. Tel vous
accable d'éloges qui n'a pas autre chose en vue que l'avantage qu'il
pourra retirer de votre bienveillance. — 6. Si de tous les hommes
les uns mouraient, les autres non, ce serait dit La Bruyère, une déso-
lante affliction que de mourir. — 7. D'aucuns ont pensé que la science
indiquerait à l'homme son véritable bonheur, mais rien de ce qu'elle
enseigne n'est un vrai progrès si on ne l'encadre dans le progrès moral.

354. — Même exercice. [Gr. §§ 272-281.]

La Paresse.

D'aucuns s'accommodent assez facilement de la paresse, mais
prenons garde, car cette honteuse passion nous dégrade et nul ne s'y
abandonne sans s'avilir. C'est elle qui le matin en invite plus d'un à
prolonger son sommeil plus qu'il n'est raisonnable ; c'est elle qui,
pendant le jour, nous occupe du vol d'un moucheron ; quand elle nous
a asservis à ses exigences, tout nous empêche de travailler assidûment
à quelque chose d'utile ou d'important. Rien n'est moins dangereux
en apparence que ses attaques et elle a je ne sais quoi de séduisant,
mais combien n'en a-t-elle pas enveloppé dans ses filets!

La paresse est, hélas ! devenue chez quelques-uns comme une
marque d'honneur : on se fait des visites, on bavarde, on dit du mal
d'autrui. Ah ! que personne de vous, mes amis, ne s'abandonne à cette
funeste passion !

355. — Distinguez, parmi les mots en italique, les *pronoms indéfinis* d'avec les adjectifs indéfinis. Analysez chacun d'eux. [Gr. § 273.]

1. *Tel* qui ne fait pas grand-chose pour se corriger de ses défauts
ne sait pas supporter ceux d'autrui ; un *tel* manque de logique n'est
pas admissible. — 2. *Plus d'un* homme a été perdu par l'orgueil.
— 3. *Plus d'un* se satisfait de demi-raisons quand il s'agit de s'excuser
de ses fautes. — 4. *Certains* se figurent et prétendent que l'esprit
humain est illimité : quelle erreur ! — 5. *Certains* personnages s'imaginent qu'ils ont atteint le sommet du savoir : quelle vanité ! —
6. Nous avons *plusieurs* raisons de nous défier de notre imagination,
qui est, comme dit Pascal, une maîtresse d'erreur et de fausseté. —
7. Vos amis vous resteront-ils tous fidèles dans l'adversité ? ne faut-il
pas craindre que *plusieurs* ne vous abandonnent ou même que quelques-
uns ne vous trahissent ?

356. — **Composez, sur chacun des thèmes suivants, une phrase où vous ferez entrer un pronom indéfini.** [Gr. § 273.]

1. Les maux qui frappent les hommes. — 2. La grâce et la naïveté de l'enfance. — 3. Le vol de l'hirondelle. — 4. La solidarité. — 5. Joies du printemps.

357. — **Dites auquel des pronoms personnels *je, tu, il, elle, nous, vous, ils, elles*, équivaut le pronom *on*.** [Gr. § 277.]

1. Gardes, qu'*on* obéisse aux ordres de ma mère ! (Racine.) — 2. Qu'*on* haït un ennemi quand il est près de nous ! (Id.) — 3. Eh bien, mon ami, a-t-*on* étudié sa leçon aujourd'hui ? — 4. Le maître n'est pas satisfait de ses élèves : *on* est inattentif, *on* néglige ses devoirs. — 5. L'ambitieux est sans cesse agité : *on* brigue, *on* intrigue, *on* complote, *on* craint, *on* espère, *on* flatte, *on* menace. — 6. Ah !vous me payez d'ingratitude, disait une mère à ses enfants, et vous reconnaissez bien mal la tendresse dont *on* vous a entourés. — 7. Ah ! les bonnes tantes que j'ai ! *On* me cajole et *on* me gâte. Et la bonne grand-mère ! *On* me conte de si belles histoires, et *on* ne me gronde jamais… — 8. C'est l'heure de la récréation ; les élèves en groupes joyeux s'ébattent dans la cour : *on* court, *on* rit, *on* se poursuit, *on* joue à la balle : quelle animation !

358. — **Remplacez les points par *on* ou par *l'on*.** [Gr. § 277.]

1. … peut, si … le veut, être maître de soi-même. — 2. Il importe que … conserve les traditions léguées par les aïeux. — 3. Quand … laisse disparaître la justice, … ne trouve plus rien qui puisse donner une valeur à la vie des hommes. — 4. Le vent fait rage ; dans la nuit, … l'entend gémir et secouer les grands peupliers. — 5. Lorsque … compte pour rien le devoir, … n'est pas digne d'être mis au rang des hommes. — 6. Il y a bien des endroits agréables, où … aimerait à vivre, mais que … comprenne bien qu'ils n'auront jamais tous les charmes profonds que … trouve dans la région natale. — 7. Le printemps fait tout revivre : que … longe le ruisseau ou que … contourne les taillis, mille rumeurs joyeuses se croisent dans l'air léger.

359. — **Accordez les mots en italique.** [Gr. §§ 277-279.]

1. Personne, parmi les dames romaines, ne fut plus [*fier*] de ses enfants que Cornélie, qui pouvait dire : On est [*heureux*] de montrer ses bijoux et ses parures, mais pour moi, ce sont mes enfants qui sont mes plus beaux bijoux. — 2. On est rarement aussi [*heureux*] qu'on le souhaiterait. — 3. Une mère disait à sa fille : Ma fille, quand on est [*paresseux*] comme vous l'êtes, on ne saurait guère manquer d'être

[*malheureux*] plus tard. — 4. On est tous [*égal*], proclament certains réformateurs de la société ; mieux vaudrait proclamer : on est tous [*frère*] ici-bas. — 5. Personne, parmi les héroïnes que cite l'histoire, ne se montra plus [*courageux*] que Jeanne d'Arc. — 6. On n'est jamais [*content*] de son sort. — 7. L'institutrice disait gravement aux fillettes : Chères enfants, si [*quelqu'un*] de vous a beaucoup de peine, pourquoi ne m'ouvrirait-elle pas son cœur ?

360. — Remplacez les points par l'une des expressions *l'un, l'autre,* — *l'un l'autre,* — *l'un et l'autre ;* — s'il y a lieu, faites l'accord ; — là où c'est nécessaire, mettez une préposition. [Gr. § 281.]

1. Puisque les hommes sont tous frères, ils doivent s'aider ... — 2. Le moment présent n'est rien, resserré entre l'infini du passé et l'infini de l'avenir : ... ne nous appartient plus, ... ne nous appartient pas encore. — 3. Nous souhaitons à ceux qui nous sont chers mille prospérités ... enchaînées. — 4. Les hommes ne savent guère rentrer en eux-mêmes : ... sont absorbés par les soucis matériels, ... sont entraînés par le tourbillon des vaines agitations et des plaisirs. — 5. Deux amis véritables ont ... une profonde estime ; ils ont confiance ... ; même dans les choses de peu d'importance, ils ne veulent pas se suivre ... — 6. Que l'homme ne fonde pas son bonheur sur la richesse ni sur la gloire : ... est essentiellement instable. — 7. La vraie science et la vanité s'excluent ... — 8. Dans le cercle de la famille, comme dans toute société, les caractères doivent s'accommoder ...

CHAPITRE VII

LE VERBE

Locutions verbales.

361. — Remplacez par un verbe simple les *locutions verbales*.
[Gr. § 283.]

a) 1. Je *fais venir* un ami. — 2. J'*ai à cœur* de vous prouver ma reconnaissance. — 3. L'armée *tint tête à* l'ennemi et *fit preuve* d'un grand courage. — 4. *Mettez fin à* toutes ces querelles. — 5. Voilà une conduite qui vous *fait honneur*. — 6. On a *fait grâce au* condamné.

b) 1. Je vous *sais gré* de vos bontés. — 2. Il *fait montre de* ses talents. — 3. J'*ai envie de* partir. — 4. Il ne faut *faire tort* à personne. — 5. Il y *a lieu* de sévir. — 6. Il *prend garde* de tomber. — 7. Vous *courez risque* de tout perdre. — 8. Je vous *rends grâce* de votre obligeance.

362. — Cherchez des *locutions verbales* et faites-les entrer chacune dans une phrase.
[Gr. § 283.].

4 locutions verbales avec *faire ;* — 3 locutions verbales avec *avoir ;* — 2 locutions verbales avec *rendre ;* — 2 locutions verbales avec *donner ;* — 2 locutions verbales avec *prendre*.

Espèces de verbes.

363. — Discernez les verbes *transitifs directs* et les *transitifs indirects ;* indiquez pour chacun d'eux son complément d'objet, soit direct, soit indirect.
[Gr. § 286.]

a) 1. Le travail ennoblit la vie. — 2. Au commencement Dieu créa le ciel et la terre. — 3. La nouveauté plaît à chacun. — 4. Ne trahissons jamais notre dignité d'homme. — 5. Une mère use toujours d'indulgence. — 6. Le sage ne remet pas son travail au lendemain. — 7. Un bon citoyen obéit à la loi.

b) 1. Nul ne peut servir deux maîtres. — 2. Les cieux racontent la gloire de Dieu et le firmament annonce l'œuvre de ses mains. — 3. Remédiez au mal dès qu'il manifeste ses premiers effets. — 4. Donnons au pauvre une généreuse aumône, mais ne soulageons pas seulement sa misère matérielle, consolons-le : cela témoignera de notre bon cœur. — 5. Nous n'abuserons pas des bonnes choses.

c) 1. Les efforts que vous faites vous vaudront le succès. — 2. Aimez vos parents ; prouvez-leur votre reconnaissance. — 3. Secourez ceux qui manquent du nécessaire. — 4. Certains sports ne conviennent pas aux gens délicats. — 5. La vraie justice n'ignore pas la pitié. — 6. Vous connaissez les maux que la guerre traîne après elle.

364. — **Discernez les verbes *transitifs* (directs ou indirects) et les verbes *intransitifs*.** [Gr. § 286.]

a) 1. Nous honorons nos parents. — 2. La lune brille au firmament. — 3. Dieu récompense les bons et punit les méchants. — 4. Le sage réfléchit avant d'agir. — 5. Le tigre déchire sa proie et dort ; mais l'homme qui tue son semblable veille ; le remords le harcelle. — 6. Le printemps vient : les prés reverdissent, mille fleurs éclosent, les ruisseaux babillent, les oiseaux modulent de joyeuses chansons ; tout rit, tout chante le renouveau.

b) 1. Quiconque ment trahit sa dignité d'homme. — 2. Pierre qui roule n'amasse pas mousse. — 3. Les chiens aboient, la caravane passe. — 4. Celui qui jouit d'une bonne santé possède un vrai trésor. — 5. L'ivrogne dilapide son patrimoine ; il ruine sa famille et nuit à sa santé. — 6. Ne remettons pas à demain ce que nous accomplirions sans difficulté aujourd'hui. — 7. La misère succède parfois à l'opulence. — 8. Un homme droit ne manque pas à son devoir.

c) 1. Le temps passe et ne revient pas. — 2. Ce maître sévère ne passe rien à ses élèves. — 3. Le soldat qui combat courageusement mérite notre reconnaissance. — 4. Nous combattrons le bon combat. — 5. La bise pleure dans les branches. — 6. Le coupable pleure sa faute. — 7. Il y a des gens qui ne vivent pas leur existence, ils la dorment. — 8. On pardonne au coupable repentant. — 9. Nous discuterons cette question. — 10. Cela ne vaut pas la peine qu'on en discute.

365. — Même exercice.   [Gr. § 286.]

Aimons et aidons les vieux.

La charité accomplit une œuvre hautement méritoire quand elle soulage la misère des vieux et qu'elle pourvoit à leurs nécessités. Ah ! aimons-les, ces vieux que la vie a usés, blessés, déçus ; ils apprécient tant la délicatesse et la bonté dont nous usons à leur égard ! Ils demeurent souvent dans un isolement douloureux ; ils désespèrent parfois de l'avenir et remuent tristement les souvenirs des jours pénibles qu'ils ont vécus. Allons à eux, parlons-leur : une conversation familière, où leurs radotages auront peut-être la plus grande part, les ranimera pour toute une journée et ils rêveront à des jours meilleurs. Ne disons pas que le temps nous manque et ne permettons pas que des vieillards indigents languissent dans le dénuement ou finissent sans dignité, comme de vieilles choses qu'on rejette.

366. — Faites entrer chacun des verbes suivants dans deux petites phrases où il soit employé : 1° comme verbe *transitif* ; 2° comme verbe *intransitif*.   [Gr. § 286.]

1. Changer. — 2. Fleurir. — 3. Monter. — 4. Parler. — 5. Veiller. — 6. Toucher.

VERBES PRONOMINAUX

367. — Discernez les verbes *pronominaux* et dites de chacun d'eux à quelle catégorie il appartient.   [Gr. § 287.]

a) 1. Qui a un plus rude combat que celui qui s'applique à se vaincre ? — 2. Les hérons se tiennent au bord des eaux ; ils se nourrissent de poissons et de petits animaux ; deux espèces de hérons se trouvent dans nos contrées : le héron cendré et le héron pourpré. — 3. On n'est jamais si heureux ni si malheureux qu'on se l'imagine. — 4. Nous sommes tous frères : entraidons-nous et pardonnons-nous mutuellement nos offenses. — 5. C'est dès le moment où nous nous apercevons que nous avons pris un mauvais chemin qu'il faut nous dire : je me suis trompé, je vais retourner sur mes pas.

b) 1. S'attacher à des camarades dont la valeur morale est médiocre, c'est se diminuer par leur contact. — 2. Que ceux qui se plaignent de la monotonie de l'existence ou qui s'ennuient se mettent au service du bien : ils verront leur ennui se changer en plaisir. — 3. Quelle pénible atmosphère que celle d'une famille où l'on se dispute et où l'on se querelle sans cesse ! — 4. La forêt s'endort : dans la ramure,

les oiseaux se taisent et les rumeurs s'évanouissent dans l'ombre. —
5. Une joie douce se lit dans les yeux de votre mère quand elle se
dit : mon enfant se plaît à suivre les sentiers de l'étude et du devoir.

368. — Même exercice.   [Gr. § 287.]

a) 1. Si quelqu'un se persuade qu'on peut s'enrichir sans travailler,
il s'abuse étrangement. — 2. Je te plains si tu ne sais pas te dominer.
— 3. Si l'on vous contraint à être exacts, c'est pour que vous vous
fassiez une règle de la ponctualité et de l'ordre. — 4. En s'imposant
l'obligation de glorifier ses grands hommes, une nation se glorifie elle-
même. — 5. Le bien ou le mal se moissonne selon qu'on se plaît à
semer le bien ou le mal.

b) 1. Les découvertes scientifiques se sont succédé sans interruption
au XIXᵉ et au XXᵉ siècle. — 2. Tu te tromperas souvent si tu ne
te donnes pas la peine d'examiner ce que cachent des apparences
séduisantes. — 3. Les jours se suivent et ne se ressemblent pas. —
4. Celui qui se complaît dans la paresse s'expose à être malheureux plus
tard. — 5. La raison et la vérité se transmettent, l'industrie peut
s'imiter, mais le génie ne s'imite pas. — 6. Perdus dans l'obscurité
totale, nous nous appelions, et nous nous cherchions sans pouvoir nous
rejoindre.

369. — Même exercice.   [Gr. § 287.]

Le Renouveau.

Aux premiers   jours d'avril, l'atmosphère s'enveloppe encore de
brume, le ciel se voile de gris et laisse à peine entrevoir le bleu dont se
peint cependant le ciel ; l'herbe des prés se colore de vert, mais elle
est rare ; quelques bourgeons s'ouvrent sur les ronces, mais ils ne se
voient ni sur l'aubépine ni sur l'épine noire. Les arbres de haute tige
se balancent au vent et dans leurs rameaux maigres se montrent les
vieux nids. Rien ne s'élance, rien ne s'épanouit encore.

Tout à coup, au milieu d'une journée pluvieuse, un souffle se coule,
tiède, imprégné d'un parfum subtil : c'est le messager qui se hâte
et se rit des dernières gelées du matin. Tout ce qui a vie s'émeut en
le sentant passer : les herbes, les fleurs, les arbres se gonflent de sève
nouvelle. Les premiers bourgeons s'ouvrent, les autres se forment.
Une abeille s'aventure hors de la ruche ; dans quelques jours tout
s'épanouira.

D'après R. BAZIN.

370. — Formez, sur chacun des thèmes suivants, une petite phrase où vous emploierez :   [Gr. § 287.]

a) Un verbe pronominal réfléchi : 1. Le mendiant. — 2. L'ouvrier mineur. — 3. Le chien.

b) Un verbe pronominal réciproque : 1. Les vrais amis. — 2. Les escrimeurs. — 3. Les oiseaux dans les branches.

c) Un verbe pronominal avec pronom sans fonction logique : 1. L'homme courageux. — 2. L'hirondelle. — 3. Le vent.

d) Un verbe pronominal de sens passif : 1. Le mérite. — 2. La louange. — 3. Le malheur.

VERBES IMPERSONNELS

371. — Analysez les verbes *impersonnels* en spécifiant s'ils sont impersonnels proprement dits ou pris impersonnellement ; indiquez, pour chacun d'eux, le sujet apparent et le sujet réel.   [Gr. § 288.]

1. Il faut de la variété dans l'esprit si l'on veut plaire en société. — 2. Quand il pleut, si nous craignons de sortir, nous avons toujours la ressource de lire ou de méditer. — 3. Il convient que l'on rende à César ce qui est à César et à Dieu ce qui est à Dieu. — 4. Par certains matins d'automne, il monte du sol une rosée qui noie les contours du paysage comme s'il bruinait. — 5. Dans les mois d'été, il pèse parfois sur la nature un calme accablant, il circule des souffles lourds, puis subitement il vente, il éclaire, il tonne ; ainsi il arrive qu'un lourd silence annonce l'orage de la colère. — 6. Il est beau de tenter des choses très difficiles, surtout lorsqu'il n'y a nulle gloire à en recueillir devant les hommes.

372. — Modifiez la tournure des phrases en mettant à la forme *impersonnelle* les verbes en italique.   [Gr. § 288.]

a) 1. Par les mille ouvertures du feuillage *descendent* sur le sol des coulées de lumière. — 2. Des souffles légers *circulent* dans l'air frais du matin. — 3. Une paix profonde *s'étend* sur le village, le dimanche au matin ; du haut du clocher *tombent* des appels joyeux et confiants. — 4. De la montagne *sortent* plusieurs ruisseaux ; une idée nous *vient* : si nous en suivions un jusqu'au fond de la vallée ? — 5. Une envie me *prit* d'explorer toutes les pièces de cette maison abandonnée.

b) 1. Quand quelques lueurs d'espoir nous *restent* encore, pourquoi nous laisserions-nous sombrer dans le désespoir ? — 2. Des rafales de neige glacée *s'abattaient* sur le village. — 3. Aux jours caniculaires, une chaleur accablante *pèse* sur les campagnes. — 4. Des nouvelles invraisemblables *se répandent* parfois avec une étonnante rapidité et des personnes crédules *se trouvent* toujours pour les propager. — 5. Mille et mille articles *se vendent* dans les grands magasins modernes : une publicité énorme *se fait* pour persuader au public qu'ils sont tous excellents.

373. — **Faites entrer chacun des verbes suivants dans deux phrases en l'employant d'abord comme verbe *personnel*, puis comme verbe *impersonnel* :** [Gr. § 288.]

1. Venir. — 2. Arriver. — 3. S'élever. — 4. Monter. — 5. Se passer.

Formes du verbe.

374. — **Séparez du *radical* la *désinence*.** [Gr. § 289.]

a) 1. Je marche. Nous marcherions. Marchant. Ils ont marché. Tu marcheras. Nous marchâmes. Vous marchiez. — 2. Tu passes. Il passait. Que nous passions. Vous passerez. Il a passé. Ils passeraient.

b) 1. Je grandis. Ils grandirent. Que je grandisse. Nous grandirions. — 2. Apercevoir. Nous apercevions. Il apercevra. Apercevant. — 3. Prendre. Prenons. Tu prendras. Qu'il prenne. Ils ont pris. Vous prendrez.

375. — **En variant les *désinences,* donnez, pour chacun des radicaux suivants, cinq formes verbales :** [Gr. § 289.]

a) 1. Plant. — 2. Trouv. — 3. Récolt. — 4. Dorm.

b) 1. Sent. — 2. Suiv. — 3. Romp. — 4. Perd.

376. — **Indiquez, pour chaque forme verbale, la *personne* et le *nombre*.** [Gr. §§ 291-292.]

a) 1. Vous parlez. — 2. Je vois. — 3. Il sème. — 4. Que tu lises. — 5. On croirait. — 6. Recommençons. — 7. Le soleil brille. — 8. O soleil, brille sur les champs. — 9. Mon ami travaille. — 10. Mon ami, travaille !

b) 1. Qui veut peut. — 2. Seigneur, faites que je voie ! — 3. Corrige-toi. — 4. Poète, qui chantes la gloire de la patrie, tu me plais. — 5. Dieu le veut — 6. Tous me comprendront. — 7. Chacun connaît son mal. — 8. O toi, à qui incombe ce grand devoir, sois courageux. — 9. Je t'avertis. — 10. A toi reviendra le mérite de ce succès.

Voix du verbe.

377. — Dites à quelle *voix* est chaque forme verbale.   [Gr. § 293.]

a) 1. Nous relevons de petites fautes dans les autres, et nous en commettons de plus grandes. — 2. Nul ne sera tenté au-delà de ses forces. — 3. Le travail éloigne de nous l'ennui, le vice et le besoin. — 4. Jacques Van Artevelde fut accusé de vouloir donner la couronne de Flandre au prince de Galles ; un complot fut ourdi contre lui et le tribun gantois fut assassiné par la populace en 1345.

b) 1. Quand reviennent les beaux jours, tout renaît et tout chante dans les campagnes. — 2. Quand on a une fois trompé, on risque de n'être plus cru de personne. — 3. Il n'y a pas, dans une journée, de moment qui ne soit utilement employé par ceux qui connaissent le prix du temps. — 4. Tous ceux qui sont revenus d'un grand voyage sont-ils devenus meilleurs et plus sages ? — 5. Oh ! combien de marins sont morts dans les nuits sombres ! — 6. Bien des actes de courage ont été célébrés, mais bien des héroïsmes obscurs ne sont jamais venus à la connaissance du monde et ne seront jamais admirés !

378. — Même exercice.   [Gr. § 293.]

L'Esprit de famille.

Aimons toute notre famille : les liens qui nous unissent à ses divers membres sont beaucoup plus étroits que ceux par lesquels nous sommes rattachés aux autres hommes. Ne perdons jamais le sentiment de cette solidarité qui a été, avec raison, prêchée par tant de moralistes. Rappelons-nous ce que nos pères ont fait de beau et de bon et les occasions où ils ont été loués par les gens de bien ; ayons l'esprit de famille. Notre nom peut-être n'a jamais été chanté par ceux qui célèbrent les exploits : cela n'importe guère ! S'il n'a jamais été flétri, portons-le avec autant de fierté que s'il avait été immortalisé par l'histoire et s'il était monté jusqu'au sommet de la gloire. Conservons avec soin l'héritage de vertus et d'honneur qui nous a été légué par nos ancêtres : c'est là la vraie noblesse.

D'après E. RAYOT.

379. — Tournez par le *passif* les phrases suivantes :   [Gr. § 293.]

a) 1. Le travail accroîtra notre valeur individuelle et notre valeur sociale. — 2. Notre mère a entouré notre enfance de tendres soins. — 3. Le mensonge avilit notre dignité d'homme. — 4. Que la justice

et la charité règlent tous les mouvements de notre volonté. — 5. Bien
des gens confondent la misère avec la pauvreté.

b) 1. Des influences mesquines déterminent parfois nos décisions.
— 2. La postérité louera les grands hommes. — 3. Les citoyens
romains regardaient le commerce et les arts comme des occupations
d'esclaves. — 4. Comment des parents sans moralité ni bon sens
élèveraient-ils convenablement leurs enfants ? — 5. On nous inculque
les vérités les plus hautes ; on nous exhorte à imiter les beaux exemples.

380. — **Distinguez parmi les phrases suivantes celles qui admettent
la tournure par le *passif*.**   [Gr. § 293.]

1. La passion altère nos jugements. — 2. Zénobe Gramme construi-
sit en 1869 la première dynamo. — 3. Les jours de l'homme passent
comme l'ombre. — 4. Les croisés prirent Jérusalem le 15 juillet 1099.
— 5. Personne n'aime les orgueilleux. — 6. Les empires s'écroulent
les uns après les autres. — 7. Les bons citoyens ne désobéissent pas
aux lois. — 8. Les Anglais brûlèrent Jeanne d'Arc à Rouen en 1431.
— 9. Aimez qu'on vous conseille et non pas qu'on vous loue. —
10. On vous pardonnera si vous êtes repentants.

381. — **Tournez par le *passif* les phrases qui sont à l'actif et vice
versa.**   [Gr. § 293.]

a) 1. La diversité des opinions produit souvent des discussions
entre les amis. — 2. La colère et l'envie troublent le cœur de l'orgueilleux. — 3. Certains personnages, qui avaient été proclamés grands
hommes par leurs contemporains ont été remis à leur vrai rang par
la postérité. — 4. C'est la cendre des morts qui créa la patrie. (Lamartine.) — 5. Dans la ramure, des appels furent sifflés par les pinsons.

b) 1. Jamais il ne se sera vu un pareil spectacle. — 2. La fortune
nous trompe, même lorsqu'elle nous favorise. — 3. On rappelle au
public que l'on fermera les guichets à midi. — 4. On parlera longtemps
de ces faits éclatants. — 5. La chaire chrétienne a été illustrée au
XVIIe siècle par Bossuet et par Bourdaloue. — 6. Il sera perçu une
taxe exceptionnelle de cent francs.

Les Modes et les Temps.

382. — **Indiquez le *mode* et le *temps* des formes verbales suivantes :**   [Gr. §§ 294-295.]

a) 1. Je travaille. — 2. Je partirais. — 3. Que je réfléchisse. —

4. Venir. — 5. Prenons. — 6. **Que je portasse.** — 7. J'ai trouvé.
— 8. J'aurais obtenu. — 9. Je lisais. — 10. J'aurai recueilli.

b) 1. Nous avons espéré. — 2. Que vous commandiez. — 3. En
forgeant. — 4. Ils eussent cru. — 5. Tu auras gagné. — 6. Quand
nous eûmes terminé. — 7. Ils eussent mérité. — 8. Ils avaient compris. — 9. Que tu aies récolté. — 10. Qu'il marchât.

383. — **Indiquez le *mode* et le *temps* des verbes.**

[Gr. §§ 294-295.]

a) 1. Ce qui fait la vraie grandeur de l'homme, c'est la vertu. —
2. Honore ton père et ta mère, afin que tu vives longtemps sur la
terre. — 3. Chacun récoltera ce qu'il aura semé. — 4. Sois riche, aie
même amassé une fortune immense : que te servira tout cela si ta
conscience n'est pas droite ? — 5. Que de fois nous avons cru que
des circonstances propices favoriseraient nos désirs et même les auraient
réalisés avant que nous les eussions exprimés ! — 6. On nous avait
annoncé que nous rencontrerions des difficultés.

b) 1. Vouloir ce que Dieu veut est la seule science qui peut nous
assurer le repos. — 2. Quand la pluie eut cessé, nous continuâmes
notre promenade. — 3. En soumettant les élans de notre imagination
au contrôle de notre raison, nous éviterions bien des écarts. — 4. Gardons en toutes choses une juste modération. — 5. Qui eût pensé qu'une
si petite cause produirait de si grands effets ? — 6. Godefroid de Bouillon élu roi de Jérusalem, déclara qu'il ne porterait pas une couronne
de roi là où le Sauveur des hommes avait porté une couronne d'épines ;
il prit le titre de défenseur du Saint Sépulcre.

384. — **Analysez les formes verbales suivantes (mode, temps,
personne, nombre, voix) :**   [Gr. §§ 291-296.]

a) 1. Tu commences. — 2. Il partageait. — 3. Vous êtes conduits.
— 4. Nous prîmes. — 5. Avançons. — 6. Que vous sachiez. —
7. Avoir terminé. — 8. Tu es blâmé. — 9. Nous aurions chanté. —
10. Qu'il ait commandé.

b) 1. En travaillant. — 2. Ils étaient soignés. — 3. Que nous exercions. — 4. Avoir été reconnu. — 5. Il eût mangé. — 6. Tu aurais
été loué. — 7. Ayons placé. — 8. Ils auront permis. — 9. Que tu
gagnasses. — 10. Vous finiriez.

c) 1. Que vous eussiez été repoussés. — 2. Ayant perdu. —
3. Nous avions été félicités. — 4. Dès qu'il eut remarqué. — 5. Qu'ils
aient planté. — 6. Tu avais contrôlé. — 7. Ils charmeraient. —
8. Vous aurez été aperçus. — 9. Il eût signalé. — 10. Qu'il comprît.

Verbes auxiliaires.

385. — Dites si le verbe *être* est auxiliaire ou non. [N. B. : Dans les formes passives, on considérera que *être* est auxiliaire.]

[Gr. § 299.]

a) 1. Certains personnages, qui avaient été fort riches et fort puissants, sont morts dans la misère. — 2. Oh ! combien de marins qui étaient partis joyeux ont été engloutis par les flots ! — 3. C'est le printemps : déjà les violettes sont écloses ; les hirondelles sont revenues. — 4. Les plaisanteries les plus courtes sont les meilleures. — 5. La nuit étant tombée, nous avons été obligés de faire halte.

b) 1. Si vous êtes dans le malheur, ne vous laissez pas aller au désespoir ; l'homme n'est vraiment abattu par l'adversité que s'il consent à se laisser abattre. — 2. Nous ne serons pas les esclaves de la mode. — 3. Certains personnages, qui avaient été proclamés grands par leurs contemporains, ont été remis à leur vrai rang par la postérité. — 4. L'avenir n'est à personne, il est à Dieu. — 5. Quand nous sommes convenus d'une chose, nous ne devons pas revenir inconsidérément sur notre parole. — 6. Qui sait si nous serons demain ?

386. — Composez 3 phrases où *être* soit employé comme auxiliaire ; — 3 phrases où *être* soit employé avec une autre valeur que celle d'auxiliaire. [Gr. § 299.]

387. — Discernez les verbes qui, suivis d'un infinitif, servent d'auxiliaires et dites quelle nuance de temps ou quel aspect du développement de l'action ils expriment. [Gr. § 300.]

a) 1. Quand vous avez une décision grave à prendre, dites-vous : Je vais réfléchir mûrement pour n'être pas pris au dépourvu si des complications viennent à se produire. — 2. C'est seulement quand ils sont sur le point de mourir que certaines gens se demandent s'ils ont bien employé leur vie. — 3. Déjà l'horizon paraît s'abaisser : un orage est près d'éclater. — 4. Lorsque nous venons d'échapper à un danger grave, nous apprécions mieux les avantages de la sécurité. — 5. Le soleil paraissait répandre une poussière dorée sur les feuillages.

b) 1. Refaites vos calculs : vous devez avoir fait une erreur. — 2. Là où nous avons manqué de tomber, nous évitons soigneusement de faire un faux pas. — 3. Mes chers enfants, vous allez entrer dans la vie ; rappelez-vous qu'il ne faut jamais s'écarter des voies de l'hon-

neur, — 4. Quand nous sommes en train de calculer, le tapage nous
dérange. — 5. Je m'en vais vous donner une excellente règle : faites
chaque chose en son temps.

EMPLOI DES AUXILIAIRES

388. — Mettez à la forme indiquée les verbes en italique.
[Gr. §§ 301-302.]

a) 1. Nous nous félicitons de [*trouver*, infin. passé] un conseiller qui
nous [*parler*, passé comp.] avec compétence et sagesse. — 2. Jamais
l'idée ne nous [*venir*, passé comp.] que nos parents [*se désintéresser*,
subj. passé] de notre formation morale. — 3. Les beaux jours [*revenir*,
plus-que-parf.] : déjà les lilas [*gonfler*, plus-que-parf.] leurs bourgeons,
les narcisses [*ouvrir*, plus-que-parf.] leurs corolles jaunes. — 4. Souvent
les meilleures résolutions [*échouer*, passé comp.] faute de persévérance.
— 5. N'alléguez pas de mauvaises excuses quand vous [*contrevenir*,
passé comp.] à la volonté de vos parents.

b) 1. Même quand il [*tomber*, passé comp.] au dernier degré de
l'abjection, un homme peut reconquérir sa propre estime et devenir
capable des actions les plus hautes. — 2. De quels tendres soins notre
mère [*entourer*, passé comp.] notre enfance ! Que de soucis nous lui
[*causer*], passé comp.] quand nous [*être*, passé comp.] malades ! Mais
quelle joie elle [*éprouver*, passé comp.] quand nous [*revenir*, passé
comp.] à la santé ! — 3. Quand vous [*se tromper*, passé comp.] ne
vous obstinez pas dans votre erreur. — 4. L'imagination, cette enchan-
teresse, nous [*représenter*, passé comp.] bien souvent des événements
qui [*se passer*, passé comp.] il y a des siècles ; elle nous [*montrer*, passé
comp.] même des faits qui [*ne jamais se produire*, plus-que-parf.].

389. — Même exercice.   [Gr. §§ 301-302.]

a) 1. Quelle joie éprouve le pasteur qui [*ramener*, passé comp.]
au bercail une brebis qui [*s'égarer*, plus-que-parf.] ! — 2. Ils [*se tromper*,
passé comp.] lourdement ceux qui [*croire*, plus-que-parf.] que la science
serait la religion de l'avenir. — 3. De quelle puissance disposent ceux
qui [*parvenir*, passé comp.] à la parfaite maîtrise d'eux-mêmes ! —
4. Quand nous [*entrer*, fut. antér.] dans la vie, nous nous ferons un
point d'honneur de ne jamais dévier du droit chemin. — 5. Dès que
nous [*apprendre*, passé antér.] la nouvelle, nous [*courir*, passé comp.]
l'annoncer à nos parents.

b) 1. Oh ! combien de marins qui [*partir*, plus-que-parf.] pleins
d'espoir [*ne pas revenir*, passé comp.] ! — 2. Il [*s'acquérir*, passé

comp.] beaucoup de mérite celui qui [*obéir toujours*, passé comp.] strictement aux lois de l'honneur et qui [*ne jamais sortir*, passé comp.] de la voie droite. — 3. Bien des savants [*mourir*, passé comp.] sans [*pouvoir*, infin. passé] réaliser les projets merveilleux qu'ils [*faire*, plus-que-parf.] — 4. Après qu'ils [*parcourir*, passé comp.] toute la carrière des honneurs, après qu'ils [*arriver*, passé comp.] même au sommet du pouvoir, certains grands personnages [*tomber*, passé comp.] au niveau de l'abjection.

390. — Mettez à la forme indiquée les verbes en italique.

[Gr. §§ 301-302.]

S'élever par la volonté.

Ceux qui [*s'illustrer*, passé comp.] dans le domaine des sciences, des arts ou des lettres [*sortir*, passé comp.] de tous les rangs de la hiérarchie sociale ; ils [*venir*, passé comp.] de la ferme et de l'atelier, de la chaumière et du château. Les plus pauvres [*prendre*, passé comp.] quelquefois les places les plus élevées. Les grandes difficultés qu'ils [*rencontrer*, passé comp.] leur [*apprendre*, passé comp.] la valeur de l'effort et [*vivifier*, passé comp.] des facultés qui sans cela [*rester*, condit. passé 1re f.] peut-être assoupies.

Beaucoup de ceux qui [*arriver*, passé comp.] aux plus hauts degrés du savoir [*naître*, passé comp.] dans des positions sociales où l'on [*ne pas s'attendre*, condit. passé, 1re f.] à trouver une excellence quelconque. Malgré les circonstances défavorables contre lesquelles ils [*lutter*, passé comp.] dès leurs premiers pas dans la vie, ces hommes éminents [*se faire*, passé comp.], par leur seule volonté, une réputation que toutes les richesses [*ne jamais pouvoir*, condit. passé 2e f.] payer. La richesse [*pouvoir*, condit. passé 1re f.] être même un obstacle plus grand que la pauvreté dans laquelle ils [*naître*, indic. plus-que-parf.].

D'après S. Smiles.

391. — Mettez à la forme indiquée les verbes en italique et distinguez bien, pour l'emploi de l'auxiliaire, si le verbe exprime l'action ou l'état.

[Gr. § 303.]

a) 1. Les ménagères disent volontiers : La vie est chère ! voyez, par exemple, comme le café [*augmenter*, passé comp.] maintenant ! — 2. Pendant la dernière guerre, la vie [*augmenter*, passé comp.] dans des proportions considérables. — 3. Que de martyrs [*expirer*, passé comp.] dans les plus affreux supplices ! — 4. Il se trouve toujours des gens négligents qui songent à remplir des formalités lorsque les délais [*expirer*, passé comp.] depuis longtemps déjà. — 5. Souvent

les meilleures résolutions [*échouer*, passé comp.] faute de persévérance.
— 6. On a vu des esprits orgueilleux nier l'évidence de leur défaite :
leurs folles entreprises [*échouer*, indic. plus-que-parf.] depuis longtemps
qu'ils persistaient à croire au succès.

b) 1. Ce n'est pas quand le danger [*passer*, passé comp.] depuis
quelques heures déjà qu'il faut chercher les moyens de s'en garder.
— 2. Que de bonheurs qu'on aurait crus durables [*passer*, passé
comp.] cependant comme des éclairs ! — 3. C'est la saison des
giboulées : depuis ce matin l'aspect du ciel [*changer*, passé comp.]
trois ou quatre fois. — 4. Nous voyons mieux les effets de l'âge sur le
visage d'autrui que sur le nôtre : quand, après une absence de
quelques années, nous revoyons nos amis, nous nous disons : Comme
ils [*changer*, passé comp.] à présent ! mais de leur côté ils se disent sans
doute : Comme il [*changer*, passé comp.] pendant son absence ! —
5. Voyez quelle inondation : regardez comme la rivière [*croître*, passé
comp.]. — 6. Toujours les désirs des avares [*croître*, passé comp.] avec
leur fortune ; à peine leurs richesses [*accroître*, passé comp.] qu'ils
soupirent : Encore !

La Conjugaison.

392. — Classez les verbes suivants selon les *conjugaisons* auxquelles
ils appartiennent : [Gr. § 304.]

a) 1. Pardonner. — 2. Connaître. — 3. Réfléchir. — 4. Tomber.
— 5. Apercevoir. — 6. Mettre. — 7. Prier. — 8. Achever. —
9. Voir. — 10. Grossir. — 11. Sentir. — 12. Recevoir. — 13. Suffire.
— 14. Courir. — 15. Craindre. — 16. Rompre.

b) 1. Abandonner. — 2. Ouïr. — 3. Déchoir. — 4. Éclore. —
5. Décevoir. — 6. Cueillir. — 7. Mouvoir. — 8. Vouloir. — 9. Rire.
— 10. Méditer. — 11. Vieillir. — 12. Acquérir. — 13. Semer. —
14. Peindre.

393. — Classez les verbes suivants en deux catégories suivant
qu'ils allongent ou non leur radical à certains temps par la syllabe
-iss- : [Gr. § 304.]

a) 1. Durcir. — 2. Guérir. — 3. Dormir. — 4. Vêtir. — 5. Éblouir.
— 6. Finir. — 7. Parcourir. — 8. Ouvrir. — 9. Assortir. — 10. Conquérir. — 11. Bleuir. — 12. Polir. — 13. Fuir. — 14. Unir. —
15. Tenir. — 16. Cueillir.

b) 1. Avertir. — 2. Flétrir. — 3. Offrir. — 4. Frémir. — 5. Servir. — 6. Devenir. — 7. Concourir. — 8. Pétrir. — 9. Soutenir. — 10. Mourir. — 11. Discourir. — 12. Gémir. — 13. Bannir. — 14. Bénir. — 15. Jaillir. — 16. Partir.

394. — Classez les verbes suivants en deux catégories : conjugaison *vivante*, conjugaison *morte*. [Gr. § 305.]

a) 1. Chanter. — 2. Répandre. — 3. Croître. — 4. Finir. — 5. Visiter. — 6. Amoindrir. — 7. Circonvenir. — 8. Vendre. — 9. Oublier. — 10. Bannir. — 11. Valoir. — 12. Paraître. — 13. Téléphoner. — 14. Étendre.

b) 1. Attacher. — 2. Orner. — 3. Défaillir. — 4. Savoir. — 5. Plaire. — 6. Sonner. — Bâtir. — 8. Attendrir. — 9. Cuire. — 10. Convaincre. — 11. Maigrir. — 12. Tressaillir. — 13. Trembler. — 14. Promettre.

CONJUGAISON DES VERBES AVOIR et ÊTRE

395. — Mettez le verbe *avoir* au mode et au temps indiqués.
[Gr. § 306.]

a) 1. [*Indic. prés.* ; *subj. prés.*] Ah ! Rouen, disait Jeanne d'Arc, j'… grand-peur que tu n'… à souffrir de ma mort ! — 2. [*Passé comp.*] Cet enthousiasme que vous … au début de l'année scolaire, gardez-le, chers élèves. — 3. [*Subj. imparf.* ; *passé comp.*] Dieu a voulu que le cours des choses humaines … sa suite et ses proportions, c'est-à-dire que les hommes et les nations … des qualités proportionnées à l'élévation à laquelle ils étaient destinés. — 4. [*Subj. prés.*] Que chacun de nous … à cœur de devenir meilleur ! — 5. [*Subj. imparf.*] Moi ! que j'… un cœur si dénué de piété filiale ! — 6. [*Indic. prés.* ; *impér. prés.*] Mon ami, quand tu … tort, … le courage de la reconnaître. — 7. [*Fut. s.*] J'espère que tu … le courage de conformer tes actions à tes convictions.

b) 1. [*Condit. prés.* ; *indic. imparf.*] Nous … bien des chances de succès si nous … une volonté persévérante. — 2. [*Subj. passé* ; *infin. passé*] Certaines gens se plaignent que l'existence n'… pour eux que des déboires et des malheurs, mais ils devraient bien plutôt se reprocher de n'… que peu de jugement et de volonté. — 3. [*Participe passé* ; *passé comp.*] … moins de peines, ils … moins de joies : c'est ce qu'on pourrait dire de beaucoup de gens qui n'ont fait que se laisser vivre, sans tracas ni difficultés. — 4. [*Impér. prés.*] Mes chers enfants, … toujours le culte des choses élevées. — 5. [*Subj. imparf.*] L'empereur romain Caligula souhaitait que le peuple n' … qu'une seule tête afin de pouvoir l'abattre d'un coup.

396. — Mettez le verbe *être* au mode et au temps indiqués.

[Gr. § 307.]

a) 1. [*Subj. prés.*] Il convient que la puissance d'un prince ne ... formidable qu'aux   méchants. — 2. [*Indic. imparf. ; passé comp.*] Votre mère ... bien inquiète quand vous ... malade. — 3. [*Passé simple*] quand il ... hors du puits, le renard fit au bouc un beau sermon pour l'exhorter à la patience. — 4. [*Subj. imparf.*] Il ne   faudrait pas qu'un chef ... dans l'obligation de s'occuper de cent menues choses qui l'empêcheraient de régler les questions essentielles. — 5. [*Partic. passé*] ... nous-mêmes dans le malheur, nous avons appris à compatir aux maux du prochain.

b) 1. [*Subj. passé*] Il faut parfois que nous ... en danger de perdre un avantage pour que nous en connaissions bien le prix. — 2. [*Infin. prés. ; infin. passé*] On ne peut pas ... et ..., affirme le dicton. — 3. [*Passé simple*] De tout temps les avares... les bourreaux d'eux-mêmes. — 4. [*Condit. prés. ; indic. imparf.*] Vous ... plus expérimentés si vous ... plus attentifs à suivre les bons conseils de vos parents. — 5. [*Fut. ant. ; fut. simple*] Quand vous ... en butte à toutes sortes de difficultés, vous ... plus aptes à les surmonter.

LES FINALES DE CHAQUE PERSONNE

397. — Écrivez la 1re personne du singulier des verbes suivants : 1o à l'indicatif présent ; 2o à l'indicatif imparfait ; 3o au passé simple ; 4o au futur simple ; 5o au conditionnel présent ; 6o au subjonctif présent ; 7o au subjonctif imparfait : [Gr. § 314.]

a) 1. Planter. — 2. Couvrir. — 3. Souffrir. — 4. Marcher. — 5. Parvenir. — 6. Dormir. — 7. Ouvrir. — 8. Pouvoir. — 9. Prendre. — 10. Vouloir. — 11. Valoir.

b) 1. Sentir. — 2. Offrir. — 3. Bêcher. — 4. Être. — 5. Attendre. — 6. Décevoir. — 7. Revoir. — 8. Vendre. — 9. Perdre. — 10. Résoudre. — 11. Prévaloir.

398. — Écrivez : 1o à l'indicatif présent ; 2o à l'impératif présent, la 2e personne du singulier des verbes suivants : [Gr. § 315.]

a) 1. Travailler. — 2. Arriver. — 3. Cueillir. — 4. Prévoir. — 5. Offrir. — 6. Savoir. — 7. Vouloir. — 8. Ouvrir. — 9. Être. — 10. Aller. — 11. Recouvrir. — 12. Prendre.

b) 1. Trouver. — 2. Orner. — 3. Plaindre. — 4. Courir. — 5. Venir. — 6. Tressaillir. — 7. Réfléchir. — 8. Rendre. — 9. Suivre. — 10. Acquérir. — 11. Défaillir. — 12. Envoyer.

399. — **Mettez à la 2ᵉ personne du singulier de l'impératif présent les verbes en italique.** [Gr. § 315.]

a) 1. [*Honorer*] ton père et ta mère afin que ti vives longtemps sur la terre ; [*assister*]-les dans leurs nécessités ; [*savoir*] leur préparer une vieillesse heureuse. — 2. [*Savoir*] quelles sont tes qualités et quels sont tes défauts ; [*rechercher*] ceux-ci pour les corriger, celles-là pour les perfectionner. — 3. Si tu veux parvenir au succès ; [*se persuader*] d'abord de la possibilité de réussir ; ne [*se proposer*] pas un but inaccessible ; [*diviser*] les difficultés pour les mieux vaincre ; [*rédiger*] de temps à autre un plan de travail qui indique à la fois des buts lointains et des objectifs rapprochés. — 4. [*Aller*] toujours le droit chemin.

b) 1. [*Marcher*] dans les voies de la justice et [*parler*] toujours en honnête homme ; ce sont là d'excellents préceptes ; [*conformer*]-y constamment ta conduite. — 2. Si quelque difficulté t'arrête dans tes études, [*parler*]-en à tes maîtres, [*rechercher*]-en avec eux les origines et [*réformer*] au besoin ta méthode de travail. — 3. [*Se constituer*] peu à peu une bibliothèque, mais [*savoir*] en écarter les ouvrages de pacotille, [*ouvrir*]-en les rayons aux chefs-d'œuvre de la littérature ; [*placer*]-y surtout les œuvres saines, belles et solides, qui ont subi l'épreuve du temps. — 4. [*Aimer*] ta maison natale, [*goûter*]-en le calme bonheur et [*aller*] y rafraîchir ton âme chaque fois que tu t'es exposé au souffle desséchant du monde.

400. — **Même exercice.** [Gr. § 315.]

a) 1. Ne [*se moquer*] jamais des malheureux, [*ouvrir*] ton cœur à la pitié et [*soulager*] leurs maux. — 2. Ne [*rechercher*] pas les honneurs ; [*s'exercer*] à vouloir le bien et [*régler*] tes désirs avant de songer à les satisfaire. — 3. [*Employer*] sagement le temps de ta jeunesse et [*se ménager*] ainsi une heureuse vieillesse. — 4. [*Savoir*] résister au vice naissant ; [*extirper*]-en dans ton âme les dernières racines. — 5. Avant de t'engager dans une entreprise, [*peser*]-en bien la difficulté et ne [*se décider*] pas à la légère. — 6. Si tu as commis quelque faute, ne [*chercher*] pas à la pallier par un mensonge, [*avouer*]-la humblement et [*demander*]-en le pardon.

b) 1. Ne [*aller*] pas t'imaginer qu'il existe des méthodes faciles pour étudier les choses difficiles. — 2. [*S'habituer*] à vouloir, [*coordonner*] tes efforts et [*recueillir*]-en patiemment les fruits. — 3. [*Penser*] fortement de grandes choses et [*se proposer*] un idéal élevé et [*consacrer*]-y tes forces. — 4. On meurt généralement comme on a vécu : [*penser*]-y bien. — 5. Le matin, [*former*] de bonnes résolutions ; le soir, [*examiner*] ta conscience. — 6. La solitude est la patrie des forts : [*aller*] y puiser des énergies nouvelles quand tu te sens las et découragé.

401. — Même exercice.   [Gr. § 315.]

La Fermeté dans le malheur.

Dans l'adversité, [*savoir*] maintenir la fermeté de ton âme et [*garder*]
assez de courage pour ne pas te laisser abattre. [*Se rappeler*] que
c'est avoir à demi vaincu la difficulté que d'y résister avec énergie :
[*s'aider*], le Ciel t'aidera, dit le proverbe. [*Ne pas éclater*] en vaines
lamentations, [*se recueillir*] sous les coups du sort, [*considérer*] avec
calme la situation et ne [*aller*] pas te persuader qu'elle est sans issue :
[*mesurer*]-en avec sang-froid la gravité et [*apporter*]-y les remèdes
que la réflexion t'aura suggérés. [*Recommencer*] la lutte chaque fois
qu'il le faudra et ne [*désespérer*] jamais du succès. Si quelque mal
inévitable te frappe, [*ne pas se révolter*], [*supporter*]-en les coups avec
résignation, [*ne pas avoir honte*] de ta douleur, mais [*élever*] ton âme
au-dessus de l'apathie et du découragement.

402. — Écrivez la 3e personne du singulier des verbes suivants :
1o à l'indicatif présent ; 2o au subjonctif présent ; 3o au passé simple ;
4o au futur simple :   [Gr. § 316.]

a) 1. Chanter. — 2. Grandir. — 3. Assaillir. — 4. Tendre. —
5. Peindre. — 6. Résoudre. — 7. Tordre. — 8. Sauver. — 9. Comprendre.
— 10. Vaincre.

b) 1. Bénir. — 2. Avoir. — 3. Contraindre. — 4. Moudre. —
5. Écrire. — 6. Raisonner. — 7. Répondre. — 8. Corrompre. —
9. Définir. — 10. Convaincre.

403. — Écrivez les verbes suivants aux trois personnes du pluriel :
1o du présent de l'indicatif ; 2o du passé simple ; 3o du futur simple :
                                             [Gr. §§ 317-319].

a) 1. Présenter. — 2. Revenir. — 3. Être. — 4. Dire. — 5. Prendre.
— 6. Décider. — 7. Accomplir. — 8. Désirer — 9. Faire. — 10. Redire.
— 11. Médire. — 12. Souscrire.

b) 1. Aller. — 2. Contredire. — 3. Contrefaire. — 4. Avoir. —
5. Maudire. — 6. Prédire. — 7. Conquérir. — 8. Conclure. — 9. Dé-
plaire. — 10. Interdire. — 11. Défaire. — 12. Promettre.

REMARQUES SUR LA CONJUGAISON
DE CERTAINS VERBES

404. — Mettez à la forme indiquée les verbes en italique (verbes
en -*cer* ou en -*ger*).   [Gr. §§ 327-328.]

a) 1. Si nous [*forcer*, indic. prés.] notre talent, nous ne ferons rien avec grâce. — 2. Si le malheur nous atteint, [*ne pas s'engager*, impér. prés.] dans les voies du désespoir, mais [*songer*, impér. prés.] qu'une âme forte ne se laisse pas abattre. — 3. Par le travail, nous [*abréger*, indic. prés.] nos journées, mais nous [*allonger*, indic. prés.] notre vie. — 4. En nous [*exercer*, partic. prés.] à bien penser, nous nous [*exercer*, indic. prés.] à bien parler et à bien écrire. — 5. [*Commencer*, impér. prés., 1re pers. pl.] par connaître nos défauts ; [*avancer*, id.] alors dans la voie de la vertu. — 6. Nous [*soulager*, indic. prés.] les maux de ceux qui souffrent et nous [*partager*, indic. prés.] leurs peines. — 7. Toujours l'homme oisif [*se forger*, passé simple] de lourdes chaînes.

b) 1. Avez-vous jamais douté qu'une parole donnée [*engager*, subj. imparf.] un homme d'honneur ? — 2. En [*s'enfoncer*, partic. prés.] dans de profondes rêveries, le poète goûte un plaisir délicat. — 3. Déjà le soleil [*lancer*, indic. imparf.] à l'horizon ses premiers feux ; une lumière dorée [*percer*, indic. imparf.] l'épaisseur des feuillages et [*plonger*, indic. imparf.] dans les sous-bois. — 4. L'homme aurait une vie bien triste s'il ne se [*bercer*, indic. imparf.] plus d'aucune illusion. — 5. Tout à coup la lune [*émerger*, passé simple] des nuages et [*glacer*, passé simple] les toits d'une lueur bleuâtre. — 6. C'est en [*commercer*, partic. prés.] avec les hommes qu'on apprend à les conduire.

405. — Mettez à la forme indiquée les verbes en italique (verbes ayant un *e* muet à l'avant-dernière syllabe).   [Gr. § 329.]

a) 1. Qui [*semer*, indic prés.] le vent récolte la tempête. — 2. Quand je [*lever*, indic. prés.] les yeux vers la voûte étoilée, je ne puis m'empêcher de penser à la toute-puissance du Créateur. — 3. Fuyez le jeu d'argent : il vous [*mener*, condit. prés.] au déshonneur. — 4. Que les parents [*élever*, subj. prés.] leurs enfants dans l'amour du travail. — 5. Les petites joies quotidiennes sont les fleurs qui [*parsemer*, indic. prés.] le chemin de la vie. — 6. Si nous étions vraiment sages, nous [*peser*, condit. prés.] les conséquences de nos actes avant de les accomplir.

b) 1. L'homme charitable [*prélever*, futur simple] sur ses revenus la part des pauvres. — 2. Une méchante vie [*amener*, indic. prés.] une méchante mort. — 3. La vie [*s'achever*, indic. prés.] que l'on a encore l'esprit rempli de projets. — 4. Si le malheur t'abat, [*se relever*, impér. prés.] et garde l'espoir de jours meilleurs. — 5. Dieu [*peser*, fut. simple] dans une balance rigoureuse toutes les actions des hommes. — 6. Il ne faut pas que des dépenses inconsidérées [*grever*, subj. prés.] le budget d'une famille.

406. — Mettez à la forme indiquée les verbes en italique (verbes en -eler, -eter). [Gr. § 329.]

a) 1. Quand les nuages [*s'amonceler*, indic. prés.] et que les éclairs [*jeter*, indic. prés.] leurs lueurs sauvages, bien des personnes sont prises d'une vague crainte. — 2. La mort [*niveler*, fut. simple] toutes les conditions ; ne [*projeter*, impér. prés., 1re pers. du plur.] pas de nous élever plus haut que nous ne devons. — 3. Faut-il que les malheurs du temps nous [*rappeler*, subj. prés.] que l'on n'édifie rien de stable si l'on méconnaît la justice et la charité ? — 4. Ah ! qu'on est bien le soir au coin du feu, quand la pluie [*ruisseler*, indic. prés.] sur les toits et que le vent [*jeter*, indic. prés.] dans les branches son long gémissement ! — 5. Si quelqu'un vous [*harceler*, indic. prés.] de ses critiques, ne lui répondez pas avec colère.

b) 1. [*Modeler*, impér. prés., 2e p. sing.] ta conduite sur celle des gens de bien. — 2. Comment [*appeler*, indic. prés.]-vous ces gens qui ne marchent qu'en [*chanceler*, part. prés.] dans le chemin de la vertu ? — 3. Harpagon, l'avare de Molière, parle d'un traître dont les yeux [*fureter*, indic. prés.] de tous les côtés. — 4. Quel jardin n'a pas ses moineaux familiers, qui [*voleter*, indic. prés.] dans l'épaisseur des branches, se chamaillent et se [*becqueter*, indic. prés.] avec des piaillements de colère ? — 5. Les méchants trouvent en eux-mêmes un premier châtiment de leurs crimes : leur conscience les [*bourreler*, indic. prés.] cruellement.

407. — Même exercice (verbes en -eler, -eter). [Gr. § 329.]

a) 1. Déjà les bourgeons des lilas s'ouvrent ; s'il [*geler*, indic. prés.], résisteront-ils ? — 2. Celui qui [*acheter*, indic. prés.] le superflu sera peut-être obligé de vendre le nécessaire. — 3. Nous [*se rappeler*, indic. prés.] volontiers les joies de notre première enfance. — 4. Les écrivains qui [*ciseler*, indic. prés.] trop leurs phrases risquent de manquer de naturel. — 5. Ah ! les bonnes heures que nous avons passées en [*fureter*, part. prés.] au grenier ! Et les bonnes veillées au coin du feu : je revois encore grand-mère qui [*feuilleter*, indic. prés.] avec nous le grand livre d'images, et chacun, aux endroits pathétiques [*haleter*, indic. prés.] d'émotion.

b) 1. L'expérience est une excellente éducatrice, mais parfois elle nous secoue rudement et nous [*souffleter*, indic. prés.] même. — 2. Avant de vous lier d'amitié avec quelqu'un, examinez si ses actions ne [*déceler*, indic. prés.] pas une âme corrompue. — 3. Il y a des paysages qui ont, à certaines heures, un charme si prenant qu'ils [*ensorceler*, indic. prés.] en quelque sorte ceux qui les contemplent. — 4. Si l'on vous priait de remettre à votre père un paquet cacheté, le [*décacheter*, condit. prés.]-vous ? — 5. Les petites besognes ménagères même

doivent être faites avec soin : voyez votre mère quand elle [*épousseter,*
indic. prés.] les meubles ou quand elle [*peler,* indic. prés] des pommes.

**408. — Mettez à la forme indiquée les verbes en italique (verbes
ayant un *é* fermé à l'avant-dernière syllabe). [Gr. § 330.]**

a) 1. Le soleil du matin [*pénétrer,* indic. prés.] jusque dans la profondeur des feuillages et [*sécher,* indic. prés.] l'humidité de la nuit.
— 2. Nos maîtres nous [*répéter,* fut. simple] souvent encore que c'est
par l'effort personnel que nous [*suppléer,* fut. simple] à ce qui peut
nous manquer de facilités naturelles. — 3. Une légère indisposition
[*altérer,* condit. prés.] notre humeur et même notre jugement. — 4. Il
y a des personnes dont l'imagination est si vive qu'elles [*exagérer,*
indic. prés.] toujours leurs joies et leurs peines. — 5. Il importe
que l'on [*se modérer,* subj. prés.] dans la bonne fortune. — 6. Un
esprit capricieux se [*créer,* fut. simple] des besoins artificiels et sera
malheureux.

b) 1. Que chacun de vous *coopérer,* subj. prés.] à tout le bien qui
peut s'accomplir dans le milieu où il vit. — 2. Il ne faut pas que l'on
[*régler,* subj. prés.] invariablement le présent sur le passé ; souvent
nous aurons à prendre le parti que les circonstances nous [*suggérer,*
fut. simple]. — 3. Dieu [*agréer,* condit. prés.] nos prières si nous les
lui adressions comme il faut. — 4. Tant que les générations [*succéder,*
fut. simple] aux générations, des maux variés [*assiéger,* fut. simple]
l'humanité, mais les âmes nobles ne [*céder,* fut. simple] jamais au
désespoir. — 5. Certaines gens que l'on croyait sans énergie [*se révéler,*
indic. prés.] courageux et même héroïques dans le danger. — 6. Un
bon chef [*tolérer,* fut. simple] certaines fautes légères s'il a des raisons
de penser qu'elles ne [*dégénérer,* fut. simple] pas en licence.

**409. — Mettez à la forme indiquée les verbes en italique (verbes
en -*yer*). [Gr. § 331.]**

a) 1. On ne [*s'appuyer,* indic. prés.] bien que sur ce qui résiste.
— 2. Celui qui [*essayer,* condit. prés.] d'abord de bien penser serait
plus apte à bien agir. — 3. Quiconque fera son travail avec goût
ne [*s'ennuyer,* fut. simple] jamais. — 4. La lumière que le soleil nous
[*envoyer,* indic. prés.] nous arrive en huit minutes. — 5. Gardez-
vous des mauvais exemples : ils vous [*fourvoyer,* cond. prés.]. — 6.
Les souffrances que nous voyons nous [*apitoyer,* indic. prés.], mais
combien n'y en a-t-il pas que nous n'apercevons pas autour de nous ?

b) 1. Quelle féerie quand le printemps [*déployer,* indic. prés.]
toute sa verdure et toutes ses couleurs ! — 2. [*Ne pas employer,*
impér. prés. 2ᵉ p. sing.] mal à propos les talents que tu as reçus. —

3. Nous [*essayer*, condit. prés.] en vain d'appliquer les principes de l'art de travailler lorsque nous sommes harassés de fatigue. — 4. On doit toujours aimer sa patrie, même quand on y [*essuyer*, indic. prés.] certaines injustices. — 5. Un bon chef, dans le danger, [*payer*, indic. prés.] de sa personne. — 6. L'écrivain qui [*délayer*, indic. prés.] sa pensée ne manque guère de fatiguer le lecteur.

410. — Mettez au présent de l'indicatif les verbes en italique (verbes en -yer). [Gr. § 331.]

Matin d'automne.

C'est un lourd matin d'automne. Le brouillard [*noyer*] l'horizon et [*délayer*] ses teintes indécises. Les branches [*ployer*], dirait-on, sous les écharpes de brume qui les chargent et qui [*s'appuyer*] de tout leur poids. Mais bientôt un pâle soleil [*déblayer*] le ciel et [*rayer*] les arbres de quelques traits hésitants. La lumière paraît bouder ; on dirait qu'elle [*s'ennuyer*] de traîner sur un paysage aussi froid. Cependant un vent aigre [*balayer*] la colline et [*nettoyer*] l'air ; il [*essuyer*] même l'humidité des feuillages et [*envoyer*] partout son souffle un peu tiède. Subitement la lumière [*déployer*] sa draperie ; il semble que les arbres [*flamboyer*] et leurs cimes [*ondoyer*] doucement.

411. — Composez de petites phrases où vous ferez entrer les verbes suivants (en les mettant soit à l'indicatif présent, soit au futur simple, soit au conditionnel présent, soit au subjonctif présent) : [Gr. § 331.]

a) 1. Employer. — 2. Égayer. — 3. Essayer. — 4. Broyer. — 5. Côtoyer.

b) 1. Effrayer. — 2. Appuyer. — 3. Chatoyer. — 4. Payer. — 5. Aboyer.

412. — Mettez à la forme indiquée les verbes en italique.
[Gr. § 332.]

a) 1. Si nous nous [*plier*, indic. imparf.] à la volonté de nos parents, si nous nous [*confier*, id.] à leur amour, nous serions à l'abri de bien des dangers. — 2. Il faut que nous [*fuir*, subj. prés.] la compagnie des menteurs et des fourbes. — 3. Quand vous [*croire*, indic. imparf.] qu'on pouvait juger les gens sur la mine, vous ne vous [*défier*, id.] pas des artifices de l'hypocrisie. — 4. Bien que nous [*voir*, subj. prés.] la difficulté de certaines entreprises, il ne faut pas que nous [*craindre*, id.] de manquer de courage. — 5. Si vous [*travailler*, indic. imparf.] avec une volonté persévérante, vous vaincriez bien des obstacles.

b) 1. Il importe que nous [*concilier*, subj. prés.] nos jugements avec la justice et avec la charité. — 2. Si vous [*oublier*, indic. imparf.] les bienfaits que vos parents vous ont prodigués et si vous [*payer*, id.] d'ingratitude ceux qui n'ont voulu que votre bonheur, votre conduite serait odieuse. — 3. Notre dignité humaine défend que nous nous [*réfugier*, subj. prés.] dans le scepticisme et que nous [*sacrifier*, id.] aux préjugés de l'impiété. — 4. Quelque question que nous [*étudier*, subj. prés.], délimitons l'objet de notre recherche. — 5. Le temps est trop précieux pour que nous l'[*employer*, subj. prés.] à des bagatelles et que nous le [*gaspiller*, id.] dans les vains plaisirs.

413. — **Exercice récapitulatif sur les remarques concernant les verbes en -*er* : mettez à la forme indiquée les verbes en italique.**
[Gr. §§ 327-332.]

a) 1. Le sage n'[*appeler*, indic. prés.] pas tristesses les petites fatigues qui sont inséparables de l'existence. — 2. Si nous sommes convaincus d'avoir commis une faute nous n'[*alléguer*, fut. simple] pas de vaines excuses, mais nous [*opérer*, id.] en nous-mêmes le redressement nécessaire. — 3. Le soleil [*percer*, part. prés.] les nuages, [*jeter*, indic. imparf.] des rayons obliques et l'ombre des peupliers [*s'allonger*, id.] sur la plaine. — 4. L'homme [*s'élever*, indic. prés.] et [*se compléter*, id.] par l'observation attentive des actions héroïques. — 5. Les citoyens romains considéraient le commerce et les arts comme des occupations d'esclaves et ils ne les [*exercer*, indic. imparf.] pas.

b) 1. Quelle paix [*régner*, cond. prés.] sur la terre si tous les hommes s'aimaient comme des frères ! — 2. Quiconque aime sa profession ne s'en [*exagérer*, fut. simple] pas les inconvénients. — 3. Si quelque difficulté surgit, [*songer*, impér. prés., 1re p. pl.] qu'il nous appartient de la vaincre, mais que la victoire ne [*s'acheter*, indic. prés.] qu'au prix du sacrifice. — 4. On ne [*celer*, indic. prés.] que fort malaisément les sentiments qui [*assiéger*, id.] le cœur ou qui en remuent les profondeurs. — 5. Tu [*essayer*, indic. prés.] de te distraire et tu gaspilles des journées que tu [*employer*, cond. prés.] bien mieux en les consacrant à l'étude. — 6. On [*agréer*, cond. prés.] vos raisons si vous [*se plier*, ind. imparf.] aux exigences de la vérité et des bienséances.

414. — **Remplacez les points par l'un des participes *béni* ou *bénit* et faites l'accord s'il y a lieu.**
[Gr. § 333.]

a) 1. C'est chez nous un pieux usage d'aller, le jour des Rameaux, piquer une branche ... sur la tombe de ses morts. — 2. Après que le prêtre eut ... les cierges, la procession défila dans l'église. — 3. Je me rappelle avec émotion les jours ... de mon enfance. — 4. L'amict est un linge ... que le prêtre met sur ses épaules pour dire la messe. — 5. Je vous envoie un chapelet qui a été ... par le Saint-Père.

b) 1. Le prêtre a ... les drapeaux ; il a distribué des médailles ... — 2. C'est l'évêque qui a ... le mariage. — 3. Oh ! les délicieuses journées, les journées ... que j'ai passées dans cet asile de paix et de fraîcheur ! — 4. O terre des aïeux, terre ..., nous saurons te défendre. — 5. Notre peuple a été ... de Dieu.

415. — **Mettez à la forme indiquée les verbes en italique (verbes en -*ir*).** [Gr. §§ 333-335.]

1. Quel beau spectacle que celui des cerisiers [*fleurir*, partic. prés.] dans les vergers des environs de Saint-Trond ! — 2. [*Haïr*, impér. prés., 2e p. sing.] toujours le mensonge. — 3. Le poète Ronsard [*fleurir*, indic. imparf.] en France à la fin du seizième siècle. — 4. La Campine était dans sa splendeur ; partout les bruyères [*fleurir*, indic. imparf.]. — 5. Tu [*haïr*, indic. prés.] le mal autant que nous le [*haïr*, indic. prés.] tous. — 6. Il y a des jours [*bénir*, part. passé] où notre âme se dilate et se donne généreusement à tout ce qui est beau et noble. — 7. Quand on jouit d'une santé [*fleurir*, adjectif verbal], on possède un véritable trésor. — 8. Rubens [*fleurir*, indic. imparf.] sous le règne des archiducs Albert et Isabelle.

416. — **Dans les mots en italique, remplacez le point par *u* ou par *û*.** [Gr. § 336.]

a) 1. Pourrions-nous prétendre que rien n'est *red.* à nos parents quand nous leur avons montré quelque affection ? Ayons à cœur de leur témoigner la reconnaissance qui leur est *d.e* par nous. — 2. Une faveur qui avait *cr.* rapidement et qui n'était pas *d.e* à un mérite réel tombe parfois dans le moment même où on la croyait toute-puissante. — 3. Notre cœur est *ém.* quand nous voyons un enfant malheureux. — 4. Le respect est *d.* à la vieillesse. — 5. Les savants du XIXe et du XXe siècle ont singulièrement *accr.* le patrimoine des connaissances scientifiques.

b) 1. L'homme de cœur, *m.* par la compassion, donne aux malheureux des secours matériels et des consolations. — 2. Les mauvaises herbes qui ont *recr.* dans un parterre sont soigneusement ôtées par le bon jardinier ; ainsi les vices *recr.s* en vous doivent être extirpés avec diligence. — 3. Il y a des gens égoïstes qui se persuadent que tout leur est *d.* — 4. Le bien de l'avare, constamment *accr.* par de sordides économies, que de maux il pourrait soulager !

417. — Mettez à la forme indiquée les verbes en italique (verbes en *-indre* et en *-soudre*). [Gr. § 337.]

a) 1. Je [*craindre*, indic. prés.], Dieu, cher Abner, et n'ai point d'autre crainte. (Racine.) — 2. On n'[*enfreindre*, indic. prés.] pas impunément les lois de la nature. — 3. L'amour maternel nous [*absoudre*, passé comp.] de bien des fautes. — 4. Tu [*résoudre*, indic. prés.] de devenir un homme : plaise au ciel que, pour la réalisation de ce dessein, tu [*joindre*, subj. prés.] la force à la persévérance. — 5. Voici l'aube : la lumière [*poindre*, indic. prés.] là-bas et blanchit la colline. — 6. Quand on se porte bien, on se demande comment on pourrait faire si l'on était [*atteindre*, partic. passé] par la maladie ; mais quand la maladie vient, on prend médecine gaiement : le mal y [*résoudre*, indic. prés.].

b) 1. Tu [*se plaindre*, indic. prés.] de ta condition, mais je [*craindre*, id.] bien que celle d'autrui, que tu me [*dépeindre*, id.] comme bien plus agréable que la tienne, ne soit pas, en réalité, propre à te rendre heureux. — 2. Après la mort d'Alexandre le Grand, son empire fut [*dissoudre*, part. passé]. — 3. Il y a des admirateurs de la nature, dont l'âme [*se dissoudre*, indic. prés.] en quelque sorte, dans le paysage qu'ils contemplent. — 4. On voit parfois des vieillards conserver une vigueur intellectuelle étonnante : à quatre-vingts ans, ils ont encore une ardeur qui ne [*s'éteindre*, indic. prés.] pas. — 5. [*S'astreindre*, impér. prés., 2e p. sing.] à faire régulièrement la tâche de chaque jour : c'est un des plus sûrs moyens d'arriver au succès.

418. — Mettez à la forme indiquée les verbes en italique. [Gr. §§ 338-339.]

1. Si tu [*commettre*, indic. prés.] un acte répréhensible, tu [*soumettre*, id.] ton âme à un honteux esclavage ; si tu [*combattre*, id.] tes mauvais penchants, si tu [*tendre*, id.] au bien, si tu [*se vaincre*, id.] toi-même, tu seras un homme libre et fort. — 2. [*Battre*, impér. prés., 2e pers. sing.] le fer quand il est chaud et ne [*remettre*, id.] pas à demain ce que tu peux faire aujourd'hui. — 3. Si tu [*prétendre*, indic. prés.] raisonner droit, [*prendre*, impér. prés., 2e p. sing.] une connaissance exacte des faits sur lesquels tu raisonnes. — 4. Une raison que nous avons nous-même trouvée nous [*convaincre*, indic. prés.] mieux que dix qui nous sont données par autrui. — 5. Ne [*vendre*, impér. prés. 2e p. sing.] pas la peau de l'ours avant d'avoir tué l'animal. — 6. Ce bosquet [*rompre*, indic. prés.] l'uniformité du paysage. — 7. Celui qui [*vaincre*, indic. prés.] sans péril triomphe sans gloire. — 8. Abstenez-vous soigneusement de la lecture des mauvais livres : elle [*corrompre*, ind. prés.] le cœur.

419. — Dans les formes verbales suivantes (verbes en *-aître, -oître*), remplacez le point par *i* ou par *î*.   [Gr. § 340.]

a) 1. Il na.t. — 2. Tu conna.s. — 3. Je para.trai. — 4. J'accro.s. — 5. Il accro.t. — 6. Il   pa.t. — 7. Nous reconna.ssons. — 8. Tu cro.s en sagesse. — 9. Il cro.tra. — 10. Je décro.trais.

b) 1. Il décro.t. — 2. Tu   rena.tras. — 3. Il se repa.t. — 4. Qu'il conna.sse. — 5. Ils   appara.ssent. — 6. Ils   appara.tront. — 7. Je dispara.trais. — Vous conna.ssez. — 9. Il   repara.t. — 10. Il cro.t en vertu.

420. — Mettez à la forme indiquée les verbes en italique (verbes en *-aître, -oître, -ire*).   [Gr. §§ 340-341.]

a) 1. A l'œuvre on [*connaître*, indic. prés.] l'artisan. — 2. On [*naître*, indic. prés.] poète, on devient orateur. — 3. Notre amour de la vie [*s'accroître*, indic. prés.] à mesure que nos forces vont [*décroître*, part. prés.]. — 4. C'est une détestable politique que celle qui [*repaître*, indic. prés.] le peuple de promesses chimériques. — 5. Un jour viendra où les mérites de chacun [*apparaître*, fut. simple] aux yeux de tous et où l'on [*reconnaître*, id.] les bons et les méchants. — 6. Sans cesse en [*écrire*, part. prés.] varions nos discours.

b) 1. Le cœur, a dit Pascal, a ses raisons, que la raison ne [*connaître*, indic. prés.] point. — 2. César [*réduire*, passé simple] la Gaule après huit années de luttes. — 3. Au XVIe siècle, le vocabulaire français [*s'accroître*, passé simple] d'un grand nombre de termes   italiens; à notre époque, il [*s'accroître*, indic. prés.] surtout de mots empruntés de l'anglais. — 4. Que de gens [*repaître*, indic. prés.] leur esprit de la vanité des paroles au lieu de le nourrir de la solidité des choses ! — 5. Caton ne cessait de demander que l'on [*déduire*, subj. imparf.] Carthage. — 6. Hélas : tout enfant ne [*croître*, indic. prés.] pas nécessairement en sagesse parce qu'il [*croître*, id.] en âge. — 7. Plus tu [*accroître*, indic. prés.] ton capital de connaissances, plus tu augmentes tes chances de réussir.

421. — Exercice récapitulatif (conjugaison de certains verbes).
                    [Gr. §§ 327-341.]

Ne nous décourageons pas.

Ne nous [*décourager*, imp. pr. 1re p. pl.] pas si nos efforts ne nous [*amener*, ind. prés.] pas là où nous [*croire*, ind. imparf.] arriver. Nous [*connaître*, fut. s.] encore, [*espérer*, imp. pr., 1re p. pl.]-le, des jours [*bénir*, part. pas.], illuminés de la joie du succès.

Vous avez des défauts ; si quelque obstacle surgit, votre vigueur [*chanceler*, ind. pr.], votre énergie [*se dissoudre*, ind. pr.] ; ce qui est difficile vous [*effrayer*, ind. pr.]. Dites-vous bien que d'autres ont comme vous éprouvé ces impressions pénibles et que le succès [*s'acheter*, ind. pr.] au prix d'efforts persévérants : qui sait vouloir [*vaincre*, ind. pr.] les plus grands obstacles.

En tout cas, ne perdez pas courage, car en se [*décourager*, part. pr.], on ne [*résoudre*, ind. pr.] rien, et celui qui n'[*essayer*, ind. pr.] pas d'avancer n'arrivera jamais au but. Si votre insuccès n'est [*devoir*, part. pas.] à aucun mauvais vouloir, s'il ne [*procéder*, ind. pr.] aucunement de la paresse ou de la lâcheté, ne [*désespérer*, impér. pr., 2ᵉ p. pl.] pas ! En vous [*forcer*, part. pr.] à l'action, votre courage [*renaître*, fut. s.], vos forces [*recroître*, fut. s.]. Tout n'est jamais perdu !

CONJUGAISON PASSIVE

422. — Analysez les *formes passives* (mode, temps, personne, nombre). [Gr. § 342.]

a) 1. Ils sont protégés. — 2. Tu étais blâmé. — 3. Que nous soyons aidés. — 4. Tu aurais été soumis. — 5. Qu'il eût été accompagné. — 6. Devant être loué. — 7. J'eus été conduit. — 8. Que tu fusses ramené. — 9. Que tu aies été instruit. — 10. Avoir été trompé.

b) 1. Il fut pris en flagrant délit. — 2. Nos efforts ont été couronnés de succès. — 3. Nous sommes partis plutôt qu'il n'avait été décidé, afin de ne pas être empêchés par le mauvais temps. — 4. Que de soins vous ont été prodigués par votre mère ! Que de maux vous ont été épargnés par sa tendre vigilance ! — 5. Le refrain a été repris en chœur. — 6. Dès que le signal eut été donné, nous sommes entrés. — 7. Quand votre jugement aura été bien formé, vous apprécierez plus sainement les choses. — 8. Après avoir été séduit par le plaisir, tu serais entraîné à ta perte.

423. — **Même exercice.** [Gr. § 342.]

1. Je me réjouissais que mon ami eût été délivré du danger. — 2. Il faut que l'enfant ait été formé à la vertu. — 3. Cela dit, passons à autre chose. — 4. Il convenait que la loi fût obéie. — 5. Dès que les autorités seront arrivées, il sera procédé à la remise des récompenses. — 6. Les formalités voulues par la loi avaient été remplies. — 7. S'ils eussent été mieux conseillés, ils ne seraient pas allés à la ruine. — 8. Quand vous serez parvenus à vous vaincre vous-mêmes, vous serez affranchis de bien des servitudes.

424. — Donnez, dans la *conjugaison passive*, les formes indiquées entre parenthèses. [Gr. § 342.]

a) 1. [*Ind. imparf., 1re p. pl.*] Être élevé dignement. — 2. [*Fut. simple, 2e p. s.*] Être récompensé selon ses mérites. — 3. [*Subj. pr., 3e p. s.*] Être vivement remercié. — 4. [*Passé simple, 2e p. pl.*] Être loué par les gens de bien. — 5. [*Impér. pr., 2e p. s.*] Être pardonné à cause de sa sincérité. — 6. [*Cond. pr., 1re p. s.*] Être banni de la bonne société. — 7. [*Ind. pr., 3e p. pl.*] Être apprécié à sa juste valeur. — 8. [*Ind. imparf., 2e p. pl.*] Être sévèrement repris de ses fautes. — 9. [*Subj. imparf., 3e p. s.*]. Être conduit dans la voie du bien. — 10. [*Fut. simple, 3e p. pl.*] Être béni du ciel.

b) 1. [*Passé comp. 1re p. s.*] Être odieusement trompé. — 2. [*Cond. passé, 3e p. s.*] Être traité avec honneur. — 3. [*Subj. passé, 2e p. pl.*] Être approuvé sans réserve. — 4. [*Infin. passé*] Être condamné sans appel. — 5. [*Fut. ant., 1re p. s.*] Être cru sur parole. — 6. [*Ind. p.-q.-parf., 1re p. pl.*] Être induit en erreur. — 7. [*Cond. passé 2e f., 3e p. pl.*] Être reconnu à son accent. — 8. [*Fut. ant., 2e p. s.*] Être mis au rang des héros.

425. — Mettez au *passif* et à la forme indiquée les expressions suivantes : [Gr. § 342.]

a) 1. [*Indic. imparf., 1re pers. s.*] Féliciter solennellement. — 2. [*Cond. prés., 3e p. s.*] Choisir pour arbitre. — 3. [*Subj. prés., 2e p. pl.*] Rappeler au devoir. — 4. [*Impér. prés., 2e p. pl.*] Remercier chaleureusement. — 5. [*Part. passé sing.*] Trouver innocent. — 6. [*Passé simple, 3e p. s.*] Porter aux nues. — 7. [*Subj. passé, 2e p. s.*] Mettre en garde contre les flatteurs. — 8. [*Subj. imparf., 3e p. pl.*] Contraindre de partir. — 9. [*Fut. simple, 3e p. s.*] Honorer à jamais.

b) 1. [*Passé comp., 1re p. s.*] Absoudre à l'unanimité. — 2. [*Ind. p.-q.-parf., 2e p. pl.*] Obéir ponctuellement. — 3. [*Subj. passé, 3e p. pl.*] Soumettre à une rude épreuve. — 4. [*Part. passé pl.*] Déclarer innocent. — 5. [*Subj. p.-q.-parf., 2e p. s.*] Juger avec bienveillance. — 6. [*Cond. passé 2e f., 1re p. s.*] Proposer pour un emploi. — 7. [*Passé ant., 1re p. pl.*] Délivrer de l'oppression. — 8. [*Subj. pass. 2e p. s.*], Récompenser généreusement.

CONJUGAISON PRONOMINALE

426. — Analysez les formes de la *conjugaison pronominale* (mode, temps, personne, nombre). [Gr. § 343.]

a) 1. Gardons-nous. — 2. Il s'évanouira. — 3. Nous nous repentions. — 4. Qu'ils s'emparent. — 5. Tu te reposas. — 6. En s'enorgueil-

lissant. — 7. Vous vous êtes plaints. — 8. Qu'il se fût persuadé.
— 9. Je me serai trompé. — 10. Il se serait consolé.

b) 1. Certains jeunes gens, s'étant peu souciés de leur avenir, se
sont heurtés à de graves difficultés. — 2. Je voudrais que chacun de
vous s'appliquât à devenir meilleur. — 3. Si nous nous étions efforcés
de nous corriger de nos défauts, nous nous serions trouvés moins
indignes de l'estime d'autrui. — 4. A peine se furent-ils aperçus de
leur erreur qu'ils se repentirent de leur légèreté. — 5. Quand tu te
seras consacré à une noble tâche, tu te sentiras plus grand. — 6. S'il
ne se fût pas abandonné à la mollesse, il ne se fût pas avili. —
7. J'aurais désiré qu'ils se fussent abstenus de toute critique. —
8. Que tu te sois mis dans ton tort, la chose est évidente.

427. — Employez à la forme indiquée les expressions suivantes :
[Gr. § 343.]

a) 1. [*Ind. prés., 2ᵉ p. s.*] Ne pas se moquer des misérables. —
2. [*Subj. prés., 3ᵉ p. s.*] Se dévouer sans compter. — 3. [*Impér. prés.,
1ʳᵉ p. pl.*] Se persuader que rien n'est préférable à la vertu. — 4. [*Subj.
prés., 3ᵉ p. s.*] Ne pas s'arroger des droits excessifs. — 5. [*Cond. passé,
2ᵉ p. pl.*] Se rappeler les bienfaits de ses parents. — 6. [*Ind. p.-q.-parf.,
1ʳᵉ p. pl.*] S'acquitter de son devoir. — 7. [*Subj. passé, 3ᵉ p. s.*] S'amender chaque jour. — 8. [*Fut. ant., 2ᵉ p. pl.*] S'exercer à la patience.

b) 1. [*Passé simple, 1ʳᵉ p. pl.*] S'en aller promptement. — 2. [*Subj.
imparf., 3ᵉ p. s.*] Se détourner de son chemin. — 3. [*Passé comp.,
3ᵉ p. pl.*] Se démettre de ses fonctions. — 4. [*Infin. passé*] Se permettre d'intervenir. — 5. [*Fut. ant., 2ᵉ p. s.*] S'observer attentivement.
— 6. [*Ind. imparf., 1ʳᵉ p. pl.*] S'exagérer la difficulté. — 7. [*Subj. passé,
3ᵉ p. pl.*] Se pardonner l'un à l'autre. — 8. [*Passé simple, 3ᵉ p. pl.*] Se
cantonner dans l'expectative. — 9. [*Passé comp., 3ᵉ p. s.*] S'adonner
à la peinture.

CONJUGAISON IMPERSONNELLE

**428. — Donnez, dans la *conjugaison impersonnelle*, tous les temps
de l'indicatif des verbes suivants :**　　　　　　　[Gr. § 344.]

1. Pleuvoir. — 2. Falloir. — 3. Tonner. — 4. Convenir. — 5. Geler.
— 6. Arriver. — 7. Se rencontrer. — 8. Se dire.

429. — Mettez à la forme indiquée les verbes en italique.
[Gr. § 344.]

1. La Bible rapporte que, lors du déluge, il [*pleuvoir*, passé simple]
durant quarante jours et quarante nuits. — 2. Il [*falloir*, cond. prés.]

que chacun eût une devise. — 3. Il nous [*falloir*, passé comp.] parfois
beaucoup d'énergie pour résister aux séductions du mal. — 4. Nous
nous sommes mis en colère quelquefois quand il [*convenir*, cond. passé,
2e f.] de garder tout notre calme. — 5. Il ne [*seoir*, cond. prés.] pas
que vous adoptiez des façons arrogantes. — 6. Vous n'avez pas écouté
les bons conseils ; s'il vous [*advenir*, cond. passé 2e f.] quelque malheur,
vous n'auriez eu qu'à vous en prendre à vous-même. — 7. Il [*ne pas
dire*, futur simple, passif impers.] que nous serons ingrats envers
nos bienfaiteurs. — 8. A certaines époques troublées, il [*surgir*, passé
comp.] des personnages fermes et clairvoyants qui ont su tirer leur
patrie de l'ornière.

CONJUGAISON INTERROGATIVE

430. — Mettez à la *forme interrogative*, de deux manières quand
c'est possible, les formes verbales suivantes : [Gr. §§ 345-346.]

Modèle : J'aime ; *aimé-je ? — est-ce que j'aime ?*

a) 1. Je travaille. — 2. Je rêve. — 3 Je parlerai. — 4. Tu mettrais.
— 5. J'arrivai. — 6. Nous voyons. — 7. Vous osez. — 8. Je recule.
— 9. Je commence. — 10. Ils oseront.

b) 1. Je dis. — 2. Je sais. — 3. Je bâtis. — 4. J'apprends. —
5. Je vois. — 6. Je transmets. — 7. Je suis. — 8. Je rejoins. — 9. Je
fais. — 10. Je vais. — 11. Je conquiers. — 12. Je dois. — 13. Je
veux. — 14. Je cours. — 15. Je pars. — 16. J'ai. — 17. Je peins.
— 18. Je puis. — 19. Je peux. — 20. Je m'endors.

c) 1. Il mérite. — 2. Il viendra. — 3. Elle enseigne. — 4. On
avance. — 5. Il mangea. — 6. Il dira. — 7. On verra. — 7. Elle
appelle. — 9. Il voudra. — 10. Elle observe. — 11. On trouva. —
12. Elle arrivera.

431. — Mettez les phrases suivantes à la forme interrogative posi-
tive : [Gr. §§ 345-346.]

a) 1. Tu marches sans faiblesse dans la voie du devoir. — 2. Nous
n'avons absolument rien à nous reprocher. — 3. Les savants attein-
dront les dernières limites de la science. — 4. Je fais tout mon possible
pour devenir meilleur. — 5. Je sais ce que l'avenir me réserve et je
puis l'affronter avec confiance. — 6. Il osera dire que vous n'avez
pas fait tout votre devoir. — 7. Je dois croire ce que vous avancez.
— 8. Je cours un grand danger en fréquentant ces compagnons.

b) 1. Je dors quand tout travaille autour de moi. — 2. On devra
se conformer à votre avis. — 3. Nous avons quelque moyen de nous

tirer de ce mauvais pas. — 4. Vous pourriez rivaliser avec de tels hommes. — 5. La peur se corrige. — 6. J'aurais pu croire une telle affirmation. — 7. J'avais épuisé toutes mes réserves. — 8. Nous avons contemplé le ciel étoilé. — 9. J'eusse dû me défier.

432. — **Mettez les phrases suivantes à la forme interrogative négative :**   [Gr. §§ 345-346.]

a) 1. Le chien est semblable au loup. — 2. Les hommes sont tous frères : ils doivent s'entraider. — 3. La vertu est le premier des biens. — 4. Le sergent De Bruyne est un des plus purs héros de notre histoire. — 5. Il est certain que la science humaine est toujours imparfaite. — 6. Prévenir vaut mieux que guérir. — 7. Nos connaissances sont une véritable richesse.

b) 1. Les moralistes ont toujours vanté les bienfaits du travail. — 2. Tu dois te connaître toi-même. — 3. Tu désires rendre tes parents heureux. — 4. La patrie est notre mère commune. — 5. La famille est la vraie cellule sociale. — 6. Tu as été entouré de tendres soins. — 7. Quiconque a des droits a aussi des devoirs. — 8. La charité est une très grande vertu.

433. — **Exprimez les phrases interrogatives auxquelles les phrases suivantes serviraient de réponses :**   [Gr. §§ 345-346.]

1. Non, on ne cueille pas des raisins sur les ronces. — 2. Non, le travail n'a jamais avili personne. — 3. Oui, Dieu défend de mentir. — 4. Assurément, la foi est nécessaire pour être sauvé. — 5. Nullement, la pauvreté n'est pas un vice. — 6. Oui, l'histoire peut nous instruire. — 7. Sans aucun doute, l'expérience est une excellente école. — 8. Certainement nous devons aimer les pauvres. — Non, l'homme n'est pas bon par nature. — 10. Non, il ne faut pas se fier aux apparences.

VERBES IRRÉGULIERS

434. — **Mettez à la forme indiquée les verbes en italique.**
                     [Gr. § 349 : *abattre-attraire*.]

a) 1. Nous [*absoudre*, fut. simple] volontiers le coupable, mais pour que nous l'[*absoudre*, subj. prés.] il faut qu'il se repente et qu'il ait le ferme propos de s'amender. — 2. Quand le coupable a été [*absoudre*, part. passé], il n'est plus [*assaillir*, part. passé] par les reproches de sa conscience ; il [*s'abstenir*, fut. simple] de tout ce qui risquerait de le faire retomber dans sa faute. — 3. En quelque endroit que nous [*aller*, subj. prés.], nous portons avec nous notre ennui ; nous n'[*acquérir*, fut. simple] la tranquillité de l'âme que si nous [*s'astreindre*, ind. prés.] à réformer notre caractère. — 4. Nous [*ne pas asseoir*, fut. simple] notre jugement sur de simples présomptions.

b) 1. Il faut que l'on [*acquérir*, subj. prés.] assez de force d'âme pour se vaincre soi-même. — 2. Quand le malheur vous [*assaillir*, fut. simple], gardez votre âme forte et sereine. — 3. Si un malheureux sollicite notre aide, nous l'[*accueillir*, fut. simple] avec bonté. — 4. L'avare [*acquérir*, fut. simple] constamment de nouveaux biens, mais son avidité [*s'accroître*, fut. simple] avec sa richesse. — 5. Il convient que, dans les études, nous [*aller*, subj. prés.] des choses simples aux choses difficiles. — 6. Si chacun [*s'astreindre*, ind. imparf.] à dominer ses instincts et [*apprendre*, id.] à réprimer son égoïsme, la société [*aller*, cond. prés.] mieux.

435. — **Composez de petites phrases où vous ferez entrer les formes verbales suivantes :**   [Gr. § 349 : *abattre-attraire*.]

a) 1. *Aller*, subj. prés., 3e p. s. — 2. *Asseoir*, fut. simple, 3e p. pl. — 3. *S'abstenir*, passé simple, 3e p. s. — 4. *Acquérir*, passé simple, 3e p. pl. — 5. *Apparaître*, cond. prés., 3e p. s. — 6. *Absoudre*, subj. prés., 3e p. s.

b) 1. *Attendre*, passé comp., 3e p. pl. — 2. *S'en aller*, impér. prés., 2e p. s. — 3. *Accueillir*, fut. simple, 1re p. pl. — 4. *Accroître*, ind. prés., 3e p. s. — 5. *Asseoir*, subj. prés., 1re p. pl.

436. — **Mettez à la forme indiquée les verbes en italique.**
          [Gr. § 349 : *battre-coudre*.]

a) 1. [*Battre*, impér. prés., 2e p. s.] le fer quand il est chaud et [*ne pas compromettre*, id.] le succès d'une entreprise par ton indécision. — 2. Comment jugerait-on sainement et [*connaître*, cond. prés.]-t-on exactement une situation quand on [*bouillir*, ind. prés.] de colère ? — 3. Il importe que l'on [*combattre*, subj. prés.] les premiers mouvements de la colère. — 4. Il se trouvera toujours des ânes qui [*braire*, fut. simple] contre la science. — 5. La science [*conquérir*, passé comp.] bien des domaines, elle en [*conquérir*, fut. simple] certainement encore de nouveaux, mais [*conclure*, fut. simple]-nous de là qu'elle [*conduire*, fut. simple] infailliblement l'humanité dans les voies du bonheur parfait ?

b) 1. L'égoïste ne pense qu'à soi : peu lui [*chaloir*, ind. prés.] le bonheur de son entourage. — 2. Quand une difficulté vous arrête, il importe que vous la [*circonscrire*, subj. prés.] exactement ; ainsi

vous [*concevoir*, fut. simple] plus aisément les moyens de la résoudre.
— 3. [*Conduire*, impér. prés. 2ᵉ p. pl.] par ordre vos pensées et vous
[*conclure*, fut. simple] d'une manière plus certaine. — 4. Serait-ce
un bien que nous [*connaître*, subj. prés.] l'avenir ? — 5. Dans les
discussions, ne [*contredire*, impér. prés., 2ᵉ p. pl.] jamais avec brutalité
et arrogance : on [*convaincre*, ind. prés.] souvent mieux par la douceur
que par la violence. — 6. La brise [*bruire*, ind. imparf.] dans la cime
des peupliers.

**437. — Employez dans de petites phrases, et en mettant le verbe
à la forme indiquée, les expressions suivantes :**

[Gr. § 349 : *battre-coudre*.]

1. Compromettre son avenir [subj. prés., 1ʳᵉ p. pl.]. — 2. Conquérir
l'estime de tous [fut. simple, 3ᵉ p. s.]. — 3. Conclure sans crainte
d'erreur [cond. prés., 1ʳᵉ p. pl.]. — 4. Boire le calice jusqu'à la lie
[subj. prés., 1ʳᵉ p. pl.]. — 5. Contrevenir au précepte de la charité
[cond. prés., 3ᵉ p. s.]. — 6. Se complaire en soi-même [ind. prés.,
3ᵉ p. s.]. — 7. Bouillir d'impatience [ind. prés., 2ᵉ p. pl.].

438. — Mettez à la forme indiquée les verbes en italique.

[Gr. § 349 : *abattre-coudre*.]

La Dignité personnelle.

[*Apprendre*, impér. prés. 1ʳᵉ p. pl.] à nous respecter nous-mêmes
et [*s'abstenir*, id.] de tout acte contraire à notre dignité personnelle ;
[*se conduire*, id.] toujours de telle façon que cette dignité personnelle
[*apparaître*, subj. prés.] dans toute notre manière de vivre, dans notre
tenue, dans notre langage : par là nous [*conquérir*, fut. simple] l'estime
de tous et nous [*acquérir*, fut. simple] une fierté de bon aloi, qui
ne [*se confondre*, fut. simple] en aucun cas avec l'orgueil. D'ailleurs
l'homme qui a le sentiment de la dignité personnelle [*connaître*, ind.
prés.] ses faiblesses et [*convenir*, ind. prés.] qu'il a ses défauts, et jamais
il ne [*se complaire*, ind. prés.] dans l'admiration de soi-même ; la
vanité ne [*corrompre*, ind. prés.] pas sa simplicité naturelle et ne le [*convaincre*, ind. prés.] pas qu'il est supérieur à tout son entourage.

439. — Mettez à la forme indiquée les verbes en italique.

[Gr. § 349 : *courir-dormir*.]

a) 1. L'homme droit ne [*se départir*, ind. prés.] jamais de son
devoir. — 2. Si vous [*se dédire*, ind. prés.] comment inspirerez-vous
encore la confiance ? — 3. Qu'il est agréable de contempler, par

un beau crépuscule de juin, l'ombre qui [*croître*, ind. prés.] et remplit peu à peu la vallée ! — 4. Si vous ne [*dire*, ind. prés.] que la moitié de la vérité, vous ne [*devoir*, fut. simple] pas vous étonner qu'on en [*déduire*, subj. prés.] que vous êtes un demi-menteur. — 5. Il en est qui proclament : Nous [*cueillir*, fut. simple] de beaux lauriers, nous [*courir*, id.] la carrière des honneurs, on nous [*couvrir*, id.] de gloire, mais il n'ont pas même fait le compte de leurs aptitudes, de leurs qualités et de leurs vertus.

b) 1. Quand l'homme [*descendre*, ind. prés.] la pente de sa vie, ses forces [*décroître*, id.] et ses facultés [*défaillir*, id.]. — 2. Les enfants [*dormir*, ind. prés.] beaucoup les vieillards, peu ; quant aux adultes, il ne faudrait pas qu'ils [*dormir*, subj. imparf.] ordinairement plus de huit heures par jour. — 3. Jamais aucun homme sensé ne [*disconvenir*, passé s.] que l'ordre vaut mieux que le désordre. — 4. Comportez-vous de façon qu'on ne [*devoir*, subj. prés.] pas vous ramener rudement dans la voie du devoir et ne [*se départir*, impér. prés. 2e p. pl.] jamais de l'obéissance que vous [*devoir*, ind. prés.] à vos parents et à vos maîtres.

440. — Faites entrer les expressions suivantes dans de petites phrases, en mettant les verbes à la forme indiquée :

[Gr. § 349 : *courir-dormir.*]

1. Découvrir un vaste paysage [passé simple, 1re p. pl.] — 2. Détruire une réputation [ind. prés., 3e p. s.]. — 3. Devenir pauvre [fut. simple, 3e p. pl.]. — 4. Dire la vérité [subj. prés., 2e p. s.]. — 5. Dissoudre l'ordre social [cond. prés., 3e p. s.]. — 6. Se départir du respect qu'on doit à la vieillesse [gérondif]. — 7. Croître en vertu [ind. prés., 2e p. s.]. — 8. Déchoir de son rang [fut. simple, 1re p. pl.].

441. — Mettez à la forme indiquée les verbes en italique.

[Gr. § 349 : *abattre-dormir.*]

Les Petites Vanités.

Les petites vanités [*croître*, ind. prés.], semble-t-il, à mesure que la valeur réelle [*décroître*, ind. prés.] ; elles [*apparaître*, ind. prés.] d'ordinaire chez les gens qui jamais n'[*acquérir*, fut. simple] aucune de ces qualités solides qui [*convenir*, passé simple] de tout temps à des hommes d'élite. Ah ! si ces gens ne [*bouillir*, ind. imparf.] pas d'une sorte d'impatience de paraître, on n'[*apercevoir*, cond. prés.] peut-être pas leur médiocrité ; un peu de modestie [*concourir*, cond. prés.] même à leur donner un certain charme. Mais hélas ! la médiocrité est souvent prétentieuse : elle [*se complaire*, ind. prés.] dans l'admiration d'elle-même et elle [*se convaincre*, ind. prés.] qu'elle est douée d'une valeur telle qu'il est légitime qu'elle [*acquérir*, subj. prés.] une réputation et que l'on [*dire*, subj. prés.] partout son mérite. Il n'est pas rare cependant qu'elle [*déchoir*, subj. prés.] du rang où elle s'est haussée.

442. — Mettez à la forme indiquée les verbes suivants :
[Gr. § 349 : *s'ébattre-fuir*.]

1. *Échoir* [cond. prés., 3ᵉ p. s.]. — 2. *Éclore* [subj. prés., 3ᵉ p. s.]. — 3. *Enclore* [fut. simple, 1ʳᵉ p. s.]. — 4. *Envoyer* [ind. imparf., 1ʳᵉ p. pl.]. — 5. *Faillir* [fut. simple, 1ʳᵉ p. pl.]. — 6. *Faire* [subj. imparf., 3ᵉ p. s.]. — 7. *Fuir* [subj, prés., 1ʳᵉ p. pl.]. — 8. *Équivaloir* [subj. prés., 3ᵉ p. s.].

443. — Mettez à la forme indiquée les verbes en italique.
[Gr. § 349 : *s'ébattre-fuir*.]

a) 1. Nous [*enclore*, ind. prés.] dans notre cœur le souvenir des bienfaits reçus. — 2. Quoi que nous [*écrire*, subj. prés.], il faut que nous [*fuir*, subj. prés.] la platitude et la bassesse. — 3. [*Faire*, impér. prés., 2ᵉ p. pl.] tout votre devoir : ainsi vous ne [*faillir*, fut. simple] pas à l'honneur. — 4. Dieu ne nous [*envoyer*, fut. simple] pas d'épreuves d'où nous ne puissions sortir meilleurs, pourvu que nous [*entendre*, subj. prés.] bien le sens de la souffrance. — 5. Que le vrai héros ne [*s'endormir*, subj. prés.] pas sur ses lauriers.

b) 1. Si quelque honneur vous [*échoir*, ind. prés.], ne vous enflez pas d'orgueil ; pensez qu'il [*échoir*, cond. prés.] peut-être avec plus de raison à tel de vos subordonnés. — 2. Quand un commerçant [*faillir*, ind. prés.,], le jugement déclaratif de la faillite lui ôte l'administration de ses biens. — 3. Qu'il [*falloir*. subj. prés.] se défier des flatteurs, nous en convenons aisément, et cependant nous ne les [*fuir*, ind. prés.] guère. — 4. Ne [*faire*, impér. prés., 2ᵉ p. pl.] pas à autrui ce que vous ne voudriez pas qu'on vous [*faire*, subj. imparf.] à vous-mêmes. Cette maxime est plausible, mais celle-ci est autrement noble : [*Faire*, impér. prés., 2ᵉ p. pl.] du bien même à ceux qui vous persécutent.

444. — Faites entrer dans de petites phrases les expressions suivantes, en mettant le verbe à la forme indiquée :
[Gr. § 349 : *s'ébattre-fuir*.]

1. S'enquérir de la vérité du fait [subj. prés., 2ᵉ p. s.]. — 2. Enfreindre les règles du savoir-vivre [fut. simple, 3ᵉ p. s.]. — 3. Encourir le mépris public [cond. prés., 1ʳᵉ p. s.]. — 4. S'émouvoir

à la vue de la souffrance [fut. simple, 1re p. pl.]. — 5. Entrevoir des obstacles [ind. imparf., 1re p. pl.]. — 6. Exclure les gens pervers [fut. simple, 2e p. s.]. — 7. Fleurir partout [ind. imparf., 3e p. pl.].

445. — Mettez à la forme indiquée les verbes en italique.
[Gr. § 349 : *geindre-paître*.]

a) 1. Comment prétendrais-tu être estimé si tu [*haïr*, ind. prés.] ce qui est estimable ? — 2. Dieu défend que l'on [*mentir*, subj. prés.] et que l'on [*médire*, id.] ; il veut que l'on [*mettre*, id.] tous les soins possibles à éviter le mal. — 3. Charles-Quint [*naître*, passé simple] à Gand en l'an 1500 ; il [*mourir*, id.] au monastère de Yuste en 1558. — 4. C'est peu de dire : je [*mourir*, fut. simple] un jour ; il faut tirer de la nécessité de mourir des motifs de bien vivre. — 5. Que de gens [*nuire*, passé simple] à leur santé en vivant dans la mollesse !

b) 1. Se peut-il que tu [*plaire*, subj. prés.] aux méchants et que tu [*se mouvoir*, id.] sans remords dans leur société, toi qui [*naître*, passé simple] dans une famille où l'on [*mettre*, passé simple] toujours son honneur à faire fleurir les plus hautes vertus ? — 2. Certains fermiers [*moudre*, ind. prés.] eux-mêmes les graines destinées à la nourriture de leur bétail. — 3. Il faut que, par la méditation, nous [*moudre*, subj. prés.] en quelque sorte certaines vérités pour que notre âme s'en imprègne. — 4. Que de trésors [*gésir*, ind. prés.] au fond des mers ! — 5. [*Haïr*, impér. prés., 2e p. pl.] le mal, mais [*s'interdire*, id.] de nuire aux méchants, ne [*médire*, id.] pas d'eux.

446. — Mettez les verbes suivants à la forme indiquée :
[Gr. § 349 : *geindre-paître*.]

a) A la 1re pers. du futur simple : 1. Geindre. — 2. Inclure. — 3. Méconnaître. — 4. Oindre. — 5. Paître. — 6. Moudre.

b) A la 1re pers. du passé simple : 1. Nuire. — 2. Interdire. — 3. Maintenir. — 4. Luire. — 5. Lire. — 6. Se méprendre.

c) A la 2e pers. du pluriel de l'impér. prés. : 1. Haïr. — 2. Interdire. — 3. Ne pas maudire. — 4. Ne pas médire. — 5. Ne pas mentir. — 6. Moudre. — 7. Oindre.

447. — Mettez à la forme indiquée les verbes en italique.
[Gr. § 349 : *geindre-paître*.]

a) 1. L'homme sage ne [*se repaître*, ind. prés.] pas de vains espoirs et de folles imaginations. — 2. Faut-il s'étonner qu'il [*pleuvoir*, subj.

prés.] sur le champ de l'impie comme sur le champ du juste ? Faudrait-il qu'il ne [*pleuvoir*, subj. imparf.] que pour les gens de bien ? —
3. Il n'est guère de difficultés qu'une volonté persévérante ne [*pouvoir*, subj. prés.] surmonter. — 4. Si vous [*prédire*, ind. prés.] ce qui se produira, rappelez-vous que l'avenir appartient à Dieu. — 5. Il ne faut pas que la faveur [*prévaloir*, subj. prés.] sur le mérite.

b) 1. Que l'on [*parcourir*, subj. prés.] le cercle des connaissances humaines et l'on [*reconnaître*, fut. simple] que notre science est toujours courte par quelque endroit. — 2. Comme notre expérience est étroite, nous [*recourir*, fut. simple] à celle de nos parents. —
3. Quelques esprits perspicaces [*prévoir*, passé simple] la conflagration de 1940. — 4. Bien des gens ne [*prendre*, ind. prés.] pas même la peine d'observer les événements présents ; comme [*prévoir*, cond. prés.]-ils l'avenir ? — 5. [*Se redire*, impér. prés., 2e p. pl.] sans cesse que rien ne [*s'obtenir*, fut. simple] jamais sans effort.

448. — Mettez à la forme indiquée les verbes suivants :
[Gr. § 349 : *paraître-reparaître*.]

a) A la 3e pers. du sing. de l'ind. prés. : 1. Plaire. — 2. Prévaloir.
— 3. Poindre. — 4. Renvoyer. — 5. Reconquérir. — 6. Se rasseoir.

b) A la 3e pers. du sing. du passé simple : 1. Reparaître. — 2. Réélire. — 3. Proscrire. — 4. Recoudre. — 5. Recourir. — 6. Prévoir.

c) A la 3e pers. du sing. du fut. simple : 1. Parcourir. — 2. Pourvoir. — 3. Prévaloir. — 4. Prévoir. — 5. Recourir. — 6. Renvoyer.

449. — Mettez à la forme indiquée les verbes en italique.
[Gr. § 349 : *repartir-subvenir*.]

a) 1. Si tu [*se résoudre*, ind. imparf.] à descendre en toi-même, tu [*rompre*, cond. prés.] plus facilement les liens de tes mauvaises habitudes. — 2. Lorsqu'un balcon [*saillir*, ind. prés.] exagérément sur le mur, l'harmonie de la façade en est gâtée. — 3. Moïse frappe le rocher : aussitôt les eaux [*saillir*, ind. prés.] en abondance. — 4. Une broderie bleue [*ressortir*, ind. prés.] bien sur un fond gris. — 5. Il ne faut pas vouloir expliquer par des raisons littéraires des questions qui [*ressortir*, ind. prés.] à la politique.

b) 1. Nous [*se ressouvenir*, ind. prés.] volontiers des joies de notre tendre enfance. — 2. Je ne [*savoir*, subj. prés.] pas qu'il existe des méthodes faciles pour apprendre des choses difficiles. — 3. La justice demande qu'on [*répartir*, subj. prés.] équitablement les impôts entre les citoyens. — 4. Si quelqu'un, dans une discussion, vous [*repartir*, ind. prés.] par des injures, gardez-vous de répliquer sur le même ton.

— 5. Quand la nécessité [*requérir*, ind. prés.] que vous [*restreindre*, subj. prés.] votre train de vie, [*savoir*, impér. prés. 2e p. pl.] vous imposer le sacrifice de vos aises.

450. — **Faites entrer dans de petites phrases les expressions suivantes, en mettant les verbes à la forme indiquée :**
[Gr. § 349 : *repartir-subvenir*.]

1. Secourir les indigents [fut. simple, 1re p. pl.]. — 2. Se souvenir de ses promesses [subj. prés., 3e p. s.]. — 3. Ressentir une grande joie [ind. prés., 2e p. s.]. — 4. Résoudre de se corriger [gérondif]. — 5. Se servir de moyens frauduleux [ind. imparf. 2e p. pl.]. — 6. Rire aux éclats [subj. prés., 1re p. pl.].

451. — **Mettez à la forme indiquée les verbes en italique.**
[Gr. § 349 : *suffire-vouloir*.]

a) 1. Que nous ne [*valoir*, subj. prés.] que par nos qualités réelles et que les qualités de notre cœur [*valoir*, id.] mieux que celles de notre esprit, on ne le contestera guère. — 2. Si la culpabilité de l'accusé restait douteuse, le tribunal [*surseoir*, cond. prés.] à l'exécution de l'arrêt ; en ne [*surseoir*, part. prés.] pas à cette exécution, il risquerait de frapper un innocent. — 3. Il faut que les sens et les passions [*se taire*, subj. prés.] si l'on [*vouloir*, ind. prés.] entendre la voix de la vérité. — 4. Les grands écrivains [*se survivre*, passé simple] toujours dans leurs œuvres. — 5. Les anciens Belges [*se vêtir*, ind. imparf.] d'une tunique à manches, de culottes ou braies et quelquefois d'une peau de bête.

b) 1. [*Vouloir*, impér. prés., 2e p. pl.] me répondre sincèrement : avez-vous goûté un plaisir durable en [*suivre*, part. prés.] d'autres sentiers que ceux de la vertu ? — 2. [*Se vaincre*, impér. prés., 1re p. pl.] nous-mêmes : ce sera un beau triomphe ; d'ailleurs celui qui [*se vaincre*, ind. prés.] soi-même [*venir*, fut. simple] à bout de bien des difficultés, parce qu'il [*tenir*, fut. simple] dans ses mains toutes ses énergies. — 3. Que nous le [*vouloir*, subj. prés.] ou non, nos actes nous [*suivre*, fut. simple] ; il importe donc que nous [*vivre*, subj. prés.] de telle sorte que le remords ne [*venir*, subj. prés.] pas accabler notre vieillesse. — 4. Pour réussir, il [*suffire*, cond. prés.] souvent de vouloir : [*vouloir*, impér. prés., 1re p. pl.] donc et nous [*voir*, fut. simple] le succès couronner nos efforts.

452. — **Composez de petites phrases où vous ferez entrer les expressions suivantes, en mettant le verbe à la forme indiquée :**
[Gr. § 349 : *suffire-vouloir*.]

1. Suivre le droit chemin [impér. prés. 1re p. pl.]. — 2. Tressaillir de bonheur [fut. simple, 2e p. s.]. — 3. Surseoir à l'exécution d'un

projet [fut. simple, 1re p. pl.]. — 4. Valoir quelque chose [subj. prés., 1re p. pl.]. — 5. Vêtir les indigents [ind. imparf., 3e p. s.]. — 6. Vivre des jours d'angoisse [passé simple, 3e p. pl.].

VERBES IRRÉGULIERS : RÉCAPITULATION

453. — Mettez à la forme indiquée les verbes en italique.

[Gr. § 349.]

a) 1. Quelque bien bien qu'on nous [*dire*, subj. prés.] de nous, on ne nous apprend pas grand-chose de nouveau. — 2. L'accent d'un homme sincère [*émouvoir*, fut. simple] toujours les âmes éprises de vérité. — 3. Dans la pénombre du crépuscule, les marronniers [*bruire*, ind. imparf.] doucement. — 4. Si nous [*voir*, ind. imparf.] bien les événements présents, nous [*prévoir*, cond. prés.] mieux l'avenir. — 5. Il y a des difficultés qu'on ne [*vaincre*, ind. prés.] qu'au prix d'une énergie extrême.

b) 1. Faites quelques efforts, [*vouloir*, impér. prés., 2e p. pl.] avec constance et vous arriverez au succès. — 2. Pour devenir des hommes, il [*suffire*, ind. prés.] souvent que nous le [*vouloir*, subj. prés.]. — 3. La flatterie des autres ne nous [*nuire*, cond. prés.] pas tant si nous ne nous flattions pas nous-mêmes. — 4. Agissons de manière que notre élévation ne [*dépendre*, subj. prés.] pas de la fortune. — 5. Il ne faut pas que notre amour-propre et notre honneur [*prévaloir*, subj. prés.] sur nos lumières naturelles.

454. — Mettez à la forme indiquée les verbes en italique.

[Gr. § 349.]

Aimer sa profession.

Il convient que vous [*savoir*, subj. prés.] aimer votre profession, car elle [*résoudre*, ind. prés.] pour vous bien des problèmes de conduite et elle [*accroître*, ind. prés.] votre valeur morale. Ne [*médire*, impér. prés., 2e p. pl.] pas d'elle, et ne la [*maudire*, impér. pl.] jamais. Ne la [*tenir*, impér. prés., 2e p. pl.] pas pour inférieure à quelque autre, car vous en [*méconnaître*, cond. prés.] la véritable dignité.

Est-il vrai, en somme, pour un homme qui [*comprendre*, cond. prés.] bien l'échelle des mérites et qui [*faire*, cond. prés.] toutes choses avec conscience, que telle profession [*valoir*, subj. prés.] mieux que telle autre ? Toutes les professions, qu'on [*vouloir*, subj. prés.] bien le reconnaître, sont égales, puisqu'elles sont toutes nécessaires. Il n'est

nullement admissible que l'une [*prévaloir*, subj. prés.] sur l'autre ;
la société a un égal besoin d'elles toutes et on [*prévoir*, cond. prés.]
un désordre extrême si elles ne [*concourir*, ind. imparf.] harmonieuse-
ment au bien-être général. Chérissez votre profession : c'est elle
qui [*vaincre*, ind. prés.] les difficultés quotidiennes, c'est elle qui [*pourvoir*, fut. simple] à vos besoins.

**455. — Employez dans de petites phrases les expressions suivantes,
en mettant le verbe à la forme indiquée :   [Gr. § 349.]**

a) 1. Rompre ses engagements [passé simple, 3ᵉ p. pl.]. — 2. Re-
faire une promenade [subj. prés., 2ᵉ p. pl.]. — 3. Bouillir de colère
[ind. imparf., 1ʳᵉ p. pl.]. — 4. Acquérir de l'expérience [subj. prés.,
2ᵉ p. s.]. — 5. Envoyer sa lumière [ind. prés., 3ᵉ p. s.].

b) 1. S'émouvoir au spectacle de la douleur [ind. pr.s, 1ʳᵉ p. pl.].
— 2. Ne pas en vouloir à tout le monde [impér. prés, 2ᵉ p. pl.]. —
3. Subvenir à nos besoins [subj. prés., 1ʳᵉ p. pl.]. — 4. Satisfaire à
la volonté de ses parents [fut. simple, 3ᵉ p. s.]. — 5. Prévoir le danger
[cond. prés., 1ʳᵉ p. pl.].

**456. — Mettez à la forme indiquée les verbes en italique.
                                            [Gr. § 349.]**

a) 1. Un danger que nous [*courir*, cond. prés.] [*suffire*, id.] parfois
pour que nous [*se résoudre*, subj. prés.] à changer de conduite. —
2. Les idées qui forment antithèse [*ressortir*, ind. prés.] mieux par leur
opposition. — 3. Il y a des poèmes modernes qui [*ressortir*, ind. prés.] à
la musique plutôt qu'à la littérature. — 4. Comment voulez-vous qu'on
[*répartir*, subj. prés.] les richesses par parts égales, puisqu'il existera
toujours entre les hommes une extrême inégalité physique et morale ?

b) 1. Si nous [*repartir*, indic. prés.] de mauvaises raisons, nous
donnons barres sur nous à l'adversaire. — 2. Un chef juste [*répartir*,
indic. prés.] équitablement la besogne entre ses subordonnés. — 3. La
moquerie est dangereuse : elle [*plaire*, ind. prés.] quand elle est délicate,
mais on [*craindre*, ind.] ceux qui [*s'en servir*, id.] trop souvent. — 4. Je
souhaite que tu [*prescrire*, subj. pr.] à ton imagination de justes bornes
et que tu n'[*écrire*, id.] rien qui ne soit juste et vrai. — 5. La sagesse
antique [*inscrire*, passé simple] au fronton du temple de Delphes cet
excellent précepte : [*se connaître soi-même*, impér. prés., 2ᵉ p. s.].

457. — Même exercice.   [Gr. § 349.]

a) 1. On ne [*savoir*, cond. prés.] rien prouver si les mots dont
on [*se servir*, ind. prés.] ne sont pas clairement définis ; et l'on [*contre-*

dire, cond. prés.] moins si l'on [*s'entendre*, ind. imparf.] mieux sur le sens précis des mots qui [*servir*, ind. prés.] à parler des sentiments et de la politique. — 2. Le sage ne [*se départir*, ind. prés.] jamais d'une grande prudence quand il juge la conduite d'autrui ; il [*s'abstenir*, ind. prés.] soigneusement de toute critique inconsidérée. — 3. [*Rompre*, impér. prés., 2ᵉ p. pl.] tout pacte avec les gens pervers et ne [*défaillir*, id.] pas dans la lutte contre les mauvais instincts de votre nature ; [*se convaincre*, id.] que l'homme [*pouvoir*, ind. prés.] et [*devoir*, id.] tendre à une haute perfection morale.

b) 1. Est-il un trésor qui [*valoir*, subj. prés.] une bonne santé ? — 2. Il n'est guère d'absurdités auxquelles la passion ne [*pouvoir*, subj. prés.] conduire un homme. — 3. Ceux qui [*s'asservir*, ind. prés.] à leurs passions sont les plus misérables des esclaves. — 4. Comme il n'y a guère de mots qui [*équivaloir*, subj. prés.] exactement l'un à l'autre, il faut chercher le mot propre, qui [*convenir*, subj. prés.] parfaitement à l'idée à exprimer. — 5. Nos connaissances ne nous [*appartenir*, fut. simple] que si, au moment où nous les [*requérir*, id.], elles se présentent d'elles-mêmes à notre esprit.

458. — Mettez à la forme indiquée les verbes en italique. [Gr. § 349.]

Excelsior !

Vous [*connaître*, ind. prés.] peut-être ce héros d'un apologue américain, cet adolescent qui [*haïr*, ind. prés.] toute bassesse et qui [*résoudre*, ind. prés.] de s'élever jusqu'au sommet d'une montagne ; il [*rompre*, ind. prés.] tout contact avec les mesquines commodités de la plaine et escalade les pentes abruptes, ne [*s'émouvoir*, part. prés.] d'aucun danger et [*poursuivre*, part. prés.] son ascension, parmi les neiges et les bourrasques qui l'[*assaillir*, ind. prés.].

[*Faire*, impér. prés., 2ᵉ p. pl.] comme lui ! [*Se dire*, id.] qu'il importe que vous [*conquérir*, subj. prés.] une place sur les hauteurs. Il ne faut pas que vous [*déchoir*, subj. prés.] jusqu'à vivre comme si le monde [*devoir*, ind. imparf.] se limiter au petit coin où la Providence a placé votre berceau ou bâti votre foyer. Il faut, au contraire, que vous [*vouloir*, subj. prés.] monter sur les sommets ; persuadez-vous que vous [*ne pas défaillir*, fut. simple] et que vous [*vaincre*, fut. simple] tous les obstacles qui [*venir*, fut. simple] se dresser devant vous ; de temps en temps, vous [*se recueillir*, fut. simple] et, dans le rayonnement lumineux de la foi, vous vous élèverez, d'un élan sûr, vers les hautes régions du bien.

D'après le P. Devroye.

459. — Mettez à la forme indiquée les verbes en italique.

[Gr. § 349.]

a) 1. Pour composer un centon, on [*coudre*, ind. prés.] ensemble des vers ou des fragments de vers empruntés çà et là ; certaines conversations ressemblent à des centons : elles [*coudre*, ind. prés.] ensemble des bribes d'idées et d'opinions entendues çà et là. — 2. Il ne faut pas s'étonner que l'on [*exclure*, subj. prés.] de la société des honnêtes gens et que l'on [*couvrir*, id.] de mépris celui qui n'a pas [*craindre*, part. passé] de violer la foi jurée. — 3. Nous ne [*courir*, fut. simple] pas deux lièvres à la fois. — 4. Est-il honorable que tu [*recourir*, subj. prés.] à la ruse pour arriver à tes fins ? — 5. Vous [*recueillir*, fut. simple] peu de fruit de votre travail si vous n'êtes pas persévérant.

b) 1. Vous [*maudire*, ind. prés.] peut-être des contraintes qui ne vous sont imposées que pour votre bien ; vous [*dire*, id.] et vous [*redire*, id.] peut-être qu'on fait peser sur vous un joug intolérable ; vous [*reconnaître*, fut. simple] plus tard votre erreur ; dès maintenant fiez-vous à la sagesse de ceux qui vous [*conduire*, ind. pr.] et [*s'interdire*, impér. prés., 2e p. pl.] les critiques inconsidérées. — 2. Comment [*renvoyer*, cond. prés.]-nous au lendemain les affaires sérieuses si nous avons à cœur de bien remplir chacune de nos journées ? — 3. Les confirmands sont [*oindre*, part. passé] au front avec du saint chrême. — 4. Ne [*nuire*, impér. prés., 1re p. pl.] pas à la réputation d'autrui, puisque nous ne [*vouloir*, cond. prés.] pas que l'on [*nuire*, subj. imparf.] à la nôtre.

460. — Même exercice.

[Gr. § 349.]

a) 1. Comment [*émouvoir*, cond. prés.]-nous les autres si nous ne sommes pas [*émouvoir*, part. passé] nous-mêmes ? — 2. [*Plaire*, subj. imparf., 3ep. s.] au ciel que nous eussions toujours assez de discernement pour reconnaître notre devoir et que nous [*pouvoir*, subj. imparf.] nous en acquitter sans faiblesse ! — 3. L'étude [*offrir*, ind. prés.] à l'homme d'action des refuges où il [*pouvoir*, fut. simple] de temps à autre retrouver sa sérénité. — 4. La mollesse [*dissoudre*, ind. prés.] les forces vives d'un État et [*corrompre*, id.] ses plus belles énergies. — 5. L'infini [*confondre*, ind. prés.] la pensée humaine et nous ne [*concevoir*, id.] que difficilement, par exemple, l'immensité des cieux. — 6. La Providence [*pourvoir*, fut. simple] à nos besoins.

b) 1. Les Aduatiques [*rire*, passé simple] des tours construites par les Romains pour attaquer leur forteresse. — 2. Un homme prudent [*prévoir*, fut. simple] les difficultés et [*savoir*, id.] y faire face. —

3. En nous [*asservir*, part. prés.] à la raison, nous nous affranchissons de plus d'un préjugé. — 4. Je ne [*savoir*, subj. prés.] pas que l'on [*pouvoir*, id.] faire œuvre féconde si l'on ne [*s'astreindre*, id.] pas à une discipline. — 5. Nous n'[*acquérir*, fut. simple] aucune instruction solide si notre étude n'est pas l'occasion d'un effort ou d'un enthousiasme et si nous ne [*vaincre*, ind. prés.] pas notre paresse native.

461. — Même exercice.   [Gr. § 349.]

a) 1. Il n'y a pas d'homme si riche qu'il ne [*devoir*, subj. prés.] recourir à un autre ; il n'y a pas d'homme si pauvre qu'il ne [*pouvoir*, id.] être utile à autrui. — 2. Si vous [*médire*, ind. prés.], vous [*encourir*, fut. simple] le blâme des gens de bien. — 3. Qui, mieux que les parents, [*pourvoir*, cond. prés.] aux besoins de l'enfant ? — 4. Après la bataille de la Sambre, les Nerviens [*envoyer*, passé simple] des députés à César qui se montra clément : il [*pourvoir*, id.] à la conservation des vaincus et [*défendre*, id.] que les autres peuples leur [*nuire*, subj. imparf.]. — 5. Que nous [*servir*, ind. prés.] de croire si nos mœurs [*démentir*, id.] notre croyance ?

b) 1. Tu [*tressaillir*, fut. simple] de bonheur quand tu [*revoir*, id.] le toit de la maison paternelle. — 2. Charlemagne [*ceindre*, passé simple] la couronne de fer des rois lombards. — 3. Vous [*maudire*, ind. prés.] souvent ce qui vous [*nuire*, id.] ; ne [*convenir*, cond. prés.]-il pas que vous [*maudire*, subj. prés.] plutôt votre inaptitude à tirer parti des événements ? — 4. Ne *repartir*, impér. prés., 1re p. pl.] pas par des impertinences à nos parents qui nous reprochent nos fautes. — 5. Vous [*déchoir*, fut. simple] de votre réputation si vous [*mentir*, ind. prés.]. — 6. Il ne convient pas que les hommes [*se prévaloir*, subj. prés.] de leur puissance : il n'est aucun de leurs ouvrages que le temps ne [*dissoudre*, subj. prés.].

462. — Faites entrer dans de petites phrases les expressions suivantes en mettant le verbe à la forme indiquée.   [Gr. § 349.]

1. Interrompre son travail [ind. prés., 1re p. pl.]. — 2. Souscrire à une opinion [subj. prés., 2e p. s.]. — 3. Vouloir fortement [passé simple, 3e p. pl.]. — 4. Déterminer son caractère [subj. prés., 3e p. s.]. — 5. Décevoir nos parents [cond. prés., 1re p. pl.]. — 6. Ne pas craindre l'effort [passé simple, 3e p. pl.].

463. — Mettez à la forme indiquée les verbes en italique.
                                                       [Gr. § 349.]

a) 1. Dieu [*départir*, ind. prés.] ses grâces à qui il lui [*plaire*, id.].

— 2. C'est dans la patience que vous [*conquérir*, fut. simple] la maîtrise de vous-mêmes. — 3. Nous [*apprendre*, fut. simple] à être libres en [*asservir*, part. prés.] notre volonté aux règles de la morale. — 4. Saint Louis défendit que l'on [*mettre*, subj. imparf.] rien de riche et de précieux sur son tombeau. — 5. [*Souffrir*, impér. prés., 1ʳᵉ p. pl.] patiemment qu'on nous [*reprendre*, subj. prés.] si nous [*commettre*, passé comp.] quelque faute. — 6. Nous ne serions pas raisonnables si nous [*s'asservir*, ind. imparf.] à l'opinion publique.

b) 1. La tortue [*atteindre*, passé simple] le but avant le lièvre. — 2. Il serait à souhaiter que, dans un État, tout [*concourir*, subj. imparf.] au bien public. — 3. [*Fuir*, impér. prés., 2ᵉ p. pl.] les mauvais compagnons : leur malignité [*déteindre*, cond. prés.] sur vous. — 4. Si de grands talents vous sont [*échoir*, part. passé] en partage, n'en tirez pas vanité. — 5. En [*résoudre*, part. prés.] d'abord de petites difficultés, on [*apprendre*, fut. simple] à en résoudre de plus grandes. — 6. Quand tu [*bouillir*, fut. simple] d'impatience, [*savoir*, impér. prés., 2ᵉ p. s.] modérer les élans de ton cœur. — 7. Que nul de vous n'[*enfreindre*, subj. prés.] les règles de la civilité.

464. — Mettez à la forme indiquée les verbes en italique.

[Gr. § 349.]

Le Jardin après la pluie.

Rien ne [*paraître*, ind. prés.] plus agréable, rien ne [*luire*, id.] plus joyeusement qu'un jardin après une bonne et longue pluie qui a duré plusieurs jours, tombant dru comme des bâtons de verre qui [*se rompre*, cond. prés.]. L'eau bienfaisante [*dissoudre*, passé comp.] toute poussière et [*empreindre*, passé comp.] sur toutes choses une éclatante fraîcheur. C'est alors que le jardin est beau à voir et à respirer. Trempé et gonflé d'eau, il [*sourire*, ind. prés.] et [*répandre*, id.] tant d'exhalaisons qu'il [*tressaillir*, id.], semble-t-il, de joie contenue. On [*se sentir*, ind. prés.] comme baigné et revivifié à son aspect. L'herbe [*atteindre*, passé comp.] une magnificence incomparable ; elle [*croître*, passé comp.] du double et elle [*vêtir*, ind. prés.] les pelouses d'un velours vert qui est une caresse pour le regard. Les fleurs qui, il y a quelques jours, [*défaillir*, ind. imparf.] sous la chaleur [*renaître*, ind. prés.] et [*reprendre*, id.] vigueur. Les feuilles les branches, les plantes, les cailloux eux-mêmes, toutes choses [*boire*, ind. prés.] encore.

D'après H. LAVEDAN.

Syntaxe des Modes et des Temps.

INDICATIF

465. — Justifiez l'emploi du *présent de l'indicatif*. [Gr. § 351.]

a) 1. L'avare *perd* tout en voulant tout gagner. — 2. Reprenons courage : dans quelques heures, nous *sommes* hors de danger. — 3. L'argent *fond* vers 1 000 degrés. — 4. Les barbares sortirent en foule de leur retraite : les uns étaient complètement armés ; les autres portaient une branche de chêne dans la main droite et un flambeau dans la gauche. A la faveur de mon déguisement, je me *mêle* à leur troupe : au premier désordre de l'assemblée *succèdent* bientôt l'ordre et le recueillement et l'on *commence* une procession solennelle. (Chateaubriand.)

b) 1. Si vous *travaillez* mieux le trimestre prochain, vous réussirez à l'examen. — 2. Mon père est absent : il *sort* à l'instant. — 3. Conquiers un diplôme, et je te *procure* un emploi. — 4. Un sonnet sans défaut *vaut* seul un long poème. (Boileau.) — 5. En entrant, Mamette avait commencé par me faire une grande révérence, mais d'un mot le vieux lui coupa sa révérence en deux. — C'est l'ami de Maurice ... Aussitôt la voilà qui *tremble*, qui *pleure*, *perd* son mouchoir, qui *devient* rouge... (A. Daudet.) — 6. Mais hier il m'*aborde* et, me tendant la main : Ah ! Monsieur, m'a-t-il dit, je vous *attends* demain. (Boileau.)

466. — Même exercice. [Gr. § 351.]

Un Sauvetage.

Avant-hier me promenant au bord du fleuve, je suivais de l'œil un petit batelet qui voulait passer sous la dernière arche du pont. Tout à coup ce batelet *chavire :* le batelier essayait de nager, mais il s'y prenait mal ; encore quelques maladresses comme celle-là, pensais-je, et il se *noie.* Brusquement l'idée me *vient* de me jeter à l'eau, mais il faisait un froid piquant ; j'*ai* des rhumatismes, objectai-je intérieurement. Quelqu'un le sauvera bien, me dis-je en m'éloignant. Soudain j'*entends* un cri du batelier : « Au secours, je *suis* perdu ! » Je *redouble* le pas. Tout à coup je m'*arrête :* Si tu ne *portes* secours à cet homme, pensais-je, dans un quart d'heure il *est* noyé. J'hésitais cependant. Mais une voix cria en moi-même : « Tu *es* un lâche ! » Aussitôt je m'*élance*, je me *jette* à l'eau et je *sauve* l'homme.

D'après STENDHAL.

467. — Justifiez l'emploi de l'*imparfait de l'indicatif.*
[Gr. § 352.]

a) 1. Le rat de ville et le rat des champs se *régalaient,* quand un bruit à la porte de la salle troubla leur beau festin. — 2. Si tu *réglais* mieux ton travail, tu te classerais parmi les premiers. — 3. Les soldats romains n'*avaient* point proprement d'esprit de parti : ils ne *combattaient* point pour une certaine chose, mais pour une certaine personne. (Montesquieu.) — 4. Je *venais* vous demander la place du premier moutardier qui vient de mourir. (A. Daudet.) — 5. Vous avez été absent : vous *deviez* m'avertir.

b) 1. Un malheureux *appelait* tous les jours la Mort à son secours. — 2. Nous *achevions* à peine notre promenade qu'il se mit à pleuvoir. — 3. Ah ! je *devais* m'en douter ! — 4. Vous avez échoué ; et pourtant vous *pouviez* réussir. — 5. Si vous aviez ajouté un mot, il vous *renvoyait.* — 6. En pleine prospérité, au moment même de sa plus haute gloire, brusquement il *mourait.* — 7. Une terrible nouvelle circula : dans peu d'instants, Annibal *entrait* dans la ville.

468. — Justifiez l'emploi du *passé simple* et du *passé composé.*
[Gr. §§ 353-354.]

a) 1. Quand l'hiver *arriva,* la cigale *alla* crier famine chez la fourmi, sa voisine. — 2. Qui ne sait se borner ne *sut* jamais écrire. (Boileau.) — 3. Notre mère *a entouré* notre enfance des soins les plus attentifs et les plus tendres. — 4. La véritable grandeur *a* toujours *inspiré* le respect et la confiance. — 5. Souvenez-vous bien Qu'un dîner réchauffé ne *valut* jamais rien. (Boileau.) — 6. Jamais un élève sérieux n'a *regretté* le temps qu'il *a consacré* à l'étude.

b) 1. Oh ! combien de marins *ont disparu* dans les abîmes de la mer ! — 2. C'est par le travail que l'homme *a dompté* les forces aveugles de la nature. — 3. Une bonne conscience *fut* toujours le plus doux des oreillers. — 4. Attendez-moi : dans quelques minutes, j'*ai terminé* ma besogne. — 5. Si, dans quelques semaines, vous *avez réformé* votre caractère, j'userai d'indulgence envers vous.

469. — Composez sur chacun des thèmes suivants une petite phrase, en faisant, soit du *passé simple,* soit du *passé composé,* un des emplois particuliers que signale la grammaire :
[Gr. §§ 353-354.]

1. Les lointains voyages. — 2. Le mois de mai. — 3. Godefroid de Bouillon. — 4. Notre histoire nationale. — 5. Les fables de La Fontaine. — 6. Nos maîtres.

470. — Justifiez l'emploi du *passé antérieur* et du *plus-que-parfait* de l'indicatif. [Gr. §§ 355-356.]

a) 1. Quand l'orateur *eut obtenu* le silence, il commença son discours. — 2. Mon père m'avait donné un petit coin du jardin à cultiver ; en un clin d'œil, j'*eus bêché* mon terrain. — 3. Ah ! si j'*avais suivi* les conseils de mes parents, mon avenir serait mieux assuré ! — 4. Bonjour, Monsieur. J'*étais entré* pour vous rappeler notre entretien de la semaine dernière. — 5. Quand j'*avais récité* parfaitement ma leçon, ma mère me donnait une image.

b) 1. En quelques jours, les brises tièdes d'avril *eurent ouvert* mille corolles dans les jardins. — 2. Si l'on *avait dit* à nos arrière-grands-pères qu'on franchirait l'Atlantique en quelques heures, ils ne l'auraient pas cru. — 3. Après que les croisés de Godefroid de Bouillon *eurent délivré* la Palestine, ils créèrent le royaume de Jérusalem. — 4. Ah ! si l'on m'*avait averti !* gémissent certains élèves à la fin de l'année scolaire ; ils devraient dire plutôt : Ah ! si j'*avais travaillé* assidûment !

471. — Justifiez l'emploi des divers temps *futurs*. [Gr. §§ 357-359.]

a) 1. La vertu *recevra* sa récompense, le vice *aura* son châtiment. — 2. L'âge *mûrira* votre jugement, mais ce qui *fera* de vous des hommes, c'est la force de votre caractère. — 3. Tes père et mère *honoreras* afin de vivre longuement. — 4. Ah ! mon Dieu ! dit grand-maman ; j'*aurai laissé* mes lunettes au salon : courez me les chercher. — 5. Messieurs, en commençant cette causerie, je *réclamerai* votre indulgence. — 6. On frappe : ce *sera* quelque malheureux sans abri.

b) 1. Je t'avais écrit que je *partirais* de bonne heure ; j'arrive un peu tard : tu me *pardonneras*. — 2. Ah ! mon pauvre ami ! en quelques heures tu *auras vu* périr le fruit de plusieurs années de travail ! — 3. Je me vois obligé de te punir : tu *sauras* que le règlement est formel ; je te *prierai* de t'y mieux conformer à l'avenir. — 4. Quiconque *aura conquis* la maîtrise de ses énergies *accomplira* de grandes choses. — 5. En te quittant ce matin, je me suis dit que tu *aurais terminé* le travail avant midi. — 6. Eh bien ! on *sera* ridicule et je n'*oserai* rire ?

472. — Pour chaque phrase, situez graphiquement le temps des verbes en italique. [Gr. §§ 357-359.]

Modèle : Je *savais* que j'*aurais pris* une décision avant votre retour :

Présent
```
————————|————————|—————————|——————————|————————▶
     savais   aurais pris   retour
```

1. Quand vous m'*aurez déclaré* vos intentions, je vous *donnerai*

quelques avis. — 2. Il *est* midi : hier pourtant, vous m'*avez promis*
que vous *arriveriez* à onze heures. — 3. Ah ! je *suis* content de vous
voir ; votre frère m'*a dit* ce matin que vous *partirez* demain quand
vous *aurez obtenu* votre passeport.

CONDITIONNEL

473. — Justifiez l'emploi du *conditionnel*.   [Gr. § 360.]

a) 1. Si nous nous connaissions mieux, nous nous *corrigerions*
plus facilement de nos défauts. — 2. Si les riches pratiquaient mieux
la charité et si les pauvres comprenaient mieux la pauvreté, il y *aurait*
moins de malheureux. — 3. Mes amis, écoutez-moi : je *voudrais*
vous faire comprendre la beauté du travail. — 4. Eh quoi ! vous
resteriez insensibles aux plaintes des malheureux ! — 5. Selon certaine
tradition, c'est sur le mont Hattinn que le Christ *aurait opéré* la mul-
tiplication des pains. — 6. Pardon, Monsieur, je *voudrais* vous demander un renseignement.

b) 1. Moi ! je *pourrais* trahir le Dieu que j'aime ! (Racine.). —
2. Sans la contrainte de la discipline, vous *risqueriez* de vous égarer ;
sachez donc vous y soumettre, quand même elle vous *semblerait*
pénible. — 3. *Auriez*-vous la bonté de m'accompagner ? — 4. Quand
tu *posséderais* tous les biens de la terre, en *serais*-tu plus heureux ?
— 5. On voit sur la forêt comme de longs voiles qui *flotteraient*. —
6. Des marins phéniciens, entraînés par les tempêtes, *auraient abordé*
en Amérique. — 7. Quand je *saurais* toutes les langues du monde,
si je n'ai pas la charité, je ne suis qu'une cymbale retentissante.

474. — Composez, sur chacun des thèmes suivants, une petite
phrase, en faisant du conditionnel soit l'emploi général, soit un des
emplois particuliers que signale la grammaire :   [Gr. § 360.]

1. Nos progrès. — 2. La colère. — 3. Connaître l'avenir. —
4. Trahir sa patrie. — 5. La cloche du soir. — 6. La patience.

IMPÉRATIF

475. — Justifiez l'emploi de l'*impératif*.   [Gr. § 361.]

1. *Ouvrons* non seulement notre bourse, mais aussi notre cœur
aux malheureux. — 2. *Frappe*, mais *écoute*, disait Thémistocle à
Eurybiade. — 3. Vingt fois sur le métier *remettez* votre ouvrage.
(Boileau). — 4. *Dis*-moi qui tu hantes, je te dirai qui tu es. — 5. Le
héron eût pu faire un excellent repas : carpes, brochets, tanches s'of-

fraient à lui. *Attendons*, se dit-il. — 6. Vous qui pleurez, *venez* à ce Dieu, car il pleure. (Hugo.) — 7. *Ferme* les yeux, et tu verras, disait Joubert.

SUBJONCTIF

476. — Dites ce que le *subjonctif* exprime dans chacune des propositions suivantes (subjonctif indépendant) : [Gr. § 363.]

a) 1. Qu'aucun de vous ne *demande* à la vie un bonheur absolu. — 2. Que le génie humain *ait fait*, dans le domaine de la science, de merveilleux progrès : que valent nos découvertes et nos inventions si nous ne devenons pas meilleurs ? — 3. Gardes, qu'on *obéisse* aux ordres de ma mère. (Racine.) — 4. Moi, que je *perde* le souvenir des bienfaits que j'ai reçus de mes parents ! — 5. *Veuille* le ciel que rien ne nous entraîne hors des voies de l'honneur ! — 6. Bénis *soient* tous ceux qui ont donné leur vie pour le triomphe de la vérité !

b) 1. Qu'on me *comprenne* bien : une fin juste ne peut jamais justifier un moyen injuste. — 2. Je ne *sache* pas que l'on risque de s'égarer en marchant constamment dans le chemin du devoir. — 3. Qu'un revers de fortune vous *fasse* perdre tous vos biens : que ferez-vous si vous manquez de caractère ? — 4. Les grands noms n'élèvent pas, que nous *sachions*, ceux qui sont incapables de les soutenir. — 5. *Fasse* le ciel que vous restiez fidèles aux traditions de vos aïeux ! — 6. Dieu *confonde* ceux qui trament dans l'ombre des complots contre le droit et la justice ! — 7. O la ! madame la belette, Que l'on *déloge* sans trompette. (La Font.)

477. — Composez, sur chacun des thèmes suivants, une phrase où l'on ait un *subjonctif indépendant* : [Gr. § 363.]

1. Le prix du temps. — 2. Oublier les injures. — 3. La bonne humeur. — 4. L'héroïsme obscur. — 5. Être bon.

478. — Justifiez l'emploi du *subjonctif* dans la proposition subordonnée. [Gr. § 364.]

a) 1. Il importe que chacun *comprenne* bien la haute signification du devoir. — 2. Il est possible que les circonstances vous *favorisent*, mais il est impossible que vous *accomplissiez* de grandes choses si vous n'avez pas d'idéal. — 3. Il faut que tu *saches* modérer tes désirs. — 4. Il faut ici-bas, dit Lacordaire, que nous achetions des instants de bonheur par des sacrifices continuels. — 5. Est-il certain que la fortune *fasse* le bonheur ? — 6. Il n'est pas sûr que nous *disions* des choses solides lorsque nous cherchons à en dire d'extraordinaires.

b) 1. Je souhaite que vous *marchiez* toujours dans les voies de l'honneur. — 2. Vos parents désirent que vous *acquériez* des habitudes d'ordre et de ponctualité. — 3. Croyez-vous que l'on *puisse* être juste si l'on ignore la pitié ? — 4. Nous ne doutons pas qu'il ne *faille* se défier des flatteurs, mais nous consentons volontiers qu'on *tienne* registre de nos mérites et nous désirons qu'on les *connaisse* bien. — 5. Que le plus pauvre des hommes *soit* l'avare, on le conçoit aisément. — 6. Craignez que l'oisiveté ne vous *corrompe*.

479. — Même exercice. [Gr. § 364.]

a) 1. Comme notre dignité commande que nous *gardions* toujours la maîtrise de nous-mêmes, il convient que nous nous *exercions* à refréner les élans désordonnés de notre nature. — 2. Obéis si tu veux qu'on t'*obéisse* un jour. — 3. La charité défend que l'on *rende* le mal pour le mal. — 4. Que l'on *risque* de mal juger en jugeant sur les apparences, vous le savez. — 5. Le grand désir de votre mère est que vous *soyez* heureux.

b) 1. Les plus humbles professions sont dignes qu'on se *passionne* pour elles. — 2. Les Romains ne voulaient point de batailles hasardées mal à propos ni de victoires qui *coûtassent* trop de sang. — 3. J'aime un écrivain qui me *fasse* oublier qu'il est auteur. — 4. Il n'est si petit ennemi qui ne *puisse* nuire à la longue. — 5. Chaque homme a dans son cœur un tribunal où il se juge soi-même, en attendant que l'arbitre souverain *confirme* la sentence.

480. — Même exercice. [Gr. § 364.]

a) 1. Soyez attentif aux petites choses ; non qu'il *faille* vous absorber dans un examen ridiculement méticuleux, mais l'observation exacte est excellente. — 2. Donnez ! afin qu'un jour à votre heure dernière Contre tous vos péchés vous *ayez* la prière D'un mendiant puissant au ciel ! (Hugo.) — 3. La vie est trop courte pour que nous en *perdions* une part importante à des bagatelles et à de vains plaisirs. — 4. Il y a des gens qui sont prêts à tout sacrifier, pourvu qu'ils *satisfassent* leur ambition. — 5. Il convient que la puissance d'un prince ne *soit* formidable qu'aux méchants.

b) 1. En attendant que nous *ayons acquis* de l'expérience, suivons docilement les avis de nos parents et de nos maîtres. — 2. Quelque savant que l'on *soit*, on a toujours quelque chose à apprendre. — 3. L'homme serait-il donc, dans la création, le seul être qui ne *dût* pas faire monter sa voix vers le Créateur ? — 4. Les optimistes sont à peu près les seuls qui *fassent* quelque chose en ce monde. — 5. Si on nous décerne une louange sans que nous la *méritions*, considérons-la comme un blâme.

481. — Même exercice.   **[Gr. § 364.]**

a) 1. S'il vous semble que vous savez beaucoup de choses et que vous *croyiez* les bien savoir, persuadez-vous que c'est peu de chose auprès de ce que vous ignorez. — 2. Quelque haute que *paraisse* la sagesse humaine, elle est toujours courte par quelque endroit. — 3. Quand une fois on a trouvé le moyen de prendre la multitude par l'appât de la liberté, elle suit en aveugle, pourvu qu'elle en *entende* seulement le nom. (Bossuet.) — 4. Choisissez vos amis de telle façon que vous en *deveniez* meilleurs. — 5. *Dût* votre amour-propre en recevoir une cuisante blessure, reconnaissez votre erreur quand vous êtes trompé.

b) 1. Évitez même les fautes légères, de crainte que vous ne *soyez entraînés* à en commettre de grandes ! — 2. Où voyez-vous que l'aumône *ait appauvri* personne ? — 3. Les seules lectures qui *soient* vraiment excellentes sont celles qui nous rendent plus sages et meilleurs. — 4. Il n'y a pas de nuage si noir qu'on ne *puisse* lui découvrir une bordure d'argent. — 5. Quelle que *soit* l'issue d'un rêve généreux, il grandit toujours celui qui l'a fait.

482. — Composez sur chacune des données suivantes une phrase où l'on ait un *subjonctif subordonné* :   **[Gr. § 364.]**

a) *Subjonctif après une forme impersonnelle :* 1. La persévérance. — 2. Ne pas médire. — 3. Joies du printemps. — 4. Prévoir les difficultés.

b) *Subjonctif après un verbe d'opinion, de déclaration, de perception :* 1. La fuite du temps. — 2. L'amitié. — 3. Les honneurs.

c) *Subjonctif après un verbe de volonté, de doute, de sentiment :* 1. Un idéal. — 2. Progrès dans les études. — 3. Les flatteurs. — 4. Le ciel étoilé.

d) *Subjonctif après* QUE *dans la subord. compl. d'objet en tête de la phrase :* 1. La reconnaissance. — 2. Nécessité de l'étude. — 3. Importance de l'ordre. — 4. Union, principe de force.

483. — Faites, sur chacun des thèmes suivants, une phrase où l'on ait un *subjonctif subordonné* :   **[Gr. § 364.]**

a) *Subjonctif dans la subord. attribut, ou en apposition, ou compl. d'agent, ou compl. d'adjectif :* 1. Le travail méthodique. — 2. L'argent. — 3. De bons conseils. — 4. L'accomplissement du devoir.

b) *Subjonctif dans la subord. relative :* 1. Charmes de l'hiver. — 2. Les cerisiers en fleur. — 3. Le dévouement. — 4. Devenir meilleur. — 5. Les apparences.

c) *Subjonctif dans la subord. compl. circonstanciel :* 1. L'instruction.
— 2. L'économie. — 3. Les bons livres. — 4. Le travail des champs.
— 5. Les hirondelles. — 6. La calomnie. — 7. Le respect dû à la
vieillesse. — 8. Les sports.

**484. — Mettez au mode convenable (indicatif ou subjonctif) les
verbes en italique.** [Gr. § 364.]

a) 1. J'espère que vous [*rester,* fut.] dignes de vos parents et de
vos maîtres. — 2. Se connaître soi-même vaut mieux que connaître
l'univers : non pas qu'il [*falloir,* prés.] blâmer la science, mais il
faut préférer une conscience droite et pure. — 3. Je souhaiterais
qu'on [*trouver,* imparf.] parmi les hommes tant de probité, de justice et de charité que les tribunaux [*devenir,* imparf.] inutiles. —
4. Je n'ignore pas que rien de grand ne [*s'accomplir,* prés.] sans de
longs efforts. — 5. L'homme devrait s'affermir tellement en Dieu
qu'il n'[*avoir,* imparf.] pas besoin de chercher sans cesse les consolations humaines.

b) 1. Rompez sans retard toute habitude mauvaise, de peur que
vous ne [*devenir,* prés.] les esclaves du vice. — 2. Il est indubitable
que la liberté [*être,* prés.] incompatible avec la faiblesse. — 3. Vous
avez de qui tenir ; je suppose que vous [*comprendre,* prés.] la gravité
des devoirs que la vie vous impose et que vous ne [*consentir,* fut.]
jamais que l'on [*séduire,* prés.] votre honneur. — 4. La conscience
est le meilleur livre de morale que nous [*avoir,* prés.]. — 5. Je prétends
que les qualités du cœur [*être,* prés.] plus nécessaires que celles de
l'esprit.

485. — Même exercice. [Gr. § 364.]

a) 1. Il convient que la justice [*être,* prés.] forte et que la force
[*être,* id.] juste. — 2. L'honnête homme qui dit oui ou non mérite
qu'on le [*croire,* prés.] : son caractère jure pour lui. — 3. Nous voulons
qu'on [*reprendre,* prés.] sévèrement les autres, et nous ne supportons
guère qu'on nous [*reprendre,* id.] nous-mêmes. — 4. Il est rare que
nous [*user,* prés.] de la même mesure pour nous et pour les autres. —
5. L'ambitieux ne réfléchit pas qu'il [*perdre,* prés.] un bien infiniment
précieux : la sérénité de l'esprit.

b) 1. La modestie n'empêche pas que nous ne [*sentir,* prés.] nos mérites. — 2. Les tyrans prétendent qu'on leur [*obéir,* prés.] aveuglément :
ils admettent qu'on les [*haïr,* prés.], pourvu qu'on les [*craindre,* id.].
— 3. Auguste ordonna que les vétérans [*recevoir,* ind. fut. du passé ou
subj. imparf.] leur récompense en argent, et non pas en terres. — 4. Il
n'y a rien que l'on [*devoir,* prés.] mettre avant l'honneur et la dignité.

— 5. C'est bien le moins que l'on [*se souvenir*, prés.] de ceux qui sont morts pour que le pays [*vivre*, id.].

486. — Même exercice. [Gr. § 364.]

a) 1. Il est certain que la pratique du devoir ordinaire [*rendre*, prés.] plus facile l'accomplissement du devoir extraordinaire. — 2. Quelque méchants que [*être*, prés.] les hommes, ils n'oseraient paraître ennemis de la vertu. — 3. Il faut nous persuader qu'écrire [*être*, prés.] un art. — 4. Ayez une conduite telle qu'on ne [*devoir*, prés.] pas vous reprendre constamment. — 5. Tout heureux que mon père me [*pardonner*, plus-que-parf.] ma faute, je pris la résolution d'être plus sage à l'avenir.

b) 1. Cherchez un homme qui [*être*, prés.] vraiment content de son sort : vous ne le découvrirez pas. — 2. Je présume que l'avenir [*être*] pour vous, comme pour tout homme, mêlé de joies et de tristesses. — 3. Prenez garde, en traduisant un auteur, que vous [*saisir*, prés.] exactement le sens de chaque pensée. — 4. Prenez garde que vous ne [*être*, prés.], comme dit Pascal, ni ange ni bête. — 5. Il n'est pas douteux que la science humaine [*être*, prés.] bornée : s'ensuit-il de là qu'il [*falloir*, prés.] la mépriser ?

487. — Même exercice. [Gr. § 364.]

a) 1. Je doute que les avantages matériels, même joints aux qualités de l'esprit, [*suffire*, prés.] pour assurer à l'homme le bonheur auquel il aspire. — 2. Que la vie ne [*être*, prés.] pas tout roses, nous le savons. — 3. Puisque vous vous doutez que des difficultés [*surgir*] plus tard dans votre chemin, il est nécessaire que vous [*acquérir*, prés.] dès maintenant assez de force pour les vaincre. — 4. Le concordat de 1801 stipulait entre autres choses qu'il n'[*y avoir*] plus que quatre fêtes d'obligation. — 5. C'est une dure loi, mais une loi suprême Qu'il nous [*falloir*, prés.] du malheur recevoir le baptême. (Musset.) — 6. Je comprends qu'il [*y avoir*, prés.] parmi les hommes des inégalités sociales. — 7. Je comprends que le tout [*être*, prés.] plus grand que chacune de ses parties. — 8. Quoi que vous [*écrire*, prés.], évitez la bassesse. (Boileau.)

b) 1. Choisissez des amis qui [*avoir*, prés.] une haute idée du devoir. — 2. Les ouvrages bien faits sont les seuls qui [*être*, prés.] dignes de passer à la postérité. — 3. Il n'y a nul portrait si conforme au modèle que l'artiste n'y [*mettre*, prés.] un peu de lui-même. — 4. Il n'est pas vrai que la vieillesse [*être*, prés.] un enfer à la porte duquel on [*devoir*, id.] écrire : « Vous qui entrez ici, laissez toute espérance. » (A. Maurois.) — 5. Vouloir ce que Dieu veut est la seule science Qui nous [*mettre*, prés.] en repos. (Malherbe.)

INFINITIF

488. — Dites quelle est la valeur des *infinitifs* en italique et remplacez chacun d'eux par une forme personnelle.   [Gr. § 366.]

1. Car que *faire* en un gîte à moins que l'on ne songe ? (La Font.) — 2. Moi ! *trahir* mon pays ! comment avez-vous pu le croire ? — 3. Ne pas se *pencher* au dehors. — 4. Comment *payer* nos parents de peines que nous leur avons coûtées ? — 5. Le lièvre, dans sa fuite, passa près d'un étang ; grenouilles aussitôt de *sauter* dans l'eau.

489. — Changer, par l'emploi de l'*infinitif,* la tournure des phrases suivantes :   [Gr. § 366.]

1. Moi, j'oublierais la tendre affection dont mes parents m'ont entouré ! — 2. Pourquoi désirons-nous toujours un changement de condition ? La condition que nous envions a certainement ses inconvénients. — 3. Ah ! mon Dieu ! où irai-je ? où courrai-je ? disait l'avare à qui l'on avait dérobé sa cassette. — 4. Nous marchions depuis le matin. A midi nous fîmes halte à la lisière d'un bosquet. On s'assied sur le gazon, et chacun déballe ses provisions. — 5. C'est l'heure de partir pour l'école. Ma mère, sur le seuil, me fait ses recommandations : sois bien prudent en traversant la rue ! et sois bien sage !

490. — Indiquez la fonction des *infinitifs* en italique. [Gr. § 368.]

a) 1. *Demander* des conseils est une façon de *plaire*. — 2. *Aimer* à *lire* nous permet d'*échanger* des heures d'ennui contre des heures délicieuses. — 3. Le roi Léopold Ier n'avait qu'une ambition : *rendre* son peuple heureux. — 4. Il est fort utile d'*examiner* fréquemment sa conscience. — 5. *Souffrir* pour *expier* est le destin de l'âme. (Lamartine.)

b) 1. Nous désirons *monter* très haut, mais généralement quand nous avons atteint le sommet, nous aspirons à *descendre*. — 2. Gardons-nous de *juger* les gens sur l'apparence. — 3. La charité du pauvre, c'est de *vouloir* du bien au riche. — 4. Faisons tous les efforts possibles pour bien nous *connaître* nous-mêmes. — 5. *Vivre*, c'est *lutter*. — 6. Le meilleur moyen de *rendre* les hommes heureux, c'est de les *rendre* meilleurs.

PARTICIPE PRÉSENT

491. — Dites si les formes en *-ant* sont des *participes présents* ou des *adjectifs verbaux*.   [Gr. §§ 370-376.]

a) 1. Comment se fierait-on à un homme *changeant ?* — 2. Déjà

le premier coq, *lançant* un *vibrant* cocorico, salue le jour *naissant*. —
3. On aime un caractère ferme, n'*hésitant* jamais à obéir au devoir. —
4. Ce n'est pas en *gémissant* qu'un homme énergique affronte les difficultés. — 5. Un silence *apaisant* descend sur la vallée, *enveloppant*
toutes choses d'un voile de douceur.

b) 1. Le coche de la fable gravissait péniblement un chemin
montant. — 2. Dieu *aidant*, nous pourrons faire de notre vie quelque
chose de grand, de *rayonnant*. — 3. L'égoïste, ne *pensant* qu'à son
bien-être ou à son intérêt, se *repliant* constamment sur lui-même,
s'aliène les sympathies. — 4. Un bon livre, en nous *enseignant* l'idéal
d'une grande âme, peut allumer en nous le désir *brûlant* de devenir
meilleurs. — 5. Un homme avide de louanges, *affectant* une modestie
outrée, ajoute l'orgueil à l'hypocrisie.

492. — Discernez les *participes présents* d'avec les *adjectifs verbaux* et dites à quel signe vous les reconnaissez.   [Gr. §§ 370-376.]

Un Bon Livre.

Ce serait un agrément bien *séduisant* que la conversation avec
un ami *sachant* beaucoup de choses et *s'offrant* complaisamment à
vous en faire part. Eh bien ! un peu de discernement *aidant*, nous pouvons tous avoir un tel ami en *prenant* un bon livre.

Cet ami, *se prêtant* à tous nos désirs, *partageant* notre vie quotidienne,
calmant nos peines et *dilatant* nos joies, apportera à notre âme l'aliment
nourrissant ou le charme *apaisant* qu'elle souhaite. C'est un ami sûr,
éclairé, *ne refusant* jamais ses services, ne *s'indignant* pas quand nous
le négligeons, toujours *complaisant*, *souffrant* nos critiques, nos caprices,
notre paresse, nos infidélités même, en *attendant* que nous revenions
à lui.

493. — Faites entrer chacun dans une petite phrase le *participe
présent* et l'*adjectif verbal* correspondant aux verbes suivants :
[Gr. § 375.]

a) 1. Adhérer. — 2. Communiquer. — 3. Convaincre. — 4. Différer.
— 5. Équivaloir.

b) 1. Exceller. — 2. Fatiguer. — 3. Intriguer. — 4. Provoquer.
— 5. Négliger.

494. — Employez, selon le sens, le *participe présent* ou l'*adjectif
verbal* correspondant aux verbes en italique.   [Gr. § 375.]

a) 1. Ne nous croyons pas [*exceller*] en toutes choses ; soyons plutôt humbles. — 2. Dans le paysage chargé de neige, tout est ouaté, les bruits même sont [*différer*] des bruits ordinaires. — 3. On n'aime guère, dans la conversation, les personnages infatués d'eux-mêmes, [*fatiguer*] la compagnie du récit de leurs exploits. — 4. Même les travaux [*fatiguer*] deviennent agréables quand on les accomplit avec cœur. — 5. Certains gens d'affaires, [*différer*] toujours de mettre à jour leur comptabilité, aboutissent à la faillite.

b) 1. Vous élèverez les âmes en leur [*communiquer*] le goût du bien, du beau, du vrai. — 2. Pour qu'un liquide soit en équilibre dans des vases [*communiquer*], il faut que toutes les surfaces libres soient dans un même plan horizontal. — 3. Une parole [*provoquer*] engendre parfois de terribles querelles. — 4. C'est une odieuse politique que celle qui crée l'occasion d'intervenir dans les affaires d'un État voisin en y [*provoquer*] des troubles et en [*intriguer*]. — 5. Ceux qui exercent le pouvoir dans un État doivent se mettre en garde contre les menées des personnages [*intriguer*].

495. — Même exercice. [Gr. § 375.]

a) 1. Les Phéniciens, en [*exceller*] dans l'art de la navigation, restèrent longtemps, dans l'antiquité, le principal peuple marchand du monde ; [*négliger*] la culture intellectuelle et artistique, ils s'occupaient surtout de travaux d'utilité publique. — 2. Comment les élèves [*négliger*] ne s'aperçoivent-ils pas qu'ils perdent un temps précieux ? — 3. Il est des modes [*extravaguer*], dont les gens sensés ne doivent pas suivre les caprices. — 4. Certains personnages croient être intéressants, alors qu'en bouffonnant et en [*extravaguer*], ils ne sont que ridicules.

b) 1. Des efforts [*violer*] ne sont pas toujours l'indice d'une force véritable. — 2. Les Romains, [*violer*] eux-mêmes la foi jurée, reprochaient aux Carthaginois leur « foi punique ». — 3. Dans les compagnies de transport par avion, le personnel [*naviguer*] est choisi avec grand soin. — 4. Les Phéniciens [*naviguer*] jusque dans la mer du Nord tenaient secrètes les routes découvertes par leurs vaisseaux. — 5. Les efforts de nos éducateurs sont [*converger*], mais tout en [*converger*], ils agissent parfois différemment. — 6. Tel professeur est [*exiger*] ? Il n'a pas tort si, en [*exiger*] de vous beaucoup de travail, il n'a en vue que vos progrès.

496. — Accordez, s'il y a lieu, la forme en -*ant*. [Gr. §§ 370-376.]

a) 1. Les bœufs [*mugissant*] et les brebis [*bêlant*] venaient en foule, [*quittant*] les gras pâturages et ne [*pouvant*] trouver assez d'étables pour être mis à couvert. (Fénelon.) — 2. Le soleil descend entre les nuages [*flottant*] légèrement à l'horizon ; bientôt l'ombre s'[*épaississant*] étend sur la vallée ses plis [*mouvant*]. — 3. Quelle variété [*charmant*] dans le chant du rossignol ! Tantôt ce sont des modulations [*languissant*], tantôt ce sont des airs [*précipitant*] les notes comme une cascade [*éparpillant*] des gouttes irisées. — 4. L'exemple des grands hommes doit être comme une lumière [*éclatant*], [*éclairant*] le chemin de ceux qui veulent s'élever jusqu'aux sommets. — 5. [*Confiant*] dans leur forteresse, les Aduatiques poussaient des clameurs [*méprisant*] en [*regardant*] les Romains approcher leurs machines de siège.

b) 1. Nous serons [*compatissant*], empressés à soulager nos frères [*souffrant*] des maux physiques ou moraux. — 2. Les circonstances [*aidant*], nous parviendrons au succès, si du moins nous nous sommes assigné une tâche [*correspondant*] à peu près à nos moyens et si nous sommes énergiques et [*persévérant*]. — 3. Qu'ils sont beaux les efforts de ceux qui vont [*fixant*] leurs regards sur un haut idéal et se [*dépassant*] sans cesse ! — 4. Si vos frères sont tombés dans une faute, ce n'est pas en les [*accablant*] que vous les corrigerez ; une parole [*encourageant*] fera plus qu'une raillerie [*mordant*] : le repentir naît bien plutôt d'une compassion [*obligeant*] que de reproches [*désespérant*].

497. — Même exercice.   [Gr. §§ 370-376.]

a) 1. Défiez-vous des beaux parleurs [*promettant*] toujours, mais ne [*tenant*] aucune de leurs promesses. — 2. La pleine lumière de juillet, [*tombant*] à midi sur les campagnes, répand sur les êtres et les choses une chaleur [*accablant*]. — 3. Une bonne ménagère, s'[*occupant*] diligemment des soins intérieurs de la maison, ne doit pas regarder ses travaux comme [*humiliant*] et serviles ; [*veillant*] à tout, elle contribue puissamment à la prospérité et au bonheur de la famille. — 4. Lorsque, dans une discussion, les opinions se font [*tranchant*], et que, [*haussant*] le ton, les répliques deviennent [*cinglant*], c'est le moment de dominer ses nerfs et de dire des paroles [*apaisant*]. — 5. Voici la pluie [*frappant*] mes vitres à petits coups rapides et [*ruisselant*] sur les tuiles.

b) 1. Déjà les premiers brouillards s'étendent, [*grimpant*] au flanc des coteaux [*jaunissant*] et [*suspendant*] leurs écharpes [*flottant*] à la cime des bois. — 2. Avez-vous observé les gens [*revenant*], les jours de Toussaint, d'une visite à leurs morts ? Beaucoup en reviennent, pour un temps, plus [*aimant*] et [*souffrant*] moins. — 3. Il y a un héroïsme qui se manifeste sous des formes [*saisissant*], par exemple celui des sauveteurs [*arrachant*] à la mort des personnes en danger de se noyer, mais il y a aussi un héroïsme obscur, qui consiste en une suite de petits sacrifices [*formant*] la trame de la vie quotidienne. — 4. Que de gens voient les événements en [*déformant*] leurs contours, ou comme s'ils les regardaient à travers des verres [*grossissant*] !

498. — Même exercice.   [Gr. §§ 370-376.]

Les Mauvaises Habitudes.

Les mauvaises habitudes, s'[*insinuant*] peu à peu en nous, semblent d'abord peu [*exigeant*]. Un peu d'énergie [*aidant*], nous secouerions aisément leur influence encore [*hésitant*] et elles tomberaient comme les flocons de neige [*couvrant*] un manteau qu'on agite. Mais, vous le savez, les flocons [*tombant*] d'une manière continue finissent par couvrir tout le paysage, [*ensevelissant*] chemins, sillons, et jusqu'aux voyageurs [*chancelant*] que le sommeil surprendrait en route.

Où sont les [*brillant*] facultés de tant de gens ? Où sont les promesses d'une enfance [*autorisant*] les plus beaux espoirs ? Elles sont ensevelies [*vivant*] sous les habitudes funestes qui, se [*glissant*] en eux et s'y [*attachant*], ont progressivement tout envahi. Soyons donc toujours [*défiant*] à leur égard. Ceux qui ne veillent pas sur eux-mêmes, un peu de paresse les [*endormant*], perdent leur liberté et il arrive, hélas ! qu'ils deviennent des esclaves, ne [*pouvant*] plus même demander du secours.

D'après Ch. WAGNER.

499. — Même exercice.   [Gr. §§ 370-376.]

a) 1. Notre vie ressemble à ces bâtisses fragiles étayées dans le ciel par des arcs-[*boutant*]. (Chateaubriand.) — 2. Que les bénéfices soient équitablement répartis entre les [*ayant*] droit. — 3. Il est de clairs matins de roses se [*coiffant*]. (A. Samain.) — 4. Que de soi-[*disant*] savants qui ne possèdent qu'une science incomplète et [*chancelant*] ! — 5. Le maître se plaît à encourager les élèves [*persévérant*] courageusement dans leurs efforts. — 6. Des brises [*errant*] flottent doucement, [*caressant*] les haies et les buissons. — 7. Il y a des gens imbus d'eux-mêmes, ne [*doutant*] de rien et [*ayant*] sur toutes choses des opinions [*tranchant*].

b) 1. Les hirondelles [*volant*] très bas, effleuraient de leurs ailes la surface [*luisant*] de l'étang. — 2. On a dit que tous les voyages étaient [*décevant*] et que l'on trouvait toujours [*charmant*] l'heure du retour à la maison. — 3. Le drapeau, c'est l'honneur du régiment, ses gloires et ses titres [*flamboyant*] en lettres d'or sur des couleurs fanées [*évoquant*] des victoires [*éclatant*]. — 4. Que de tableaux [*ravissant*] on évoque en [*nommant*] la Semois ! — 5. Certaines personnes [*exigeant*] constamment que les autres soient d'une parfaite correction se montrent fort [*complaisant*] envers elles-mêmes.

500. — Même exercice. [Gr. §§ 370-376.]

Ma Belle Patrie.

a) La Patrie, c'est cette [*séduisant*] succession de paysages [*allant*] des coteaux de l'Ardenne aux plages de la Flandre ; ce sont les forêts du Luxembourg [*frémissant*] sous la tempête, les vallées enveloppées de la gaze [*flottant*] des brouillards, les routes [*montant*], [*descendant*] vers les villages, les rivières [*bondissant*] et capricieuses, se [*glissant*] sous les feuillages en [*entraînant*] les truites d'argent ; c'est la Meuse [*roulant*] ses eaux dans une vallée [*charmant*] ; c'est le Hainaut et ses industries si [*florissant*].

b) Ce sont les plaines du Brabant et de la Hesbaye, ne le [*cédant*] à aucune autre région pour la fertilité ; c'est la Campine avec ses marais [*mirant*] les cieux [*changeant*] ; c'est l'Escaut splendide devant Anvers, avec ses larges flots y [*apportant*] quelque chose de l'immensité de la mer ; c'est la Flandre, cultivée comme un jardin ; c'est la dune enfin avec ses villas [*riant*] et sa vaste plage que le flot marin caresse en y [*laissant*] de blancs festons d'écume.

D'après J. DESTRÉE.

PARTICIPE PASSÉ

PARTICIPE SANS AUXILIAIRE

501. — Justifiez l'accord des *participes passés*. [Gr. § 378.]

1. Les bienfaits *reprochés* sont des bienfaits *perdus*. — 2. Une heure *consacrée* à un travail *soutenu* vaut mieux qu'une journée *passée* dans l'oisiveté. — 3. Voici le mois de mai : que de corolles *épanouies !* que de parfums *répandus* dans l'air *attiédi !* que de mélodies *répétées* cent fois dans les buissons *habillés* de verdure nouvelle ! — 4. Il faut, dans bien des circonstances, une patience et un courage toujours *renouvelés*. — 5. Quel beau spectacle qu'un père et une mère *entourés* de l'affection de leurs enfants ! — 6. Quand nous sommes malades, *accablés* par la souffrance, les jours et les nuits nous semblent *chargés* de mélancolie.

502. — Accordez, s'il y a lieu, les *participes passés* en italique. [Gr. § 378.]

a) 1. Une résolution courageusement [*pris*] peut réformer une vie [*livré*] jusque-là à la mollesse. — 2. O vallons [*aimé*] de mon enfance ! Je me plais à me rappeler vos sites [*baigné*] de douceur et

[*paré*] de grâces aussi [*varié*] que les journées de chaque saison. —
3. La terre [*abandonné*] à sa fertilité naturelle et [*couvert*] de forêts
immenses offre, dans certaines régions peu [*exploré*], des tableaux
[*empreint*] d'une grandeur imposante. — 4. [*Ancré*] dans notre âme,
les mauvaises habitudes nous retiennent dans les régions de la médiocrité.

b) 1. Y a-t-il des gens si [*éclairé*] que rien n'échappe à leur intelligence ? — 2. En contemplant la voûte [*étoilé*] et tant de constel-
lations [*semé*] dans l'infini, on ne peut s'empêcher d'élever sa pensée
vers Dieu, créateur de l'univers. — 3. Certaines gens, [*absorbé*] par
leurs affaires ou [*entraîné*] par le tourbillon des plaisirs, ne trouvent
pas le temps de descendre parfois en eux-mêmes. — 4. Un jour,
une heure, une minute même, [*donné*] au bien ou au mal, peut
décider parfois de l'orientation de toute une vie. — 5. [*Lavé*] par
l'air frais du matin, les pâquerettes et les boutons d'or ont l'air
[*repassé*] à neuf.

503. — **Composez sur chacun des thèmes suivants une petite phrase
contenant un ou plusieurs *participes passés sans auxiliaire* :**
[Gr. § 378.]

1. Les nuages. — 2. La Meuse. — 3. La maison paternelle. —
4. Le chien. — 5. Mes livres.

504. — **Accordez les *participes passés* en italique.** [Gr. § 378.]

Action de l'Homme sur la Nature.

Que de trésors [*ignoré*] ! que de richesses nouvelles ! Les fleurs,
les fruits, les grains [*perfectionné*], [*multiplié*] à l'infini ; les espèces
utiles d'animaux [*transporté*], [*propagé*], [*augmenté*] sans nombre ;
les espèces nuisibles [*réduit*], [*confiné*], [*relégué*] ; l'or et le fer, plus
nécessaire que l'or, [*tiré*] des entrailles de la terre ; les torrents [*contenu*] ;
les fleuves [*dirigé*], [*resserré*], la mer [*soumis*], [*reconnu*], [*traversé*]
d'un hémisphère à l'autre ; la terre accessible partout, partout [*rendu*]
aussi vivante que féconde ; les collines [*chargé*] de vignes et de fruits,
leurs sommets [*couronné*] d'arbres utiles et de jeunes forêts ; les déserts
[*devenu*] des cités [*habité*] par un peuple immense ; des routes [*ouvert*]
et [*fréquenté*], des communications [*établi*] partout : tout cela atteste
que l'homme, maître du domaine de la terre, partage l'empire avec
la Nature.

D'après BUFFON.

505. — **Même exercice.**   [Gr. § 378.]

L'Hiver et le Printemps.

L'hiver, saison [*engourdi*], est le temps où la nature, comme [*frappé*] de paralysie, paraît s'enfermer dans la mélancolie. Les insectes [*caché*] dans le sol, les végétaux [*dépouillé*] de leur verdure, les oiseaux [*réduit*] à un régime de famine ou [*relégué*] dans des régions lointaines, les habitants des eaux [*renfermé*] dans des prisons de glace : tout nous présente les images de la langueur.

Mais voici avril et ses brises [*attiédi*] ; les eaux vives courent, [*mêlé*] de lumière et de frissons ; les oiseaux [*réjoui*], poussent à l'envi des appels et des roulades cent fois [*répété*] ; partout les branches, [*couvert*] d'une verdure nouvelle, s'agitent doucement sous les effluves [*embaumé*] de la jeune saison.

PARTICIPE AVEC *ÊTRE*

506. — **Justifiez l'accord des participes passés en italique.**
                                                           [Gr. § 379.]

1. Ne sommes-nous pas *remplis* d'une douce joie quand nous revoyons, après une longue absence, les lieux où sont *restés* tous ceux que nous aimons ? — 2. Il est certain que les bons seront *récompensés* et les méchants *punis*. — 3. Bienheureux ceux qui ont faim et soif de la justice, car ils seront *rassasiés*. — 4. Quand ils sont *arrivés* là où ils voulaient parvenir, les ambitieux sont *dévorés* du désir de monter plus haut encore. — 5. Comme notre expérience est *limitée*, il convient que nous soyons *conseillés* et *dirigés* par ceux qui sont sages et prévoyants. — 6. Quand les chats sont *partis*, les souris dansent. — 7. Ils seront *abreuvés* de toutes sortes de consolations ceux qui *seront* entrés dans la voie du renoncement aux faux plaisirs.

507. — **Accordez, s'il y a lieu, les *participes passés*.**
                                                           [Gr. § 379.]

a) 1. Que d'hommes seraient [*devenu*] meilleurs et plus sages s'ils étaient plus souvent [*descendu*] en eux-mêmes ! — 2. Bien des difficultés seraient [*résolu*] si nous avions de la patience et si nous étions énergiques. — 3. Il ne faut pas que les enfants soient [*élevé*] dans la mollesse. — 4. Soyez [*béni*], mon père et ma mère, qui vous êtes toujours [*montré*] si attentifs à m'enseigner les voies de la justice. — 5. Toutes choses ayant été [*réglé*] par sa vanité ou par son amour-propre, l'insensé se persuade que les plus beaux succès lui sont [*assuré*].

b) 1. Bien des souvenirs émouvants s'attachent aux lieux où nous sommes [*né*]. — 2. Quand le renard et le bouc furent [*descendu*] dans le puits, ils se désaltérèrent, puis ils pensèrent à sortir de là. — 3. Après être [*convenu*] de nos torts, il faut encore que nous nous tirions du désordre où nous sommes [*tombé*] et que nous réparions ce que nous devons réparer. — 4. Le jour paraît ; déjà la colline et le bosquet là-bas sont [*sorti*] de la pénombre.

508. — Même exercice. [Gr. § 379.]

Si...

Ah ! si nous étions [*sorti*] de notre indifférence ou de notre apathie ; si nous étions [*parti*] à point et si nous étions toujours [*arrivé*] exactement à l'heure où il fallait commencer le travail ; si notre énergie fût [*demeuré*] persévérante ; si nous étions [*monté*] sur les hauteurs d'où notre volonté fût [*resté*] maîtresse des événements ; si nous étions [*allé*] toujours le droit chemin sans que ni la vanité ni l'amour-propre fussent jamais [*intervenu*] pour nous en faire dévier ; si nous étions [*rentré*] en nous-mêmes ; si les bonnes résolutions et les fermes propos étaient [*éclos*] dans notre âme ; si tous nos sentiments, toutes nos paroles, toutes nos actions avaient été [*inspiré*] par la justice et la charité... ah ! nous serions [*parvenu*] sans aucun doute à un remarquable degré de perfection morale.

PARTICIPE AVEC *AVOIR*

509. — Justifiez l'accord ou l'invariabilité des *participes passés* en italique. (Règle générale). [Gr. § 380.]

1. Nous sommes heureux quand nous avons *fait* des progrès. — 2. Toutes les bonnes actions que nous avons *accomplies* ont *réjoui* le cœur de nos parents. — 3. Des bons livres que nous avons *lus*, nous pouvons retirer un grand profit. — 4. Je n'ai pas toujours *retenu* toutes les choses que j'ai *étudiées*. — 5. Les leçons que vous avez bien *suivies*, vous les saurez à peu près quand vous les aurez *relues* attentivement. — 6. Nous avons toujours *marché* dans la voie de l'honneur. — 7. Si tu avais *suivi* tous les bons conseils que t'ont *donnés* les personnes expérimentées, tu aurais *acquis* d'excellentes qualités. — 8. Chers amis, on vous a *avertis* des dangers que vous n'aviez pas *aperçus ;* ces dangers, les avez-vous toujours *évités* ? — 9. Les petits États ont toujours plus facilement *prospéré* que les grands.

510. — Accordez, s'il y a lieu, les *participes passés* en italique. (Règle générale.)   [Gr. § 380.]

a) 1. L'avare a-t-il jamais [*joui*] des trésors qu'il a [*accumulé*] ? — 2. Nous nous persuadons plus facilement par les raisons que nous avons [*trouvé*] nous-mêmes que par celles que d'autres nous ont [*donné*]. — 3. Certains résultats que nous avons [*obtenu*] avec difficulté nous ont [*procuré*] plus de joie que si nous les avions [*atteint*] sans aucune peine. — 4. Nous devons pardonner à ceux qui nous ont [*offensé*] et oublier les injures qu'on nous a [*fait*]. — 5. Choisissons bien nos amis, mais quand nous les avons [*choisi*], restons-leur fidèles.

b) 1. Héros de notre pays ! nous ne vous avons pas assez [*admiré*] et nous n'avons pas assez [*célébré*] vos vertus. — 2. Si vous avez [*donné*] une aumône à de pauvres gens, vous les avez [*aidé*] sans doute, mais si vous leur avez [*dit*] de bonnes paroles, vous leur avez peut-être [*rendu*] l'espérance, vous les avez peut-être [*consolé*]. — 3. Chose curieuse : les bonheurs que nous avons [*partagé*] avec autrui, nous les avons [*doublé*]. — 4. Certaines gens s'imaginent que les maux qu'ils ont [*enduré*] étaient les plus cruels qu'on eût jamais [*souffert*]. — 5. Il est sage de ne pas croire inconsidérément toutes les choses qu'on vous a [*rapporté*], car les opinions les mieux fondées, on les a souvent [*déformé*] soit par mauvaise foi, soit par légèreté, soit par ignorance.

511. — Même exercice. (Règle générale.)   [Gr. § 380.]

a) 1. Enfants, aimez vos maîtres, qui ont [*formé*] votre esprit, qui vous ont toujours [*exhorté*] à bien faire, qui vous ont [*montré*] constamment les voies du devoir. — 2. La beauté, le charme du printemps, jamais je ne l'ai mieux [*goûté*] que dans la vallée de la Meuse. — 3. Sachez aimer la profession que vous aurez [*choisi*]. — 4. Notre expérience est souvent faite des erreurs que nous avons [*commis*] et des déboires que nous avons [*subi*]. — 5. Une belle et grande vie, c'est généralement une pensée de jeunesse qu'on a [*réalisé*] dans l'âge mûr.

b) 1. Ce doit être une chose pénible que de quitter la maison qu'on a [*habité*] longtemps et qui gardait le souvenir des parents qu'on a tendrement [*aimé*]. — 2. De tous les pays que nous avons [*visité*] en est-il un plus beau que le nôtre ? — 3. Quand nous avons [*travaillé*] courageusement toute une journée, que nous avons [*accompli*] toutes les tâches qu'on nous avait [*imposé*], la satisfaction intime de notre conscience ne nous paie-t-elle pas de tous les efforts que nous avons [*fait*] ? — 4. Souvent les petits devoirs qu'on a exactement [*rempli*] n'ont pas [*demandé*] moins de force d'âme que les actions héroïques.

512. — Même exercice. (Règle générale.)   [Gr. § 380.]

Le Village au matin.

a) J'ai toujours [*aimé*] la poésie des petits villages, cette poésie
que tout voyageur a [*goûté*], pour peu qu'il soit sensible à l'intimité
qu'il y a [*trouvé*] au contact des jardins, des demeures et des hommes.
La vie au village est toute simple : point de place ici pour les complications qu'ont [*inventé*] les citadins. Le matin, dès que le clairon du
coq a [*sonné*] le réveil, tout s'anime. Tous les bruits familiers qu'on
avait [*entendu*] la veille et qu'avait [*assoupi*] le repos de la nuit, déjà
ont [*ralenti*] et ont [*mêlé*] leurs notes au rythme du moulin ou au chant
de la forge.

b) Bientôt les carrioles qu'on a [*amené*] devant les portes s'em-
plissent pour le marché du bourg voisin. Attention aux volailles qu'on
a [*relégué*] sous la banquette et aux paniers d'œufs qu'on a [*entassé*]
sous la bâche ! Les maisons, les étables, les hangars, se vident et quand,
dans une heure, les gens et les bestiaux les auront [*déserté*], il ne restera
guère au village que les vieillards, les enfants et quelques femmes.

D'après E. PILON.

**513. — Composez, sur chacun des thèmes suivants, une phrase
contenant un *participe passé* conjugué avec *avoir* :**

[Règle générale : § 380.]

1. Les plaisirs de l'hiver. — 2. Le crépuscule à la campagne. —
3. Les fleurs. — 4. Ce que je dois à mes parents. — 5. Quelques grandes
joies de mon enfance.

RÈGLES PARTICULIÈRES

**514. — Accordez, s'il y a lieu, les participes passés en italique.
(*Attendu*, *non compris*, etc. ; *ci-annexé*, *ci-joint*, *ci-inclus*.)**
[Gr. §§ 381-382.]

a) 1. Un jour viendra où nous perdrons tout, nos seuls mérites
[*excepté*]. — 2. L'adversité, dit le poète, peut tout chasser d'une
âme, [*excepté*] la bonté. — 3. On a dû renoncer à cette entreprise,
[*attendu*] les difficultés financières auxquelles on s'est heurté. —
4. [*Vu*] les bons antécédents de l'accusé, on lui a pardonné sa faute. —
5. [*Passé*] ces délais, aucune réclamation ne sera admise. — 6. Lisez
la lettre [*ci-inclus*].

b) 1. [*Excepté*] de la loi commune, les vrais grands hommes con-
tinuent de vivre dans la mémoire de la postérité. — 2. Ce vieillard

a vingt mille francs de revenus, [*non compris*] une petite pension. —
3. [*Entendu*] toutes les parties, le tribunal a décidé que l'affaire serait
jugée séance tenante. — 4. Ces délais [*passé*], les inscriptions ne
seront plus reçues. — 5. Veuillez me retourner sans retard les documents [*ci-joint*]. — 6. [*Ci-inclus*] les factures relatives à votre dernière
commande ; étant [*donné*] la tendance à la hausse, il serait prudent,
croyons-nous, de constituer un stock.

515. — Même exercice. *Attendu, non compris,* etc. ; *ci-annexé,*
ci-joint, ci-inclus.)   [Gr. §§ 381-382.]

a) 1. [*Vu*] la difficulté de réussir, il importe de mettre de notre
côté le plus de chances de succès possible. — 2. Vous trouverez
[*ci-annexé*] la copie du plan que vous avez demandée. — 3. Étant
[*donné*] l'urgence, je vous envoie par exprès le texte de mon discours.
— 4. Veuillez trouver [*ci-joint*] copie du rapport que j'ai présenté
à l'assemblée générale. — 5. Non [*compris*] au compte précédent,
ces sommes ont dû figurer dans les relevés que vous trouverez [*ci-
joint*].

b) 1. Personne, étant [*donné*] la complexité de cette affaire, n'eût
pu, dans un délai si court, s'en faire une opinion bien nette. —
2. [*Supposé*] une brusque rupture des négociations, que ferons-nous ?
— 3. [*Ouï*] les témoins, le tribunal se retirera pour délibérer. —
4. Je vous envoie [*ci-inclus*] une lettre de votre père. — 5. Il est des
hommes qui semblent avoir tout prévu, leur mort [*excepté*]. —
6. [*Passé*] la Toussaint, il ne faut plus guère attendre de journées de
bon soleil.

516. — Accordez quand il y a lieu, les participes passés en italique.
(Coûté, valu, etc. ; **P. P. des verbes impersonnels.)** [Gr. §§ 383-384.]

a) 1. Cette maison ne vaut plus les cinq cent mille francs qu'elle
a [*coûté*]. — 2. Bien des enfants ne se rendent pas compte des peines
qu'ils ont [*coûté*] à leurs parents. — 3. Il ne faut pas nous enorgueillir
des marques d'honneur que notre application et notre bonne conduite
nous ont [*valu*]. — 4. Pensez aux années de travail, aux souffrances
qu'il a [*fallu*] à certains hommes pour assurer leur existence. — 5. Au
nombre des plus grands bienfaiteurs de l'humanité qu'il y ait jamais
[*eu*] il faut placer Pasteur.

b) 1. Ces raisons que vous donnez, les avez-vous bien [*pesé*] ? —
2. C'est la règle du commerce qu'un objet soit vendu pour une somme
supérieure à celle qu'il a [*coûté*]. — 3. Il y a des gens fantasques qui,
bientôt fatigués d'un objet qu'ils viennent d'acheter, sont prêts à
le revendre pour la moitié de la somme qu'il a [*valu*]. — 4. Pendant

les heures qu'a [*duré*] notre souffrance, nous avons gardé notre courage.
— 5. La plupart du temps les avantages que souhaitait l'ambitieux
ne lui sont pas venus aussi grands qu'il les lui eût [*fallu*].

**517. — Même exercice (*Coûté, valu*, etc. ; P. P. des verbes im-
personnels).** [Gr. §§ 383-384.]

a) 1. Il faut ranger Dante au nombre des plus grands poètes qu'il
y ait jamais [*eu*]. — 2. Ah ! les beaux génies qu'il a [*paru*] dans la
Grèce antique ! — 3. Après les trois heures que nous avions [*marché*],
nous ne nous sentions guère fatigués. — 4. Que de grandes choses
ont été accomplies pendant les quarante-quatre ans que Léopold II
a [*régné*] ! — 5. Depuis sa maladie, cette personne ne pèse plus les
quatre-vingts kilos qu'elle a [*pesé*].

b) 1. Saint Paul ne craint pas de rappeler tous les dangers qu'il
a [*couru*] sur terre et sur mer, mais non pour tirer vanité des mérites
que sa foi et son courage lui ont [*valu*]. — 2. Les huit heures que
nous avons [*dormi*] ont réparé nos forces épuisées par une longue
marche et par la chaleur torride qu'il a [*fait*] toute la journée. —
3. Ah ! les heures terribles que nous avons [*vécu*] pendant les bombarde-
ments ! — 4. Ces caisses, les a-t-on bien [*pesé*] ? — 5. Qu'est-ce
que les quatre-vingts ans qu'un homme a [*vécu*] si on les considère
du point de vue de l'éternité ?

**518. — Faites entrer le participe passé de chacun des verbes suivants
dans deux phrases en le prenant d'abord au sens intransitif, puis au
sens transitif (*Coûté, valu*, etc.) :** [Gr. § 383.]

1. Vivre. — 2. Courir. — 3. Peser. — 4. Valoir. — 5. Coûter.

**519. — Justifiez l'accord ou l'invariabilité des participes passés
en italique. (*Dit, dû*, etc. ; P. P. précédé de *l'*, ou d'un collectif, ou
d'un adverbe de quantité.)** [Gr. §§ 385-387.]

1. L'entreprise n'a pas été aussi difficile qu'on l'avait *dit*, elle a
été cependant moins facile que nous ne l'avions *pensé*. — 2. Nous
avons fait tous les efforts que nous avons *pu*, mais nous n'avons
pas obtenu les résultats qu'on aurait *cru*. — 3. Ah ! que de bonnes
actions nous n'avons pas *faites* ! et combien de choses inutiles ou
insignifiantes nous avons *accomplies* ! — 4. Combien le télescope
nous a *découvert* d'astres dont les anciens n'ont jamais soupçonné
l'existence ! — 5. La géométrie est-elle aussi rebutante que quelques
élèves l'ont *prétendu* ? — 6. Je vis s'abattre dans un champ une bande
d'étourneaux que mon coup de fusil eut bientôt *dispersée*. — 7. Le

jardinier me présenta une corbeille de poires qu'il avait *cueillies* une
à une, délicatement.

**520. — Accordez, s'il y a lieu, les participes passés en italique,
(*Dit*, *dû*, etc. ; P. P. précédé de *l'*, ou d'un collectf, ou d'un adverbe
de quantité.)   [Gr. §§ 385-387.]**

a) 1. L'étude de la grammaire n'est sans doute pas aussi difficile
que vous l'aviez [*cru*]. — 2. Certaines gens n'ont jamais su discipliner
leur volonté : que d'énergie ils ont [*dépensé*] en pure perte et que d'échecs
ils ont [*subi*] par leur propre faute ! — 3. Une pile de livres que j'avais
maladroitement [*dressé*] dans un coin s'écroula tout d'un coup. — 4. Ma
passion de la lecture est plus forte encore que vous ne l'avez [*pensé*] :
voyez, dans le coin de ma chambre, cette pile de livres que j'ai [*lu*]
en quelques semaines. — 5. Autant de résolutions nous avons [*pris*],
autant de victoires nous avons [*remporté*] sur notre apathie. — 6. Il n'a
pas obtenu la place qu'il avait [*annoncé*] qu'il obtiendrait.

b) 1. Le grand nombre des fautes que nous avons [*commis*] ne
doit pas nous faire tomber dans le désespoir : une série d'efforts qu'on
a [*commencé*] avec énergie et [*ordonné*] selon une progression persévérante, peut nous ramener dans la voie du bien ; nous constaterons
alors que la pratique de la vertu n'est pas si difficile que nous l'avions
[*estimé*]. — 2. Le peu de joies que nous avons [*goûté*] ne doit jamais
faire monter à nos lèvres aucun blasphème contre la Providence. —
3. Il est impossible de trouver de la main-d'œuvre dans cette ville, à
cause du peu d'habitants que la guerre y a [*laissé*]. — 4. C'est le peu
d'efforts que vous avez [*fait*] qui a causé votre échec. — 5. C'est le
peu d'efforts que vous avez [*fait*] qui expliquent votre succès. —
6. Voici la tisane qu'on m'a [*assuré*] qui vous guérirait.

**521. Justifiez l'accord ou l'invariabilité des participes passés en
italique. (P. P. suivi d'un infinitif.)   [Gr. § 388.]**

1. Tous ces beaux arbres, que j'avais *vus* reverdir à chaque printemps, je les ai *vu* abattre. — 2. Il y a des mélodies que nous avons
entendu chanter des dizaines de fois sans jamais nous en lasser. —
3. Les habitudes qu'on a *laissées* s'invétérer sont bien difficiles à extirper. — 4. Une colère sourde que j'avais *sentie* monter en moi obscur-
cissait mon jugement, mais je ne l'ai pas *laissée* éclater. — 5. J'admire
les vapeurs légères que le matin d'avril a *fait* descendre dans la vallée.
— 6. Les fautes que nous avons *laissé* commettre alors que nous pou-
vions les empêcher, nous sont imputables pour une part. — 7. Voici
la première hirondelle ; l'avez-vous *vue* tourner autour du clocher ?

522. — Accordez, s'il y a lieu, les participes passés en italique, (P. P. suivi d'un infinitif.) [Gr. § 388.]

a) 1. Ceux qui meurent dans la maison qui les a [*vu*] naître ne meurent-ils pas là plus doucement qu'ils ne mourraient ailleurs ? — 2. Un grand-père s'émeut de tout ce qui atteint ses petits-enfants : il s'attriste quand il les a [*vu*] pleurer ou quand il les a [*entendu*] gronder par leur papa. — 3. Qu'ils étaient vifs, ces pinsons que j'ai [*regardé*] construire leur nid dans le pommier de mon jardin ! — 4. Il n'est pas bon que nous obtenions tous les avantages que nous avons [*souhaité*] obtenir. — 5. Nos parents nous ont toujours [*exhorté*] à bien faire. — 6. Savez-vous la leçon que je vous ai [*donné*] à étudier ?

b) 1. On voit parfois des hommes tomber d'une haute situation par les mêmes défauts qui les y avaient [*fait*] monter. — 2. L'exemple que nous donnent les braves gens est excellent, mais quand nous les avons [*regardé*] faire, ayons le courage de les imiter. — 3. Les belles facultés que Dieu vous a données, ne les avez-vous pas [*laissé*] languir faute d'un peu de courage ? — 4. Il y a des réflexions qu'on a [*entendu*] faire des centaines de fois et dont la banalité n'est guère supportable. — 5. Ils sont beaux, les enthousiasmes de la jeunesse ; si vous les avez [*senti*] vibrer en vous, tournez-les vers une noble cause.

523. — Même exercice. (P. P. suivi d'un infinitif.) [Gr. § 388.]

a) 1. Parce que vous avez manqué de tact, les démarches que vous avez [*voulu*] faire sont restées sans résultat. — 2. Même les difficultés qu'on nous a [*appris*] à résoudre nous laissent parfois dans l'embarras. — 3. Le renard et le bouc se sont [*laissé*] glisser au fond du puits. — 4. Les peines que nous avons [*eu*] à endurer ont affermi notre courage. — 5. Il faut admirer ceux qui restent fidèles aux bonnes habitudes qu'on leur a toujours [*vu*] suivre. — 6. Ces gens sont la droiture même ; les vertus qu'on les a [*vu*] pratiquer leur valent l'estime de tous.

b) 1. Cette personne est charitable : je l'ai [*vu*] faire l'aumône. — 2. Cette personne est charitable : je lui ai [*vu*] faire l'aumône. — 3. Vous rappelez-vous la première lettre que vous avez [*eu*] à écrire ? Quel embarras ! Il s'agissait de bien reproduire les quelques phrases qu'on vous avait [*donné*] à copier. — 4. N'oublions jamais les peines que nos parents ont [*eu*] à nous élever. — 5. Êtes-vous de bons défenseurs de la vérité si vous l'avez [*laissé*] battre en brèche sans intervenir ? — 6. J'ai rendu à cet homme les honneurs que j'ai [*estimé*] lui devoir. — 7. Avez-vous toujours suivi la voie qu'on vous a [*affirmé*] être la plus sûre ?

524. — Accordez, s'il y a lieu, les participes passés en italique. (P. P. précédé de *en*.) [Gr. § 389.]

a) 1. La vie est un mélange de biens et de maux : des joies, qui n'en a pas [*goûté*] ? Des souffrances, qui n'en a pas [*enduré*] ? — 2. L'indulgence me paraissait naturelle aux vieilles personnes, parce que ma grand-mère en avait toujours [*montré*] à mon égard. — 3. Les hommes s'attendent volontiers à éprouver plus de satisfactions qu'on ne leur en a [*promis*]. — 4. Vous n'ignorez pas que les efforts sont indispensables pour parvenir au succès ; en avez-vous [*fait*] ? — 5. La lecture est utile : songez aux profits que vous en avez [*retiré*].

b) 1. Des projets, nous en avons tant [*formé*] ! mais combien en avons-nous [*exécuté*] ? — 2. Le vent est un être fantasque ; il aime les aventures, et il en a [*eu*] beaucoup ; il est de tous les pays : combien n'en a-t-il pas [*visité*] ? — 3. Des gens sincères, il y en a assurément ; vous en avez [*connu*]. — 4. J'ai trouvé dans l'étude plus de satisfactions que je n'en avais [*espéré*]. — 5. Autant de batailles il a livrées, autant il en a [*gagné*]. — 6. La crainte que ces personnes éprouvaient, un peu de réflexion les en a [*libéré*].

525. — Justifiez l'accord ou l'invariabilité des participes passés en italique. (P. P. des verbes pronominaux.) [Gr. § 390.]

a) 1. Ils se sont *redressés*. — 2. Ils se sont *heurtés* à de graves difficultés. — 3. Ils se sont *donné* de la peine. — 4. Ils se sont *donnés* tout entiers à une noble cause. — 5. Ces hommes s'étaient *livrés* au jeu. — 6. Ils s'étaient *livré* une guerre cruelle. — 7. Voilà la tâche que je me suis *assignée*. — 8. Ils se sont *querellés*, ils se sont *dit* des gros mots, puis ils se sont *réconciliés*. — 9. Cette besogne, je me la suis *imposée*. — 10. Ils se sont *confié* mutuellement leurs peines.

b) 1. Les grands hommes se sont toujours *survécu* à eux-mêmes. — 2. Rarement deux enfants se sont *ressemblé* comme ces deux-là. — 3. Ma joie s'est *évanouie* tout d'un coup. — 4. Ils se sont *ri* de la difficulté. — 5. Ces personnes se sont *plaintes* de votre négligence. — 6. Ils se seraient *doutés* de quelque chose. — 7. Ma mère s'est toujours bien *plu* dans son foyer. — 8. Voilà les bruits dont ils se sont *faits* l'écho. — 9. Songez aux buts qu'ils s'étaient *fixés* et aux résultats qu'ils se sont *efforcés* d'obtenir. — 10. Ces meubles se sont *vendus* fort cher.

526. — Accordez, quand il y lieu, les participes passés en italique. (P. P. des verbes pronominaux.) [Gr. § 390.]

a) 1. Vos parents se sont [*imposé*] pour vous des sacrifices : ne l'oubliez jamais. — 2. Tous ceux qui se sont [*élevé*] dans l'ordre

moral se sont constamment [*tenu*] dans la voie de l'honneur. — 3. Les
sages se sont-ils [*demandé*] quels profits matériels ils retireraient de la
peine qu'ils se sont [*donné*] pour faire le bien ? — 4. Le printemps
vient : les buissons se sont [*habillé*] d'une fraîche verdure, les corolles
se sont [*ouvert*], les oiseaux se sont [*donné*] la joie de chanter le renouveau. — 5. Les six cents Franchimontois s'étaient [*juré*] de
vaincre ou de mourir.

b) 1. Mes chers amis, ne vous laissez pas entraîner hors de la
voie que vous vous êtes [*tracé*] : c'est celle de l'honneur. — 2. La gloire
dont certains personnages se sont [*enorgueilli*] doit se mesurer aux
moyens dont ils se sont [*servi*] pour l'acquérir. — 3. J'admire ceux
qui se sont [*donné*] pour tâche de faire triompher le droit et la vérité.
— 4. Les croisés se sont [*emparé*] de Jérusalem le 15 juillet 1099. —
5. Presque tous les siècles se sont [*plaint*] d'avoir vu l'iniquité triom-
phante et l'innocence affligée. (Bossuet.) — 6. Beaucoup de gens
seraient devenus sages s'ils ne s'étaient [*imaginé*] qu'ils l'étaient déjà.

527. — Même exercice (P. P. des verbes pronominaux.) [Gr. § 390.]

a) 1. Le soir descend ; tous les bruits se sont [*tu*]. — 2. Nous jugeons
mieux les événements quand se sont [*apaisé*] les vagues de crainte
et d'espoir qui se sont [*succédé*] dans notre âme. — 3. La joie d'une
bonne action, vous vous l'êtes [*procuré*] bien souvent et vous vous
êtes [*dit*], chers enfants, qu'elle était plus douce que beaucoup
d'autres. — 4. On a vu des ambitieux qui s'étaient [*proposé*] de
conquérir le monde entier. — 5. La langue latine s'est [*parlé*] autrefois
en Gaule.

b) 1. Soutenons ceux qui se sont [*fait*] les champions de la vérité.
— 2. Il est beau de voir des hommes qui, après s'être [*disputé*], se
sont [*pardonné*] mutuellement leurs torts et se sont cordialement
[*serré*] la main. — 3. La physionomie que le fourbe s'est [*composé*]
le trahit quelquefois. — 4. Toujours les ivrognes se sont [*nui*] gravement à eux-mêmes et ils se sont [*ôté*] l'estime de leur entourage. —
5. Parfois les événements ont brutalement ôté à certains personnages
les droits qu'ils s'étaient [*arrogé*] et les honneurs dans lesquels ils
s'étaient [*complu*]. — 6. Ils s'étaient [*persuadé*] qu'on n'oserait les
contredire.

528. — Faites entrer chacun dans une phrase les participes passés des verbes suivants (P. P. des verbes pronominaux.) [Gr. § 390.]

1. Se réjouir. — 2. Se plaire. — 3. Se blesser. — 4. Se répandre.
— 5. Se tromper. — 6. Se rire de.

PARTICIPE PASSÉ : RÉCAPITULATION

529. — Accordez, quand il y a lieu, les *participes passés*.
[Gr. §§ 378-390.]

a) 1. Que de bonnes heures j'ai [*passé*] tête à tête avec mes auteurs
[*préféré*] ! — 2. Nous nous sommes parfois [*exagéré*] certaines difficultés : elles auraient été facilement [*résolu*] si nous nous étions [*donné*]
la peine de les bien examiner. — 3. Bossuet a [*créé*] une langue que
lui seul a [*parlé*]. — 4. Des personnages qui s'étaient [*érigé*] en déten-
teurs de la vérité ont été [*convaincu*] d'erreur. — 5. Est-il sage de
tant déplorer les biens matériels que nous avons [*perdu*] ?

b) 1. Les hommes meurent d'ordinaire comme ils ont [*vécu*]. —
2. Aimons le bien, le vrai, le juste et restons-y constamment [*attaché*].
— 3. Que de merveilles le microscope a [*révélé*] aux yeux des natura-
listes et des biologistes ! — 4. Le peu de patience que vous avez [*montré*],
chers amis, vous a [*empêché*] d'attendre l'occasion favorable. — 5. [*Passé*]
la Chandeleur, l'hiver finit ou prend vigueur, si l'on en croit le dicton.

530. — Même exercice.   [Gr. §§ 378-390.]

Au Cimetière du village.

Je pense aux chers morts qu'on a [*enterré*] dans ce petit cimetière,
à ces bonnes gens qui dorment ici leur dernier sommeil, après une
vie tout unie, qu'ils ont [*mené*] simplement, en s'acquittant sans vaine
gloire de la tâche dont ils avaient été [*chargé*]. Depuis le matin où
leurs yeux se sont [*ouvert*] jusqu'au soir où ils se sont [*fermé*], ils ont
[*vécu*] à l'ombre des mêmes arbres qu'ils ont [*vu*] reverdir à chaque
printemps, ils ont [*contemplé*] les mêmes paysages ; des figures familières, ils n'en ont [*connu*] qu'un petit nombre ; leurs jours se sont
tous [*ressemblé*], leurs années se sont [*enfui*] toutes pareilles ; leurs
regards n'ont pas [*dépassé*] la limite de leur étroit horizon. Car ils
ne songeaient pas sans doute, [*absorbé*] par l'habitude, qu'ils pussent
vivre, travailler, mourir ailleurs que là où la Providence les avait
[*fait*] naître. Et comme ils doivent être bien dans ces humbles tombes
où s'agenouillent leurs enfants, autour du clocher qui carillonne aux
mêmes heures les airs qu'ils ont [*entendu*] tant de fois !

D'après Éd. ROD.

531. — Accordez, quand il y a lieu, les *participes passés*.
[Gr. §§ 378-390.]

a) 1. Les hommes se sont parfois [*imaginé*] qu'ils s'étaient [*rendu*] maîtres des événements alors qu'ils étaient [*entraîné*] par eux. — 2. Les choses que nous avons [*appris*] à faire dans notre enfance nous semblent toujours faciles. — 3. Bien des gens se sont [*laissé*] prendre à des apparences séduisantes ; ainsi des personnages qu'ils avaient [*cru*] savants n'étaient que de prétentieux bavards. — 4. Étant [*donné*] l'heure tardive, nous avons [*fait*] halte ; après les dix heures que nous avions [*marché*], il fallait prendre du repos. — 5. Combien de petites victoires nous aurions [*remporté*] si nous avions [*fait*] tous les efforts que nous aurions [*dû*] pour acquérir la maîtrise de nous-mêmes !

b) 1. Ceux qui se sont [*opposé*] à une habitude naissante l'ont facilement [*supprimé*]. — 2. Je vous renvoie [*ci-joint*] les documents que vous m'avez [*prêté*]. — 3. Que de renseignements précieux j'ai [*tiré*] des livres que vous m'avez [*donné*] à lire ! — 4. Un livre, une page, une phrase que nous avons [*lu*], c'est assez parfois pour nous faire abandonner la voie que nous avions [*commencé*] à suivre. — 5. Le peu d'assurance que vous avez [*montré*] a [*produit*] la plus fâcheuse impression.

532. — Même exercice.   **[Gr. §§ 378-390.]**

Savoir gouverner sa joie.

La joie, l'auriez-vous [*cru*], n'est pas toujours si bienfaisante qu'on l'aurait [*pensé*] et ceux qu'elle a [*déséquilibré*] ne sont pas si rares. Depuis le savetier de La Fontaine jusqu'à cette servante que les journaux nous ont [*rapporté*] être morte de saisissement à la nouvelle qu'elle avait [*gagné*] un gros lot, combien de gens se sont [*révélé*] moins forts dans le succès que dans la peine ou dans l'effort ! Oui, les efforts que nous avons [*fait*] nous ont [*amélioré*], parce qu'à chaque instant ils nous ont [*élevé*] un peu au-dessus de nous-mêmes.

Mais la joie que nous avons [*senti*] envahir brusquement notre âme l'a comme [*déréglé*] parfois et nous a [*fait*] tomber dans une sorte de stagnation. Et cependant, les jours de soleil et les jours de pluie, qui ont [*illuminé*] l'âme ou l'ont [*enveloppé*] de brume peuvent être également profitables à ceux qui les ont bien [*employé*] et qu'on a [*vu*] faire très exactement, dans l'anxiété comme dans le contentement, leur besogne quotidienne.

D'après M. Prévost.

533. — Accordez, quand il y a lieu, les *participes passés*.
[Gr. §§ 378-390.]

a) 1. Certains personnages se sont [*prévalu*] de leurs vastes connaissances ; ils ont [*étudié*] mille choses et les ont [*scruté*] ; ils ont [*exploré*] tout, leur conscience [*excepté*]. — 2. [*Ci-inclus*] les pièces que vous m'avez [*réclamé*]. — 3. Les Hébreux quittèrent l'Égypte au nombre de 600.000, [*non compris*] les femmes et les enfants. — 4. Plusieurs se sont [*demandé*] comment cette mère de famille s'y est [*pris*] pour habiller si proprement les cinq enfants qu'elle a [*eu*] à élever.

b) 1. L'estime qu'une bonne conduite nous a [*valu*] est un bien précieux. — 2. Nous nous défions à juste raison de ceux qui se sont [*joué*] de nous. — 3. Combien n'en a-t-on pas [*vu*] négliger la pratique des petits devoirs quotidiens ! — 4. Que de battements d'ailes ! On dirait que toutes les mouettes du littoral se sont [*donné*] rendez-vous sur cette plage. — 5. Le peu d'attention que vous m'avez [*accordé*], mes enfants, m'a donné à penser que vous ne vous êtes pas [*rendu*] compte de l'importance de la leçon.

534. — Même exercice.   **[Gr. §§ 378-390.]**

a) 1. Certaines choses que nous avions longtemps [*désiré*] ne nous ont pas [*procuré*], quand nous les avons [*obtenu*], toute la joie que nous avions [*pensé*]. — 2. Tes enthousiasmes, mon cher père, tu les as [*fait*] passer en moi. — 3. Étant [*donné*] la nécessité d'une culture générale, vous devez vous appliquer à l'étude des diverses branches du programme. — 4. Vos maîtres vous décerneront avec une vive satisfaction les éloges que votre conduite vous aura [*valu*]. — 5. Y a-t-il des enfants qui sont [*resté*] insensibles aux larmes qu'ils ont [*vu*] couler des yeux de leur mère ?

b) 1. Les vieilles gens sont naturellement [*porté*] à trouver préférables aux méthodes récentes celles qu'on leur a [*appris*] à suivre dans leur jeune âge. — 2. Souvent les événements ont [*démenti*] des prévisions que notre naïveté avait [*cru*] infaillibles : les faits que nous avions [*dit*] qui arriveraient ne se sont pas [*produit*] et il s'en est [*passé*] d'autres que nous n'avions pas [*prévu*]. — 3. Que de victoires Napoléon a [*remporté*] pendant les vingt ans que ses armées ont [*parcouru*] l'Europe ! — 4. Honneur aux hommes d'État qui se sont [*donné*] pour mission de faire régner entre les classes sociales un ordre et une paix [*fondé*] sur la justice et sur la charité !

535. — Accordez, s'il y a lieu, les *participes passés* en italique.
[Gr. §§ 378-390.]

La Terre natale.

J'aime ce coin de terre où je suis né ; j'aime les visages familiers de ces bonnes gens que j'ai [*vu*], depuis mon enfance, travailler ici et y vivre cette vie simple qu'ils y ont toujours [*vécu*]. Nous sommes, eux et moi, comme d'une même famille. De nombreux événements se sont [succédé] où nous avons été [mêlé] et où je retrouve les joies et les malheurs que nous avons [éprouvé] ensemble. Des ancêtres communs ont [passé] là comme nous y passons. Ils se sont [survécu] en nous ; les usages et les traditions que nous nous sommes [plu] à suivre, ce sont eux qui nous les ont [laissé] avec les souvenirs et les croyances qu'ils nous ont [légué]. Nous labourons les champs qu'ils ont [labouré], les maisons qu'ils ont [bâti] nous abritent ; voici les arbres qu'ils ont [planté], voici l'église où ils se sont [recueilli], et voici le cimetière où notre piété filiale les a religieusement [couché].

536. — Accordez, quand il y a lieu, les *participes passés*.
[G. §§ 378-390.]

a) 1. Gloire à tous ceux qui se sont [fait] les défenseurs de la justice et de la vérité ! — 2. Madame de Sévigné s'est toujours [félicité] de l'éducation qu'elle avait [reçu] ou qu'elle s'était [donné]. — 3. Que diront pour se justifier ceux qui se sont [épuisé] en folles dépenses et qui se sont [cru] dans l'impuissance d'être charitables, parce qu'ils se sont [imposé] la nécessité d'être ambitieux et superbes ? — 4. Ces arbres-ci ont [donné] des fruits ; ceux-là n'en ont pas [donné] : ils seront [abattu] et [jeté] au feu. — 5. Comme s'ils s'étaient [donné] le mot, les moineaux se sont [abattu] sur les semis que j'ai [fait].

b) 1. La langue qu'ont [écrit] Cicéron et Virgile avait [atteint] un remarquable degré de perfection ; les qualités qu'ont [montré] ces auteurs étaient éminentes, puisqu'elles les ont [fait] admirer durant vingt siècles ; et les ouvrages qu'ils ont [composé] sont incontestablement des chefs-d'œuvre, puisqu'une foule d'esprits [distingué] se sont [plu] à en reconnaître les mérites. — 2. Le peu de persévérance que vous avez [montré] m'afflige. — 3. Toutes les occasions de vous instruire que vous a [offert] la vie quotidienne, ne les avez-vous pas trop souvent [laissé] passer ?

537. — Même exercice.   [Gr. §§ 378-390.]

a) 1. La nuit vient : une à une les rumeurs se sont [tu] ; je contemple en rêvant les étoiles que j'ai [regardé] s'allumer dans le ciel pur. — 2. Depuis des milliers d'années, des générations se sont [succédé] sur la terre ; elles se sont toutes [proposé] la conquête du bonheur. — 3. Quelle somme de travail il a [fallu] pour édifier les pyramides d'Égypte ! — 4. Je me rappelle les joies profondes que m'a [procuré] dans mon enfance ce vieux livre d'images. — 5. Cette fable que j'ai [récité] un jour pour la fête de ma grand-mère, je me la suis [rappelé] avec émotion.

b) 1. [*Vu*] les difficultés du voyage, nous avons [*décidé*] d'ajourner la visite que nous vous avons [*promis*]. — 2. Autant de démarches cet homme a [*fait*], autant de rebuffades il a [*essuyé*]. — 3. Que d'injustices se sont [*commis*] que la justice humaine n'a pas [*connu*] ! Elles seront cependant [*puni*] un jour, par le juge suprême. — 4. Quel est le chasseur qui a [*tué*] tous les lièvres qu'il a [*couru*] ? — 5. La gloire est la dette de l'humanité envers le génie, c'est le prix des services qu'elle reconnaît en avoir [*reçu*].

538. — Accordez, s'il y a lieu, les *participes passés.*

[Gr. §§ 378-390.]

Nos amis les Livres.

Les livres sont des amis sûrs, complaisants, qui ne se sont jamais [*indigné*] quand nous les avons [*négligé*], qui ne se sont pas [*cru*] [*blessé*] quand nous les avons [*contredit*]. Nos caprices, nos critiques, notre paresse, ils les ont patiemment [*souffert*]. De tels amis, on en a toujours [*trouvé*] fort peu dans la société.

Que de travaux, que de recherches ces livres n'ont-ils pas [*coûté*] ! S'ils pouvaient parler, ils nous diraient que les vérités ne se sont [*fait*] jour que très lentement, que les erreurs qu'on a [*eu*] à déraciner ont [*reparu*] après qu'on les a [*eu*] [*extirpé*] ; ils nous diraient toutes les peines que se sont [*imposé*] leurs auteurs pour nous apprendre toutes ces vérités qu'ils ont [*creusé*], [*rendu*] lumineuses, auxquelles ils se sont [*plu*] à rendre une sorte de culte. Ils nous diraient enfin que les travaux de l'esprit non seulement ont [*enrichi*] l'âme, mais l'ont [*calmé*] et [*consolé*] aussi.

D'après M. C. JAMEY.

539. — Même exercice.   [Gr. §§ 378-390.]

a) 1. Une foule de gens, [*persuadé*] que le bonheur est dans les richesses, se sont [*acharné*] à amasser des biens matériels. — 2. Les parents que nous avons [*aimé*], que nous avons [*vu*] mourir, nous nous les sommes [*rappelé*] en ce jour de la Toussaint. — 3. Il y a des vérités que certains hommes n'ont pas [*voulu*] entendre et qui pourtant les auraient [*sauvé*]. — 4. Le coucher de soleil sur la mer déploya des teintes comme je n'en avais jamais [*vu*]. — 5. Vous me parlez de vos peines ; en avez-vous [*éprouvé*] de bien profondes ?

b) 1. Les enfants sont naïfs : j'en ai [*vu*] qui, ayant été [*effrayé*], se sont [*cru*] [*sauvé*] dès qu'ils se furent [*bouché*] les yeux dans le giron de leur mère. — 2. Après s'être [*muni*] de massues et de diverses

armes défensives, les premiers hommes en ont [employé] d'offensives.
— 3. Les compliments que nous ont [valu] nos succès, nous les avons
[entendu] répéter avec plaisir, mais nous ne nous sommes pas [demandé]
s'ils étaient vraiment [mérité] et si on ne nous les avait pas [fait]
par simple complaisance. — 4. Il y a des écrivains qui se sont [plu]
à faire pénétrer les regards des lecteurs dans l'intérieur de leur vie
et qui se sont [livré] au public sans modestie ni pudeur.

540. — Même exercice.   **[Gr. §§ 378-390.]**

Joies du travail.

Sans doute il est des travaux pénibles, mais la joie de la réussite
n'a-t-elle pas souvent [compensé] les douleurs que nos efforts nous
ont [coûté] et ne nous les a-t-elle pas [fait] oublier ?   Le savant se
souvient-il encore des dangers qu'il a [couru], des difficultés de toute
nature qu'il a [rencontré], des veilles qu'il a [passé], lorsque la vérité
s'est soudain [révélé] à son esprit ? L'artiste pense-t-il encore aux
tourments qu'il a [subi], aux dépits que lui ont [causé] ses échecs,
aux angoisses qu'il a [éprouvé] quand enfin s'est [dressé] devant lui
l'œuvre qu'il avait [rêvé] ?

Oui, le travail nous rend au centuple les plaisirs que nous lui avons
[sacrifié]. Lorsque tous ces oisifs qu'on a [vu] languir d'ennui se seront
[fait] une loi de travailler et qu'ils se seront [donné] de la peine, ils
verront leur ennui se tourner en plaisir.

D'après E. RAYOT.

541. — Accordez, quand il y a lieu, les *participes passés*.
[Gr. §§ 378-390.]

Progrès de l'humanité.

a) [Poussé] par leur inquiète curiosité, les hommes ont [fouillé]
dans les entrailles de la terre, ils y ont [découvert] le fer ; ils s'en sont
[habillé], ils se sont [armé] de l'acier, puis se sont [emparé] du feu ;
on leur a [vu] même ravir au ciel la foudre. S'ennuyant sur ces conti-
nents qui les avaient [vu] naître, ils ont [conçu] des projets qu'on eût
[cru] chimériques : après s'être [construit] des édifices flottants, ils
se sont [élancé] sur les mers et de toutes les régions nouvelles qu'ils
avaient [visité] ils ont [rapporté] de nouveaux produits propres à
satisfaire à leurs jouissances ou à leurs besoins.

b) Chemin faisant ils se sont [instruit] ; ils se sont [rendu] compte
que cette terre, qu'ils avaient [cru] plane, est un globe, que la multi-

tude des astres qu'ils ont [*vu*] briller au firmament sont des globes aussi, ils ont [*découvert*] les lois de la gravitation universelle. Après avoir [*dompté*] la nature, ils se sont [*dompté*] eux-mêmes, ils se sont [*imposé*] des règles de conduite ; des plus féroces de tous les êtres ils sont [*devenu*] peu à peu les plus doux : témoin cet admirable saint Vincent de Paul, parcourant la nuit les champs [*couvert*] de neige pour recueillir les enfants que de malheureux parents, [*accablé*] par la misère, avaient [*abandonné*].

D'après Thiers.

CONSTRUCTION DU PARTICIPE ET DU GÉRONDIF

542. — Achevez de transformer les phrases suivantes de telle sorte que le *participe* ou le *gérondif* en italique se rapporte au sujet du verbe principal :   [Gr. § 391.]

Modèle : Je compte sur votre bonne visite ; croyez à ma bien vive sympathie. *Comptant sur votre bonne visite, je vous prie de croire à ma bien vive sympathie.*

a) 1. J'espère que vous accueillerez favorablement ma demande ; daignez agréer l'assurance de mon profond respect. *Espérant que...* — 2. Vous avez examiné cette affaire à la hâte : je ne pense pas que vous ayez pu en démêler la complexité. *Ayant examiné...* — 3. Je souhaite gagner le gros lot d'un million : faites-moi donc parvenir un carnet de dix billets de votre tombola. *Souhaitant gagner...* — 4. Comme j'ai été reçu à mon examen, mes parents m'ont permis d'acheter une bibliothèque. *Ayant été reçu...* — 5. Tu travailles sans méthode ; il me semble que tu ne saurais réussir. *Travaillant sans méthode...*

b) 1. Tandis qu'il disait ces mots, des sanglots entre coupaient sa voix. *En disant ces mots...* — 2. Parce que nous sommes absorbés par les soucis matériels, notre perfectionnement moral ne nous occupe guère. *Absorbés...* — 3. J'avais oublié mon livre ; mon ami m'a prêté le sien. *Ayant oublié...* — 4. Quand vous entrerez dans la vie, bien des difficultés vont se dresser devant vous. *En entrant...* — 5. Si vous êtes armés d'une volonté puissante, bien des difficultés seront aplanies. *Armés...* — 6. Nous nous occupons trop des devoirs des autres, et nos propres devoirs se trouvent négligés. *Trop occupés...*

543. — Complétez les phrases suivantes :   [Gr. § 391.]

a) 1. Ayant peu d'expérience... — 2. Comprenant l'importance de l'étude... — 3. En voyant une telle misère... — 4. Méprisé de tout le monde... — 5. Entouré de tant de soins...

b) 1. Espérant que vous ne refuserez pas d'examiner ma requête...
— 2. Ayant reçu votre précieux encouragement... — 3. Ne pouvant
me rendre à votre aimable invitation... — 4. Étant empêchés de
participer à la cérémonie... — 5. Ayant couru deux lièvres à la fois...

544. — Discernez les *propositions participes* et dites quelle circonstance chacune d'elles exprime.   [Gr. § 392.]

a) 1. La lumière baissant toujours, nous avons dû interrompre nos
recherches. — 2. Nous avons monté jusqu'à ce que, un rocher nous
barrant le passage, nous nous sommes décidés à redescendre. —
3. L'air devenu serein, le pigeon put continuer son voyage. — 4. Le
moissonneur, la journée terminée, contemple avec fierté les gerbes
dressées en dizeaux sur le champ. — 5. Avril venu, la verdure nouvelle
déploie sa fraîcheur.

b) 1. Vous avez résolu de travailler courageusement, et c'est fort
bien ; les circonstances aidant, vos efforts, je l'espère, seront couronnés
de succès. — 2. Les enfants parurent, ouvrant la marche, mais, une
grosse averse tombant brusquement, la procession rentra à l'église.
— 3. Le grand soleil de midi, tombant presque d'aplomb, nous acca-
blait ; quelques-uns d'entre nous étant épuisés de fatigue, nous fîmes
halte au coin d'un bois. — 4. Ayant peu vécu, vous n'avez que peu
d'expérience, mais l'âge venant, vous apprendrez à bien juger les
hommes et les événements. — 5. Le héron, ayant vu dans la rivière
des tanches, dédaigna ce mets ; les tanches rebutées, il trouva des
goujons : il les dédaigna encore. Mais la faim le prenant, il fut tout
heureux de rencontrer un limaçon.

545. — Remplacez par une *proposition participe* les mots en italique.   [Gr. § 392.]

a) 1. *Quand les chats sont partis*, les souris dansent. — 2. *Dès
que la bise fut venue*, la cigale se trouva fort dépourvue. — 3. *Si
les circonstances vous aident*, vos projets pourront réussir. — 4. *Comme
l'habitude est en germe dans le premier acte*, il importe d'éviter une
première faute. — 5. *Quand le printemps est revenu*, tout rit, tout
chante dans la nature. — 6. *Après la prise de la ville*, on fit le siège
des maisons.

b) 1. *Lorsque la tempête fut apaisée*, Panurge retrouva tout son
courage et se mit à gourmander ses compagnons épuisés. — 2. *Le
soir approchait :* nous décidâmes de chercher un asile pour la nuit. —
3. Un homme exerce généralement une bonne influence quand il est
instruit et vertueux ; *après avoir admis ce principe*, vous ne pouvez

manquer de faire des efforts pour vous instruire et pour devenir meilleurs. — 4. *Comme l'avenir ne nous appartient pas*, nous ne formerons pas de projets inconsidérés ou orgueilleux. — 5. *Parce que notre amour-propre est très susceptible*, nous réagissons vivement quand on critique notre conduite.

546. — Dites si les participes en italique appartiennent ou non à des *propositions participes*. [Gr. § 392.]

1. *Ayant levé* la tête, Caïn vit au fond des cieux funèbres un œil qui le regardait fixement. — 2. Le temps *s'enfuyant* rapidement, nous emploierons de notre mieux toutes nos journées. — 3. Le temps, *s'enfuyant* rapidement, nous entraîne tous vers l'éternité. — 4. La crainte le *tenaillant*, l'avare mène une existence bien triste. — 5. César *ayant rallié* ses soldats, la bataille bientôt changea de face et les Nerviens plièrent. — 6. Dans cette région inhospitalière, tout secours me *manquant*, je m'abandonnai à la Providence. — 7. Les cloches du village, *carillonnant* à toute volée, disaient la joie de Pâques. — 8. Quelque diable me *poussant*, dit l'âne, je tondis de ce pré la largeur de ma langue. — 9. La cigale *ayant chanté* tout l'été, n'avait rien amassé ; la bise *venue*, elle souffrit cruellement de la faim.

547. — Remplacez les points par une *proposition participe*.
[Gr. § 392.]

1. Le merle,… jette du haut d'un marronnier, son sifflement joyeux. — 2. …, nous nous garderons de porter des jugements téméraires. — 3. …, je ne manquerai pas de relire attentivement mon texte. — 4. …, le cultivateur se hâte de rentrer sa moisson. — 5. …, les oiseaux migrateurs s'en vont vers les régions chaudes. — 6. …, je m'exercerai à la patience. — 7. Tout est encore assoupi dans la forêt, mais, …, mille rumeurs circulent dans les branches.

Accord du verbe.

548. — Justifiez l'*accord des verbes*. (Règles générales.)
[Gr. §§ 393-394.]

1. Les bons exemples nous *aident* à mieux pratiquer la vertu. — 2. Quiconque ne *sait* pas souffrir n'*a* pas un grand cœur. — 3. Les cieux *racontent* la gloire de Dieu. — 4. Vos parents et moi-même ne *désirons* que votre bonheur. — 5. Tes amis et toi *pourrez* vous

joindre à nous ; ensemble nous *ferons* une promenade au bois. —
6. Qui *dénombrerait* les étoiles du ciel ? — 7. Que de satisfactions nous
procure le travail ! — 8. Voici le mois de mai : dans l'air attiédi
flottent mille senteurs exquises. — 9. Vous et vos pareils *méritez* de
graves reproches. — 10. *Coulez*, ruisseaux murmurants ; brises légères,
errez dans la vallée.

549. — **Composez de petites phrases en prenant pour sujets les
expressions suivantes : (Règles générales.)**   [Gr. §§ 393-394.]

1. Les flatteurs. — 2. Aucun de nous. — 3. La patience et la
persévérance. — 4. Ma famille et moi-même. — 5. Ton corps et ton
âme. — 6. Ton frère et toi.

550. — **Accordez les verbes en italique. (Règles générales.)**
                                           [Gr. §§ 393-394.]

a) 1. Les yeux [*être*, ind. pr.] le miroir de l'âme. — 2. Vous ne
[*comprendre*, ind. pr.] peut-être pas bien l'importance de l'étude :
votre père et moi-même [*répéter*, ind. pr.] cependant à chaque occasion
que l'instruction [*être*, ind. pr.] un trésor. — 3. Vous, vos bergers et
vos chiens, [*dire*, ind. imparf.] le loup à l'agneau, ne m'[*épargner*,
passé composé] d'aucune manière. — 4. Dans le lointain [*vibrer*,
ind. imparf.] les appels de la cloche du soir ; déjà [*s'allumer*, id.]
les premières étoiles. — 5. Impénétrables, Seigneur, [*être*, ind. pr.]
vos desseins !

b) 1. Tout le monde [*être*, ind. pr.] aux champs ; [*rester*, id.] seulement à la maison ma grand-mère et mon tout jeune frère. — 2. La
voix de votre conscience et celle de tous vos éducateurs vous [*répéter*,
ind. pr.] sans cesse que le mensonge et la duplicité [*dégrader*, id.]
l'homme. — 3. Dans quelques semaines [*revenir*, fut. s.] les beaux
jours : mes frères et moi [*former*, ind. pr.] déjà de beaux projets d'excursions. — 4. Que [*dire*, ind. pr.] les voix du soir quand [*s'étendre*,
d.] dans la vallée la brume et l'ombre des collines ? — 5. O mère !
mon frère, ma sœur et moi, t'[*aimer*, ind. pr.] tendrement. Toi seule
[*savoir*, id.] nous consoler.

551. — **Justifiez l'accord des verbes en italique. (Collectif ou adverbe de quantité sujet.)**   [Gr. § 395.]

1. Un triangle de canards sauvages *pointe* vers le sud. — 2. Une
foule de gens *acceptent* des opinions toutes faites. — 3. La multitude
des étoiles *étonne* notre imagination. — 4. Une énorme masse de
nuages violacés *encombrait* l'horizon du côté de l'ouest. — 5. La plu-

part des enfants *aiment* beaucoup les belles histoires. — 6. Combien de livres *paraissent* chaque année ! — 7. Plus d'une difficulté se *résoudrait* d'elle-même si nous avions beaucoup de patience. — 8. Le peu de fautes que vous faites me *semble* être une bonne chance de succès. — 9. La plupart se *font* des illusions, et jusque dans la vieillesse.

552. — Accordez les verbes en italique. (Collectif ou adverbe de quantité sujet.) [Gr. § 395.]

a) 1. La plupart des hommes [*employer*, ind. pr.] la meilleure partie de leur vie à rendre l'autre misérable. (La Bruyère.) — 2. Une longue file de voitures [*onduler*, ind. imparf.] dans l'avenue. — 3. Un rideau de peupliers [*masquer*, ind. pr.] de ce côté le paysage. — 4. Plus d'un flatteur [*se donner*, ind. pr.] mutuellement des louanges excessives. — 5. Mon grand-père disait peu de paroles, mais ce peu de paroles [*être*, ind. imparf.] d'un bon sens extrêmement solide.

b) 1. Moins de deux semaines [*se passer*, ind. p.-q.-parf.] et déjà le petit malade se promenait dans le jardin ; un groupe de camarades [*venir*, ind. imparf.] l'un après l'autre lui tenir compagnie. — 2. Le peu d'efforts que vous faites [*mériter*, ind. pr.] une récompense. — 3. Le peu d'efforts que vous faites [*mériter*, ind. pr.] une punition. — 4. La plupart [*se laisser*, ind. pr.] séduire par de belles apparences ; le sage sait qu'une foule de choses [*briller*, ind. pr.] qui ne sont pas de l'or. — 5. Beaucoup ne [*remarquer*, ind. pr.] pas qu'une quantité de petits bonheurs [*être*, id.] tous les jours à notre portée.

553. — Même exercice. (Collectif ou adverbe de quantité sujet). [Gr. § 395.]

a) 1. La plupart des gens ne [*juger*, ind. pr.] les hommes que par la vogue qu'ils ont, ou par leur fortune. (La Rochefoucauld.) — 2. Trop de choses autour de nous [*échapper*, ind. pr.] à notre attention. — 3. Plus d'un [*oublier*, ind. pr.] que nos actes nous suivent. — 4. Le peu d'agréments de cette contrée ne [*retenir*, ind. pr.] pas les touristes. — 5. Une foule de pensées agréables et mélancoliques [*se presser*, ind. pr.] dans notre esprit quand nous regardons tomber le crépuscule de novembre. — 6. Tant d'occasions de faire le bien [*se présenter*, ind. pr.] au cours d'une journée !

b) 1. Là-bas un groupe de maisons blanches [*faire*, ind. pr.] une tache claire dans le paysage. — 2. Le trop de précautions [*pouvoir*, ind. pr.] gâter une affaire. — 3. La moitié des députés [*voter*, passé comp.] pour le projet, l'autre moitié [*voter*, id.] contre. — 4. Une bonne moitié de nos réflexions ne [*laisser*, ind. pr.] aucune trace dans notre esprit. — 5. Peu d'efforts [*suffire*, fut. s.] dans bien des cas pour se tirer d'une situation difficile. — 6. Plus d'un roman, plus d'une pièce de théâtre qu'un certain engouement porte aux nues, [*tomber*, fut. s.] dans l'oubli. — 7. Nombre de personnes [*croire*, ind. pr.] que leur peu de ressources [*être imputable*, ind. pr.] à l'organisation sociale de leur pays.

554. — Justifiez l'accord des verbes en italique. (Sujet des verbes impersonnels ; pronom *ce* sujet.) [Gr. §§ 396-397.]

1. Il *vient* des appels de cloches à travers les feuillages. — 2. C'*étaient* des hommes géants sur des chevaux colosses. (Hugo.) — 3. Ma mère n'avait plus de famille, si ce n'*est* des cousins éloignés. — 4. Il y a quatre évangélistes ; ce *sont :* saint Matthieu, saint Marc, saint Luc et saint Jean. — 5. C'*est* la patience et la persévérance qui vous assureront le succès. — 6. C'*est* dans les malheurs que nous discernerons nos vrais amis. — 7. C'*est* dix heures qu'on entend sonner au clocher du village. — 8. Ce *doit* être mes parents qui viennent là-bas.

555. — Accordez les verbes en italique. (Sujet des verbes impersonnels ; pronom *ce* sujet.) [Gr. §§ 396-397.]

a) 1. Flamands, Wallons, ce ne [*être*, ind. pr.] là que des prénoms. Belge est notre nom de famille. (A. Clesse.) — 2. Il [*se présenter*, ind. pr.] parfois des circonstances où les énergies les mieux trempées doivent céder à la brutalité des événements. — 3. Vos maîtres s'appliquent à vous instruire ; ce [*être*, ind. pr.] eux qui forment votre esprit et votre cœur. — 4. Ayons le culte des valeurs morales ; si ce ne [*être*, ind. pr.] elles, quelles forces sauveront notre civilisation ? — 5. Jeunes gens, ce [*être*, ind. pr.] vous-mêmes qui devez faire votre avenir.

b) 1. Ce [*devoir*, ind. pr.] être vos meilleures joies que celles que vous goûtez au sein de la famille. — 2. Ce [*être*, ind. pr.] la richesse et les honneurs qui séduisent le plus les hommes. — 3. Jésus leur défend de rien emporter, si ce ne [*être*, ind. pr.] des sandales et un bâton. (Flaubert.) — 4. Ce [*être*, ind. pr.] des illusions perdues bien plus que de la sagesse acquise qu'est faite l'expérience de beaucoup d'hommes. — 5. Que [*être*, ind. pr.]-ce que les beaux vers, si ce ne [*être*, id.] les sons ou les parfums de l'âme ?

556. — Même exercice. (Sujet des verbes impersonnels ; pronom *ce* sujet.) [Gr. §§ 396-397.]

a) 1. Ce [*être*, ind. pr.] des efforts que vous aurez faits, non des

succès que vous aurez obtenus qu'on vous demandera compte. —
2. Ce [*être*, ind. pr.] sa prodigalité et ses fausses spéculations qui l'ont
ruiné. — 3. Ce [*être*, ind. pr.] trois heures qui sonnent. — 4. Il y a
quatre vertus cardinales ; ce [*être*, ind. pr.] : la prudence, la justice,
la force et la tempérance. — 5. [*Être*, ind. pr.]-ce vos richesses qui
vous procureront le bonheur ?

b) 1. Méditez chaque jour, ne [*être*, condit. pr.]-ce que quelques
instants, sur l'état de votre conscience. — 2. La dépense est consi-
dérable : ce [*être*, ind. pr.] cent mille francs qu'il va falloir débourser.
— 3. D'où viendraient vos mérites, si ce ne [*être*, ind. pr.] de vos bonnes
actions ? — 4. Ce [*être*, ind. pr.] de magnifiques orateurs que Démosthène et Cicéron. — 5. La patrie, ce [*être*, ind. pr.] ces maisons, ces
arbres, cette campagne que tu vois, ce [*être*, id.] ce cimetière, cette
église, ce drapeau que tu aimes.

557. — Justifiez l'accord des verbes en italique. (Pronom *qui* sujet.)   [Gr. § 398.]

1. Vous qui *pleurez*, venez à ce Dieu, car il pleure. (Hugo.) — 2. C'est
moi qui *prendrai* soin de cet enfant. — 3. Toi qui *regardes* l'avenir
avec confiance, forme bien ton caractère, car tu auras des difficultés
à vaincre. — 4. Nous qui *sommes* des gens raisonnables, pourquoi
ne réfléchissons-nous pas toujours avant d'agir ? — 5. Brise légère,
qui *flottes* dans le crépuscule, viens rafraîchir le front de ceux qui
souffrent. — 6. Une foule de gens, qui ne *font* réflexion sur rien,
s'étonnent de la quantité de soucis qui les *accable*. — 7. Le peu de
joies qui me *sont venues* m'ont rendu le courage. — 8. Le ciel et la
terre, qui *offrent* aux yeux tant de merveilles, racontent la gloire de
Dieu.

558. — Accordez les verbes en italique. (Pronom *qui* sujet.)
    [Gr. § 398.]

a) 1. Moi qui [*faire*, ind. pr.] tout pour vous être utile, comment
pourrais-je négliger de m'intéresser à vos progrès ? — 2. O fantôme
muet, qui nous [*suivre*, ind. pr.] côte à côte, toi qui [*s'appeler*, ind.
pr.] demain, que nous réserves-tu ? — 3. O ma chère maman, toi
qui [*savoir*, ind. imparf.] si bien consoler mes chagrins d'enfant, je
te dois tout mon amour. — 4. La multitude des étoiles qui [*briller*,
ind. pr.] au firmament étonne notre imagination. — 5. Le promeneur
est ravi par la beauté, la splendeur qui [*rayonner*, ind. pr.] partout
au mois de mai.

b) 1. C'est moi qui, dans cette entreprise, [*être chargé*, ind. pr.]

de solliciter toutes les autorisations nécessaires. — 2. Que ferez-vous
alors, vierges folles, qui n'[*avoir*], ind. pr.] point d'huile et qui en
[*demander*, id.] aux autres ? (Bossuet.) — 3. Vous, vos bergers et
vos chiens, qui ne m'[*épargner*, ind. pr.] en aucune occasion, disait
le loup à l'agneau, vous méritez tous ma haine. — 4. Cher ami, qui
me [*conseiller*, ind. pr.] toujours si sagement, aie la bonté de me dire
si c'est moi qui [*devoir*, ind. pr.] faire cette démarche.

559. — Même exercice. (Pronom *qui* sujet.)   **[Gr. § 398.]**

a) 1. Ma chère maman, je suis loin de toi, mais je te sens avec
moi qui me [*guider*, ind. pr.] et me [*protéger*, id.] comme toujours. —
2. Je ne vois que toi et ton frère qui [*pouvoir*, subj. pr.] exécuter une
telle besogne. — 3. Ne suis pas, mon cher enfant, un de ces ingrats
qui [*perdre*, ind. pr.] même le souvenir des bienfaits reçus. — 4. Mes
chers élèves, vous êtes ici plusieurs qui, plus tard [*occuper*, fut. s.],
je l'espère, un rang distingué dans la société. — 5. La patience est
une des qualités qui [*assurer*, ind. pr.] le succès d'une affaire.

b) 1. Trop souvent nous sommes des aveugles qui [*marcher*, ind.
pr.] en tâtonnant dans le chemin de la vérité. — 2. N'es-tu pas cet
élève qui [*désirer*, cond. pr.] subir un examen en vue de passer dans
la classe supérieure ? — 3. Mon cher ami, te voilà encore qui [*aller*,
ind. pr.] poser une question inutile. — 4. Vous êtes le premier qui
[*prendre*, subj. pr.] la défense de cet accusé. — 5. Vous êtes le flambeau qui [*faire*, ind. pr.] rayonner une bienfaisante lumière. —
6. Nous sommes deux voyageurs qui [*venir*, ind. pr.] demander l'hospitalité.

560. — Complétez les phrases suivantes : (Pron. *qui* sujet.)
                                                        [Gr. § 398.]

1. Vous êtes l'élève qui... — 2. Vous êtes le seul élève qui... —
3. Vous êtes deux élèves qui... — 4. Vous n'êtes pas celui qui... —
5. Vous êtes un des élèves qui... — 6. Vous êtes un élève qui... —
7. Êtes-vous un élève qui... ? — 8. Accompagnez celui des élèves
qui... — 9. Pierre est un des élèves qui... — 10. Appelez un élève,
un de ceux qui ...

**561. — Accordez les verbes en italique. (Accord avec le sujet le
plus rapproché ; infinitifs sujets.)**   **[Gr. §§ 399-400.]**

a) 1. La gloire, la fortune, les honneurs, tout [*périr*, fut. s.] ; nos
mérites seuls nous resteront. — 2. Une parole tendre, un geste, un
regard [*pouvoir*, ind. pr.] nous rendre du courage. — 3. Souffrir et

se taire [*être*, ind. pr.] une vertu très haute. — 4. Pensées, sentiments, souhaits, tout l'élan de notre âme [*devoir*, cond. pr.] nous faire avancer rapidement dans la voie du bien. — 5. Que [*pouvoir*, ind. imparf.] faire la fermeté, la force d'âme pour arrêter un tel déchaînement de puissances aveugles ?

b) 1. Chacun, riche, pauvre, savant, ignorant, [*aller*, ind. pr.] du même pas vers la mort. — 2. Pas une phrase amère, pas un mot de reproche, pas un soupir ne [*sortir*, passé simple] de la bouche de ce noble vieillard. — 3. Soulager les malheureux et défendre les opprimés [*conférer*, fut. s.] toujours aux grands cœurs une haute dignité. — 4. Attitudes, manières, démarche, tout en cet homme [*attester*, ind. pr.] une pratique courante des usages de la société distinguée. — 5. L'éclat, le rayonnement du soleil levant [*se réfléchir*, ind. imparf.] dans l'eau claire de l'étang.

562. — **Composez des phrases dans lesquelles les expressions suivantes soient employées comme sujets : (Accord avec le sujet le plus rapproché ; infinitifs sujets.)** [Gr. §§ 399-400.]

1. Un arbre, un buisson, un brin d'herbe… — 2. Bien commencer et bien finir… — 3. Aucun philosophe, aucun savant, aucun prince, aucun homme enfin… — 4. Une grâce, une douceur séduisante… — 5. Posséder de grandes richesses et craindre constamment de les perdre…

563. — **Accordez les verbes en italique. (Sujets joints par *comme* etc., ou par *ou*, ou par *ni* ; — *l'un et l'autre*).** [Gr. §§ 401-403.]

a) 1. Le cœur autant que la raison [*protester*, ind. pr.] contre l'avilissement de la dignité humaine. — 2. Le riche, aussi bien que le pauvre, [*avoir*, ind. pr.] ici-bas des peines à endurer. — 3. Ni la société ni l'individu ne [*pouvoir*, ind. pr.] prospérer dans des régions ravagées par des cataclysmes continuels. — 4. Lorsque le chagrin ou le découragement [*s'emparer*, fut. s.] de vous, ne vous laissez pas abattre : l'homme, ainsi que l'arbre, [*pouvoir*, ind. pr.] ordinairement se relever quand la tempête est passée. — 5. Ni Pierre ni Paul ne [*être*, fut. s.] colonel de ce régiment.

b) 1. Le bien ou le mal [*se moissonner*, ind. pr.] selon qu'on sème le bien ou le mal. — 2. La douceur, plutôt que les menaces, [*ramener*, fut. s.] dans la bonne voie celui qui s'en est écarté. — 3. Le bonheur ou le conseil d'autrui [*pouvoir*, ind. pr.] préserver de certaines fautes un homme très médiocre. (Fénelon.] — 4. Voyez le timide, qui craint de se mettre en avant, et le pusillanime, démonté par le moindre insuccès : l'un et l'autre [*manquer*, ind. pr.] de courage, ni l'un ni l'autre n'[*avoir*, ind. pr.] la force d'âme qu'il faudrait pour dominer les événements. — 3. L'honneur, et non les honneurs, [*séduire*, ind. pr.] ceux qui sont épris de grandeur morale. — 4. Ni vous ni moi n'[*avoir*, fut. s.] une existence exempte de soucis ; il nous faudra de la patience et de la persévérance : l'une et l'autre [*pouvoir*, fut. s.] vaincre bien des obstacles.

564. — Même exercice. (Sujets joints par *comme*, etc., ou par *ou*, ou par *ni* ; — *l'un et l'autre*.) [Gr. §§ 401-403.]

a) 1. Tel d'entre vous sera riche, tel autre ne jouira que d'une modeste aisance : ni l'un ni l'autre ne [*s'écarter*, fut. s.], je l'espère, de la voie de l'honneur. — 2. Le bien et le mal vous solliciteront ; l'un ou l'autre vous [*entraîner*, fut. s.], songez-y bien et gardez-vous surtout d'être entraîné par le mal. — 3. Tel élève a résolu ce problème par l'arithmétique ; tel autre l'a résolu par l'algèbre : l'une et l'autre méthode [*pouvoir*, ind. pr.] se justifier. — 4. La réflexion, plus que les conseils d'autrui, [*aplanir*, passé comp.] dans beaucoup de cas, la difficulté qui nous arrêtait. — 5. Ni tes parents ni moi-même ne [*désirer*, ind. pr.] rien d'autre que ton bonheur.

b) 1. Le printemps répand partout la verdure et les fleurs ; l'hiver engourdit la nature ; l'une et l'autre saison [*avoir*, ind. pr.] ses charmes. — 2. Notre bonheur ou notre malheur [*dépendre*, ind. pr.] du parti que nous savons tirer des événements. — 3. Ni mes parents ni moi ne [*manquer*, fut. s.] de vous écrire. — 4. Votre visage, non moins que vos paroles, [*pouvoir*, ind. pr.] révéler vos sentiments. — 5. Pierre ou Jean [*être*, fut. s.] président de cette société.

565. — Composez des phrases dans lesquelles vous emploierez : [Gr. §§ 401-403.]

1. Deux sujets joints par *ainsi que*.—2. Deux sujets joints par *comme*. — 3. Deux sujets joints par *ou*. — 4. Deux sujets joints par *ni*. — 5. Deux sujets joints par *moins que*. — 6. Deux sujets joints par *plutôt que*. — 7. Les sujets *l'un et l'autre*. — 8. Les sujets *l'un ou l'autre*.

ACCORD DU VERBE : RÉCAPITULATION

566. — Accordez les verbes en italique. [Gr. §§ 393-403.]

a) 1. La plupart [*être persuadé*, ind. pr.] que le bonheur est dans la richesse : cette opinion est fausse. — 2. Légèreté, rapidité, prestesse, grâce et riche parure, tout [*appartenir*, ind. pr.] à l'oiseau-mouche. — 3. Quantité d'anecdotes [*circuler*, passé comp.] sur le roi Albert. — 4. La littérature, comme tous les beaux-arts, [*devoir*, ind. prés.] traiter du beau, non de l'utile. — 5. Ah ! combien [*négliger*, passé comp.] de former leur caractère en même temps que leur esprit !

b) 1. Lisez les bons auteurs ; ce [*être*, ind. pr.] eux qui vous aideront
le plus à bien écrire. — 2. Il y a un excès de biens et de maux qui
[*dépasser*, ind. pr.] notre sensibilité. — 3. Nul penseur, nul artiste,
nul écrivain, personne ne [*prétendre*, fut. s.] que la solitude a jamais
étouffé son génie. — 4. La moitié de nos soucis [*se dissiper*, condit.
pr.] si nous étions parfaitement maîtres de nous-mêmes. — 5. La
force d'âme, comme celle du corps, [*être*, ind. pr.] le fruit de la tempérance. (Marmontel.) — 6. Douze ans [*être* ind. prés.] un bel âge !

567. — **Même exercice.**   [Gr. §§ 393-403.]

La Forêt s'endort.

Au mois de juin, la vapeur du crépuscule, non moins que la brume
matinale, [*velouter*, ind. pr.] la forêt de teintes adoucies. Plus d'une
rumeur indécise [*circuler*, ind. pr.] dans les sentiers, plus d'une vague
d'ombre, plus d'un frisson obscur [*s'insinuer*, ind. pr.] entre les arbres,
[*monter*, id.] vers les cimes où il [*flotter*, id.] encore des tiédeurs qu'y
[*laisser*, passé comp.] le caprice du soleil. Une bande de corbeaux, un
à un [*regagner*, ind. pr.] l'abri des hautes branches ; un couple de
ramiers [*se pelotonner*, id.] dans l'épaisseur du feuillage. Cette série
d'appels qui [*tomber*, ind. prés.], à intervalles dans le silence, ce [*devoir*,
ind. pr.] être les ululements du hibou, cet hôte invisible dont la tristesse, l'anxiété [*s'exhaler*, ind. pr.] avec une résonance si lugubre. Il
[*traîner*, ind. pr.] encore çà et là quelques murmures ; mais bientôt ce
peu de murmures [*s'évanouir*, fut. s.] dans les voiles de la nuit.

568. — **Accordez les verbes en italique.**   [Gr. §§ 393-403.]

a) 1. Plus d'un [*s'imaginer*, ind. pr.] que l'argent est le meilleur
remède aux maux dont [*souffrir*, id.] la plupart des hommes. —
2. Cinq heures [*sonner*, ind. pr.] au clocher du village ; déjà [*résonner*,
ind. pr.], dans la cour de la ferme, les premiers appels ; le laboureur
avec son valet, [*atteler*, ind. pr.] les chevaux. — 3. Ni la calomnie ni
la médisance ne [*devoir*, ind. pr.] souiller vos lèvres. — 4. Trop de
gens [*considérer*, ind. pr.] que ce [*être*, id.] l'intrigue et les détours
de toutes sortes qui [*assurer*, id.] le mieux la réussite d'une affaire ;
mais obtenir un succès et la fonder sur une demi-droiture [*répugner*,
fut. s.] toujours aux gens d'honneur.

b) 1. [*Vivre*, subj. pr.] la liberté et les beaux voyages ! [*s'écrier*,
ind. pr.] plus d'un écolier quand [*venir*, id.] les vacances. — 2. Il
n'y avait que toi et moi qui [*connaître*, ind. imparf.] ces sentiers ; ce
[*être*, ind. pr.] ceux par lesquels nous arrivions au camp des maquisards.

— 3. J'ai consacré trois cents francs à l'achat de livres ; ce [*être*, ind. pr.] trois cents francs que je ne regrette pas. — 4. Qu'est-ce qui forme votre caractère si ce ne [*être*, ind. pr.] les difficultés auxquelles vous êtes en butte ? — 5. La peur ou le besoin [*causer*, ind. pr.] tous les mouvements de la souris. — 6. Professer une doctrine et en suivre une autre [*être*, ind. pr.] une grande hypocrisie.

569. — Même exercice.   [Gr. §§ 393-403.]

a) 1. Si nous tenons à notre honneur et à notre réputation, qui en [*être*, ind. pr.] comme la confirmation publique, nous nous abstiendrons de tout acte, de tout projet même qui [*dégrader*, condit. pr.] notre âme. — 2. Ce [*être*, ind. pr.] nous-mêmes qui [*tenir*, id.] notre avenir dans nos mains. — 3. Notre amour-propre, notre réputation, notre honneur nous [*défendre*, ind. pr.] de commettre une action déloyale. — 4. Bien faire et laisser dire [*supposer*, ind. pr.] une grande clair-voyance et une grande fermeté d'âme. — 5. Notre intérêt, non moins que notre devoir, nous [*interdire*, ind. pr.] de rien faire qui puisse porter atteinte à l'honneur de notre famille.

b) 1. Ne vivre que de son travail et diriger les affaires d'un État [*être*, ind. pr.] choses très opposées. — 2. Le bonheur ou la témérité [*pouvoir*, passé comp.] faire des héros, mais la vertu seule peut former de vrais grands hommes. — 3. Si vous prenez l'un des sentiers qui [*mener*, ind. pr.] au sommet de cette colline, vous découvrirez un paysage admirable. — 4. Quatre-vingts ans [*être*, ind. pr.] un âge où l'on a vu passer bien des événements. — 5. Ce ne [*être*, ind. pr.] pas vos richesses qui font votre vraie valeur, ce [*être*, id.] votre aptitude à bien penser et toutes vos qualités morales.

570. — Accordez les verbes en italique.   [Gr. §§ 393-403.]

Les Cloches du dimanche.

Le concert des cloches campagnardes, un matin de dimanche, [*avoir*, ind. pr.] une gaieté, un entrain qui vous [*dilater*, ind. pr.] le cœur. La vibration de l'airain, comme la musique d'un orgue lointain, [*se répandre*, ind. pr.] dans l'air limpide. Chaque village, chaque bourg [*dire*, ind. pr.] son allégresse et c'est un ensemble de timbres métalliques qui [*se répondre*, ind. pr.], [*s'entrecroiser*, id.], [*chanter*, id.] à l'unisson. Écoutez ces tintements qui nous arrivent, timides et veloutés : ce [*devoir*, ind. pr.] être ceux de la chapelle du monastère dont le modeste clo-cheton, non moins que la flèche altière du bourg, [*lancer*, ind. pr.] sa joie, que [*rouler*, ind. pr.] les caprices du vent.

L'accord comme la dispersion des sonneries nous [*toucher*, ind. pr.] ; ce clocher à la voix argentine ainsi que cet autre à la voix grave nous [*émouvoir*, ind. pr.], parce que l'un et l'autre, dans l'atmosphère ensoleillée, [*mêler*, ind. pr.] à leurs ondes sonores les émotions du cœur humain.

D'après A. Theuriet.

571. — Même exercice.   [Gr. §§ 393-403.]

a) 1. Dans nos grandes villes, une infinité de familles [*vivre*, ind. pr.] dans la gêne ou dans la misère. — 2. Le commun des hommes [*mettre*, ind. pr.] le bien dans la fortune, ou dans les avantages matériels, ou dans les plaisirs. — 3. Nous sommes des voyageurs qui [*chercher*, ind. pr.] à travers mille difficultés le chemin du bonheur. — 4. La multitude des lois [*être*, ind. pr.] pernicieuse : on ne les comprend plus et on ne les observe plus. — 5. Combien d'artistes [*puiser*, passé comp.] dans la Bible le sujet de leurs chefs-d'œuvre !

b) 1. La plupart [*s'émouvoir*, ind. pr.] au spectacle de la souffrance, mais peu [*savoir*, id.] la soulager efficacement. — 2. La Finlande, comme la Belgique, [*comporter*, ind. pr.] deux éléments ethniques différents et on y parle deux langues : le finnois et le suédois. — 3. Pourquoi êtes-vous si peu aimable envers moi qui ne [*vouloir*, ind. pr.] que votre bonheur ? — 4. Onze heures et demie [*sonner*, ind. pr.] à l'hôtel de ville. — 5. Vous êtes beaucoup qui [*avancer*, ind. pr.] résolument dans la voie de l'honneur. — 6. Entreprendre un travail et le mener à bonne fin [*requérir*, ind. pr.] une vraie force de caractère.

572. — Même exercice.   [Gr. §§ 393-403.]

a) 1. Nul philosophe, nul savant, nul homme politique, personne ne [*savoir*, ind. pr.] le tout de rien. — 2. Une infinité de gens [*croire*, ind. pr.] qu'il suffit de vieillir pour acquérir de l'expérience. — 3. Sergent de Bruyne, qui [*montrer*, passé s.] une âme si héroïque, gloire à toi ! — 4. Il n'y a que nous qui [*sentir*, ind. pr.] exactement les douleurs que nous endurons. — 5. Ni la richesse ni la grandeur ne [*savoir*, cond. pr.] rendre l'homme pleinement heureux.

b) 1. Être généreux et pratiquer l'économie [*sembler*, ind. pr.] à certaines gens tout à fait incompatibles. — 2. Dans la haute cheminée [*rotir*, ind. imparf.] un râble de lièvre avec deux perdrix. — 3. Il y a des gens que n'[*intéresser*, ind. pr.] aucunement la grandeur morale ; peu leur [*importer*, ind. pr.] les conséquences de leur conduite. — 4. Gloire à Léopold II ! Ce grand organisateur et ce grand bâtisseur [*mériter*, ind. pr.] la reconnaissance de tous les Belges. — 5. Trop de fonctionnaires [*pouvoir*, ind. pr.] être pour un État une très lourde charge.

CHAPITRE VIII

L'ADVERBE

Généralités.

573. — **Discernez les *adverbes* et dites de chacun d'eux à quelle espèce il appartient.** [Gr. § 406.]

a) 1. Comme l'air est léger par un matin de mai ! C'est alors que j'aime faire une promenade dans la campagne. — 2. Le vrai quelquefois n'est pas vraisemblable. — 3. Celui qui est résolu à lutter courageusement contre les obstacles parviendra souvent à les surmonter. — 4. Ils suivent une très noble maxime ceux qui disent : Travaillons toujours ! nous aurons notre repos ailleurs. — 5. On rencontre parfois des intelligences qui, de même que certains arbres, fleurissent tôt, mais ne portent pas de fruits.

b) 1. Parlez toujours poliment quand vous vous adressez à un supérieur. — 2. Où sont maintenant tous ces grands personnages qui ont étonné longtemps le monde du bruit de leurs exploits ? — 3. Le soleil doucement va plonger dans les flots, dont la surface paraît tout enflammée. — 4. Certaines gens vont bien loin chercher le bonheur ; ils le trouveraient peut-être s'ils jouissaient tranquillement des petites commodités de la vie ordinaire.

574. — **Discernez les *adverbes de lieu* et précisez s'ils marquent : 1º la situation (le lieu où l'on est) ; — 2º la direction (le lieu où l'on va) ; — 3º l'origine (le lieu d'où l'on vient) ; — 4º le passage (le lieu par où l'on passe).** [Gr. § 406.]

1. On peut trouver partout des occasions de faire le bien. — 2. Nous irons au bois cet après-midi ; nous goûterons là une paix salutaire. — 3. Où serions-nous mieux qu'au sein de notre famille ? — 4. Nous sommes ici dans une maison où réside la paix ; pourquoi irions-nous là-bas où s'agitent les faux plaisirs ? — 5. La belette

était entrée maigre dans un grenier par un trou étroit. Elle trouva là
de quoi faire bonne chère durant quelques jours. Elle ne put sortir
par le trou et demeura toute surprise : J'ai passé pourtant par ici !
disait-elle. — 6. Le chien est fidèle : il suit partout son maître. —
7. D'où tire-t-on le charbon dans notre pays ? — 8. Les assiégés, au
temps de César, étaient parfois accablés de pierres que lançaient de
loin les catapultes des assiégeants.

575. — **Sur chacun des thèmes suivants composez une phrase
contenant un *adverbe de temps* :**   [Gr. § 406.]

1. Le soir. — 2. Décembre. — 3. L'avare. — 4. Nos défauts. —
5. Un échec. — 6. La région natale.

576. — **Discernez les divers *adverbes* et analysez-les.**
                                                    [Gr. § 406.]

Modèles : Un homme *très* courageux *ne* désespère *pas ;* il reprend
bientôt sa tâche.

1° *Très :* adverbe d'intensité ; se rapporte à *courageux.*
2° *Ne pas :* locution adverbiale de négation, se rapporte à *désespère.*
3° *Bientôt :* adverbe de temps ; complément circonstanciel de *reprend.*

a) 1. L'oisiveté use beaucoup plus que le travail. — 2. Le travail
souvent engendre le plaisir. — 3. A tous les cœurs bien nés que la
patrie est chère ! — 4. Les vertus rendent constamment heureux
ceux qui les ont ; elles rendent meilleurs ceux mêmes qui les voient
et qui ne les ont pas. (Joubert.) — 5. Vingt fois sur le métier remettez
votre ouvrage ; Polissez-le sans cesse et le repolissez. Ajoutez quelquefois et souvent effacez. (Boileau.)

b) 1. Qui donne vite donne deux fois. — 2. Le superflu qu'on achète
à bon marché coûte toujours trop cher. — 3. Ne remettez pas à
demain ce que vous pouvez faire aujourd'hui. — 4. Combien aisément nous nous pardonnons à nous-mêmes nos fautes ! — 5. Une
leçon bien écoutée est à moitié sue. — 6. Où sont-ils, les marins
sombrés dans les nuits noires ? (Hugo.) — 7. Qui va doucement va
longtemps. — 8. La paresse va si lentement que la pauvreté l'atteint
bientôt.

577. — **Employez comme *adverbes,* chacun dans une phrase, les
adjectifs suivants :**   [Gr. § 406.]

1. Haut. — 2. Cher. — 3. Clair. — 4. Bas. — 5. Bon. — 6. Juste.
— 7. Net. — 8. Faux. — 9. Droit. — 10. Fort.

Formation des adverbes en -*ment*.

578. — Remplacez les mots en italique par les adverbes en -*ment* qui y correspondent. [Gr. § 407.]

a) 1. La pluie qui tombe [*lent*] du ciel gris frappe mes vitres à petits coups ; elle frappe [*léger*] et pourtant la chute de chaque goutte retentit [*triste*] dans mon cœur. — 2. Il sera [*aisé*] en paix et content celui dont la conscience est [*constant*] pure. — 3. Qui se jugerait [*équitable*] soi-même sentirait qu'il n'a le droit de juger personne [*sévère*]. — 4. Il faut faire [*gai*] et [*vaillant*] son devoir.

b) 1. Si vous travaillez [*assidu*] et [*continu*], vous ne manquerez pas de faire des progrès. — 2. On ne viole pas [*impuni*] les lois de la nature. — 3. Quand on est jeune, on dort [*profond*]. — 4. Cet enfant vient [*gentil*] caresser sa mère et lui raconter [*ingénu*] sa peine. — 5. C'est une grande sagesse que de ne point agir [*précipitant*] et de ne pas s'attacher [*obstiné*] à une opinion reconnue fausse.

579. — Remplacez par un adverbe en -*ment* les mots en italique. [Gr. § 407.]

a) 1. Réfléchir *d'une manière profonde*. — 2. Répondre *d'une façon polie*. — 3. Vivre *d'une manière conforme* à son état. — 4. Dire une chose *en confidence*. — 5. Parler *d'une manière congrue*. — 6. Entasser des objets *d'une manière confuse*. — 7. Défendre *d'une manière expresse*. — 8. Ne pas parler *d'une manière crue*. — 9. Une chose constatée *en due forme*. — 10. Être habillé *d'une façon gentille*.

b) 1. Cela m'a été dit *d'une manière confidentielle*. — 2. S'agiter *d'une manière éperdue*. — 3. S'asseoir *d'une manière commode*. — 4. Raconter *en peu de mots*. — 5. Être blessé *d'une manière grième*. — 6. Heurter quelqu'un *avec intention*. — 7. S'en aller *de nuit*. — 8. Mentir *d'une façon effrontée* et *avec connaissance de ce qu'on fait*. — 9. Attaquer *d'une manière résolue*. — 10. Travailler *d'une manière opiniâtre*.

580. — Remplacez chacune des expressions suivantes par un adverbe en -*ment*, que vous joindrez à un infinitif : [Gr. § 407.]

a) 1. Avec passion. — 2. Avec diligence. — 3. Sans prudence. — 4. Sans mesure. — 5. En hâte. — 6. Avec véhémence. — 7. Avec fougue. — 8. Avec sobriété. — 9. En même temps. — 10. Sans pitié. — 11. Sans délai. — 12. Sans en avoir conscience.

b) 1. A part l'un de l'autre. — 2. En vain. — 3. Avec éloquence. — 4. Avec bruit. — 5. De nuit. — 6. Par un devoir indispensable. — 7. Avec avidité. — 8. Avec franchise. — 9. En égoïste. — 10. Avec impunité. — 11. Avec impétuosité. — 12. A la dérobée.

581. — Même exercice. [Gr. § 407.]

a) 1. Avec abus. — 2. Avec promptitude. — 3. Avec tendresse. — 4. Avec étourderie. — 5. Avec insolence. — 6. Avec soin. — 7. Avec résolution, — 8. Avec assiduité. — 9. Avec effronterie. — 10. Avec précipitation.

b) 1. Avec loyauté. — 2. Avec complaisance. — 3. Avec mystère. — 4. Avec gaieté. — 5. Avec majesté. — 6. Avec solennité. — 7. Avec stoïcisme. — 8. Avec cruauté. — 9. Avec modération. — 10. Avec opiniâtreté.

582. — Remplacez les points par un adverbe en -*amment* ou en -*emment*, tiré de l'adjectif en italique. [Gr. § 407.]

a) 1. [*Apparent*] Le renard de la fable vit au haut d'une treille des raisins mûrs ... — 2. [*Patient*] Appliquez-vous à supporter ... les défauts et les infirmités des autres. — 3. [*Constant*] Il y a de la grandeur à s'acquitter ... des moindres devoirs. — 4. [*Pesant*] Au détour du chemin on voit s'avancer un chariot ... chargé de foin. — 5. [*Prudent*] Il est sage de ne s'avancer que ... dans des domaines que l'on ne connaît pas bien.

b) 1. [*Évident*] L'ordre ... vaut toujours mieux que le désordre — 2. [*Abondant*] J'aime à respirer les effluves du jardin après qu'il a plu. ... — 3. [*Vaillant*] Qui ne défendrait ... les intérêts supérieurs de la patrie ? — 4. [*Éloquent*] Quand une noble passion exalte nos sentiments, nous parlons toujours plus ... — 5. [*Récent; fréquent*] Un avantage ... obtenu rend notre âme contente, mais quand nous en aurons joui ..., il nous laissera presque indifférents.

583. — De chacun des adjectifs suivants formez un adverbe en -*ment*, que vous emploierez dans une expression : [Gr. § 407.]

1. Élégant. — 2. Méchant. — 3. Diligent. — 4. Excellent. — 5. Nonchalant. — 6. Puissant. — 7. Ardent. — 8. Savant. — 9. Intelligent. — 10. Indifférent. — 11. Violent. — 12. Incessant.

Degrés des adverbes.

584. — Mettez au *comparatif* ou au *superlatif*, suivant les indications données entre crochets, les adverbes en italique, — et complétez ou modifiez la phrase, quand il y a lieu. [Gr. § 408.]

Modèles : 1. Il convient de se lever *tôt* [comp. de supér.]. Il convient de se lever *plus tôt*. — 2. J'aime *beaucoup* [sup. relat.] la rose. C'est la rose que j'aime *le plus*.

1. Cet homme vit *sobrement* [superl. abs.]. — 2. L'expérience nous instruit *bien* [comp. de supér.]. — 3. Une aumône soulage *bien* [comp. d'infér.] la misère. — 4. Les patriarches vivaient *longtemps* [superl. abs.]. — 5. Vous êtes arrivé *tard* [compar. de supér.] aujourd'hui. — 6. Il faut défendre *jalousement* [compar. de supér.] son honneur. — 7. Le bonheur de ses enfants préoccupe *beaucoup* [superl. relat.] une mère. — 8. Nous devons nous proposer de nous avancer *loin* [comp. d'égalité] dans la voie du bien.

Emploi de certains adverbes.

585. — Remplacez les points par l'une des expressions placées entre crochets. [Gr. §§ 410-411.]

a) [*Plutôt, plus tôt*] 1. Le travail fait notre félicité ... que notre misère. — 2. On éprouve une peine extrême à extirper certains défauts ; souvent si l'on s'y était opposé ..., on les aurait déracinés facilement. — 3. ... souffrir que mourir : c'est la devise des hommes. (La Font.) — 4. Si le lièvre de la fable s'était décidé un peu ... à prendre son élan, il aurait aisément battu la tortue à la course. — 5. L'ambitieux n'a pas ... obtenu un avantage qu'il en désire un autre.

b) [*Pis, pire*] 1. Il n'y a ... eau que l'eau qui dort. — 2. Les pessimistes se persuadent souvent que les choses vont de mal en ... — 3. L'état de l'homme qui retombe dans sa faute devient ... que le premier. — 4. Cet homme est négligent et, qui ... est, incompétent. — 5. Un coup de langue, dit-on, est parfois ... qu'un coup de lance.

586. — Même exercice. [Gr. § 412.]

a) [*Si, aussi*] 1. L'écureuil a les ongles ... pointus et les mouvements ... prompts qu'il grimpe en un instant sur les arbres dont l'écorce est fort lisse. — 2. Certes la gloire d'Homère est ... solide que celle d'Alexandre. — 3. Il y a des personnes ... légères et ... frivoles qu'elles sont ... éloignées d'avoir de véritables défauts que des qualités solides. (La Rochefoucauld.) — 4. L'âne est ... humble et ... patient que le cheval est fier et impétueux. — 5. Les premiers feux de l'aurore, dit Vauvenargues, ne sont pas ... doux que les premiers regards de la gloire.

b) [*Tant, autant*] 1. Rien ne réjouit ... le cœur d'une mère que l'affection de ses enfants. — 2. Cet enfant a ... grandi depuis un an qu'on le reconnaît à peine. — 3. Rien ne devrait nous intéresser ... que ce qui peut nous aider à devenir meilleurs et plus sages. — 4. Nul fabuliste ne nous charme ... que La Fontaine. — 5. Nous sommes parfois si versatiles ! ... une chose nous a charmés, ... elle nous fait horreur. — 6. Il y a ... d'occasions de faire le bien !

587. — Même exercice. [Gr. § 412.]

a) [*Aussi, autant*]. 1. Napoléon fut ... audacieux qu'Annibal ; il a fait ... de bruit que ceux qui ont le plus ébranlé l'univers. — 2. Un bon fils se montre ... respectueux que soumis ; il est affectueux ... que docile. — 3. Il y a ... d'éloquence dans le ton de la voix que dans le choix des paroles. — 4. Il est ... facile de se tromper soi-même sans s'en apercevoir qu'il est difficile de tromper les autres sans qu'ils s'en aperçoivent. (La Rochefoucauld.)

b) [*Si, tant*] 1. Rien n'est ... rare que l'amitié, rien n'est ... profané que son nom. — 2. Notre goût varie : certains livres que nous avons ... relus autrefois et qui étaient ... vantés par nos amis, ne nous intéressent plus ; nous nous disons que ces ouvrages ne sont pas ... beaux qu'on le prétendait.

c) [*Aussi, non plus*] 1. Vos parents désirent votre bonheur, et vos maîtres ... — 2. Ne cherchez pas le bonheur dans les richesses, ne le cherchez pas ... dans les plaisirs. — 3. On ne peut pas vivre sans pain ; on ne peut pas ... vivre sans la patrie. (Hugo.) — 4. Ne dites pas qu'il vous est impossible de vous dominer ; ce que tel et tel ont fait, vous pouvez ... le faire. — 5. L'avare n'amasse que des biens périssables ; l'ambitieux n'aspire ... qu'à des biens qui passent.

588. — Composez, pour chacun des cas suivants, une phrase, en employant : [Gr. §§ 411-412.]

1. *Plutôt.* — 2. *Si* marquant l'intensité. — 3. *Si* mis pour *aussi* dans une phrase négative. — 4. *Aussi* joint à un adjectif. — 5. *Plus tôt.* — 6. *Tant* joint à un verbe.

589. — Remplacez les points par l'une des expressions placées entre crochets.   [Gr. §§ 413-415.]

a) [*Beaucoup, de beaucoup*] 1. Il vaut ... mieux se distinguer par les qualités du cœur que par celles de l'esprit. — 2. Les Fables de La Fontaine sont admirables ; elles sont ... plus célèbres que ses autres ouvrages. — 3. La renommée de Pierre Corneille est plus grande ... que celle de son frère Thomas. — 4. Un vice naissant est ... moins difficile à extirper qu'un vice invétéré. — 5. La baleine et le cachalot sont ... les plus gros animaux de la création ; ils sont ... plus pesants que l'éléphant. — 6. Il s'en faut ... que nous ayons acquitté la dette que nous avons contractée envers nos parents.

b) [*Davantage, plus*] 1. L'amour-propre est ... habile que n'importe quel flatteur. — 2. Les premiers jours du printemps n'ont pas ... de grâce que la vertu naissante de l'adolescence. — 3. Les fils du laboureur retournèrent leur champ avec tant d'ardeur qu'au bout de l'an il en rapporta ... — 4. On connaît l'homme en général ... aisément qu'on ne connaît un homme en particulier. — 5. Souvent le monde récompense les apparences du mérite ... que le mérite même.

c) [*De, que*] 1. Une leçon bien écoutée est plus ... à moitié sue. — 2. La vitesse du chameau n'est pas moins étonnante ... sa sobriété. — 3. Le tunnel du Simplon n'a pas moins ... quatre-vingts kilomètres de longueur ; son percement a demandé plus ... six années de travail. — 4. La langue provençale est plus ... aux trois quarts latine.

590. — Même exercice.   [Gr. §§ 416-417.]

a) [*De suite, tout de suite*] 1. Il faut prendre l'occasion aux cheveux, c'est-à-dire saisir ... le moment favorable d'agir. — 2. Quand nous nous sommes appliqués deux ou trois heures ... à un travail, nous avons besoin d'une détente. — 3. Quand vos parents vous ont commandé de faire quelque chose, il faut obéir ... — 4. La politesse demande que l'on réponde ... aux lettres qu'on a reçues.

b) [*Tout à coup, tout d'un coup*]. 1. La fortune est capricieuse : des gens très riches deviennent parfois très pauvres ... — 2. Faites des efforts, persévérez : on n'arrive pas ... à la perfection. — 3. Au mois de mars, le temps est parfois capricieux : le ciel est pur et ... un gros nuage déverse une giboulée.

c) [*Jadis, naguère*] 1. Bruges était ... le premier port de l'Occident. — 2. L'aviation, ... encore hésitante, a fait de surprenants progrès. — 3. La fortune est changeante : tel qui ... était puissant se trouve aujourd'hui sans ressources. — 4. Le percement de l'isthme de Suez et celui de l'isthme de Panama ont eu la même portée que ... la découverte de la route maritime des Indes.

591. — Composez de petites phrases dans lesquelles vous emploierez :
[Gr. §§ 413-417.]

1. Beaucoup. — 2. De beaucoup. — 3. Davantage. — 4. Plus de.
— 5. Plus que. — 6. De suite. — 7. Tout de suite. — 8. Tout à coup.
— 9. Tout d'un coup. — 10. Jadis. — 11. Naguère.

Adverbes de négation.

592. — Expliquez la valeur de *non*. [Gr. § 419.]

1. Les uns sont contents, les autres *non :* il en a toujours été ainsi
dans le monde. — 2. Bien des fautes sont commises *non* par méchanceté, mais par étourderie. — 3. Prêterez-vous l'oreille aux basses
flatteries ? — *Non.* — 4. Examinons bien l'objet de nos requêtes :
on pourrait y répondre par une fin de *non*-recevoir. — 5. Cet élève
a été puni pour une leçon *non* sue. — 6. *Non* loin de mon village,
on voit des traces d'une chaussée romaine. — 7. Prendrez-vous ou
non la résolution de mieux faire ? — 8. Nous irons *non* par la voie
la plus agréable, mais par la voie la plus droite.

593. — Justifiez l'emploi de *ne* (mis sans *pas* ni *point*). [Gr. § 421.]

a) 1. Il *n'*est pire sourd que celui qui ne veut pas entendre. —
2. Qui *ne* prend plaisir à regarder le vol si gracieux de l'hirondelle ?
— 3. A Dieu *ne* plaise que j'oublie ce que je dois à mes parents ! —
4. Que de gens *ne* savent exactement ce qu'ils veulent ! — 5. Je ne
connais pas d'enfant qui *ne* soit content en voyant les bons l'emporter sur les méchants.

b) 1. L'exilé *ne* cesse de songer à sa patrie. — 2. Il y a des caractères insoumis : ni les promesses ni les menaces *ne* les font plier. —
3. Je *ne* saurais admettre que l'on commette une pareille infamie. —
4. Si vous *ne* réformez votre caractère, vous vous aliénerez bien
des sympathies. — 5. Il y a bien deux mois que je *ne* vous ai écrit. —
6. Nos parents *n'*ont d'autre désir que celui de nous voir heureux.

594. — Remplacez, s'il y a lieu, les points par *n'*.

N. B. — Moyen pratique : L'élève n'a qu'a remplacer, dans son esprit, *on*
par *l'homme :* l'oreille lui indiquera aussitôt s'il faut ou non mettre *n'* après
on. Ex. : On... est jamais tout à fait heureux ; — l'homme *n'*est jamais tout à
fait heureux. Donc : On *n'*est jamais tout à fait heureux.

a) 1. On ... a souvent besoin que d'un léger encouragement pour
se remettre à espérer. — 2. On ... a souvent besoin d'un plus petit

que soi. — 3. On ... aperçoit là-bas un toit rouge au flanc de la colline.
— 4. On ... aperçoit ce toit rouge que par un temps bien clair. —
5. On ... a pas toujours l'énergie qu'il faudrait pour rester fidèle à
une résolution qu'on ... a prise. — 6. Quand on ... a pas ce qu'on
aime, il faut aimer ce qu'on ... a. — 7. Généralement on ... arrive
au succès qu'après de patients efforts.

b) 1. Désirer plus de bonheur qu'on ... en saurait posséder, c'est
se condamner à être malheureux. — 2. Sans un peu de peine, on
... a aucun plaisir ici-bas. — 3. On ... est jamais si bien servi que par
soi-même. — 4. On ... est grand par l'esprit, on ... est sublime que
par le cœur. — 5. On ... avance dans ces régions inconnues avec un
ravissement continuel. — 6. On ... avance, dans ces régions inconnues,
qu'avec d'infinies précautions. — 7. On ... a jamais fini de faire son
devoir.

595. — Même exercice.

a) 1. On ... écrit pour se faire comprendre : quand on ... emploie
que des mots clairs et des phrases nettement construites, on fait
comprendre sa pensée. — 2. On ... écrit que pour se faire comprendre :
soyez donc clairs. — 3. On ... est pas né pour la gloire si l'on...
attache pas d'importance au prix du temps. — 4. Voici une vieille
lampe à pétrole, comme on ... en trouve plus que dans les hameaux
perdus. — 5. Quand on ... écoute d'autre voix que celle de son amour-
propre, on risque souvent de se tromper.

b) 1. On ... est malheureux souvent par sa faute. — 2. On ...
est malheureux souvent que parce qu'on ... a pas voulu suivre les
bons conseils. — 3. On ... aurait bien plus de bonheur si l'on ... était
pas esclave de ses passions. — 4. Quand on ... a beaucoup de science,
on ... est modeste généralement ; quand on a ... que peu de connaissances, on ... essaye parfois de faire croire qu'on ... en possède beaucoup. — 5. On ... a guère vu jusqu'ici qu'un chef-d'œuvre ait été
fait sans qu'on ... y ait mis le temps. — 6. Certaines douleurs seraient
presque intolérables si l'on ... avait l'espoir qu'elles cesseront.

NE EXPLÉTIF

596. — Remplacez les points, quand il y a lieu, par *ne,* et joignez-y
pas là où c'est nécessaire.   [Gr. §§ 422-423.]

a) 1. L'homme oisif a lieu de craindre que sa vieillesse ... soit
malheureuse. — 2. Si vous manquez d'ordre, je crains que vous ...
en éprouviez de pénibles désagréments. — 3. L'avare appréhende
toujours qu'on ... lui dérobe son trésor. — 4. Si un aveugle conduit

un autre aveugle, il est à craindre qu'ils ... tombent tous deux dans le fossé. — 5. Évitez soigneusement que la colère ... vous aveugle. — 6. Faut-il avoir peur que vous ... manquiez à votre devoir ?

b) 1. Redoutez que les mauvaises compagnies ... corrompent votre cœur. — 2. Je ne crains pas que vous ... oubliiez les bons conseils que je vous ai donnés. — 3. Cette mère tremble toujours que son enfant ... ait froid, qu'il ... tombe ou qu'il ... se brûle. — 4. Craignez-vous qu'un échec ... vienne anéantir vos espoirs ? — 5. Je crains que le succès ... récompense vos efforts. — 6. Empêchons que la contagion du vice ... nous atteigne.

597. — Même exercice. [Gr. §§ 422-423.]

a) 1. Dieu défend que l'on ... mente. — 2. Rien n'empêche que vous ... entrepreniez la conquête de vous-même. — 3. Prenons bien garde que nous ...tombions dans l'esclavage des passions. — 4. Je redoute que le secours tant attendu ... arrive. — 5. Toi qui joues avec le feu, n'appréhendes-tu pas qu'il ... te brûle ?

b) 1. Prenez garde que vous ... accomplissiez très exactement votre devoir. — 2. Soyez grand, soyez riche : empêcherez-vous que la mort ... vous ôte votre grandeur et vos richesses ? — 3. L'honnêteté défend que l'on ... prenne le bien d'autrui. — 4. Si tu n'apprends pas à vouloir, j'ai peur que tu ... trouves l'énergie suffisante pour résister au mal. — 5. Ne craignez-vous que l'examinateur ... vous estime digne d'être admis dans la classe supérieure ? — 6. Il faut appréhender que les soins matériels ... nous occupent tout entiers.

598. — Remplacez, quand il y a lieu, les points par *ne* et joignez-y *pas* là où c'est nécessaire. [Gr. §§ 424-427.]

a) 1. Je doute qu'une prospérité continue ... procure à l'homme un véritable bonheur. — 2. Je nie qu'un homme sans caractère ... puisse organiser solidement sa vie. — 3. Je ne doute pas que l'imagination ... altère souvent notre jugement. — 4. Le sénat romain ne dissimulait pas, après la prise de Capoue par Annibal, que Rome ... se trouvât exposée à un redoutable péril. — 5. Nous nous croyons volontiers meilleurs que nous ... sommes.

b) 1. Il s'en faut beaucoup que les fables de Florian ... égalent celles de La Fontaine. — 2. Le mourant de la fable se plaignait à la Mort qu'elle le contraignît de partir sans qu'il ... eût fait son testament ; il ne voulait pas mourir avant qu'il ... eût ajouté une aile à son logis. — 3. Doutez-vous que les sens ... abusent la raison par de fausses apparences ? — 4. Il tient à vous que votre avenir ... soit fécond, mais il ne tient pas à vous que l'opinion publique, très versatile, … approuve toujours vos entreprises.

599. — Même exercice. [Gr. §§ 424-427.]

a) 1. Bien des gens sont en réalité tout autres qu'ils … paraissent. — 2. Les abeilles construisent-elles leurs cellules mieux qu'elles … faisaient au temps de Virgile ? — 3. On ne niera pas qu'il … soit avantageux de savoir plusieurs langues étrangères. — 4. Il s'en faut bien que les sages du monde … aient expliqué l'énigme de la nature humaine. — 5. Il dépend de nous que notre vieillesse … soit troublée par le remords. — 6. Cet élève court à un échec, à moins qu'il … change de méthode.

b) 1. Habituons-nous à ne pas voir les choses autrement qu'elles … sont. — 2. L'homme est méprisable en tant qu'il passe, mais doutera-t-on qu'il … soit infiniment estimable en tant qu'il aboutit à l'éternité ? — 3. A quoi tient-il que vous … fassiez régner dans votre cœur la droiture et la justice ? — 4. Il ne s'en est guère fallu que Napoléon … gagnât la bataille de Waterloo. — 5. Ne parlons pas autrement que nous … pensons, n'agissons pas autrement que nous … parlons. — 6. Ne partez pas que vous … ayez tout remis en ordre. — 7. Il y a des gens qui ne trouvent jamais leur chemin, à moins qu'on … les y pousse.

600. — Composez de petites phrases où, s'il y a lieu, vous emploierez *ne* explétif, en rapport avec les expressions suivantes :
[Gr. §§ 422-427.]

a) 1. Douter que. — 2. Ne pas craindre que. — 3. Nier que. — 4. Avant que. — 5. Il tient à moi que. — 6. Ne pas empêcher que.
b) 1. Sans que. — 2. A moins que. — 3. Défendre que. — 4. Doutera-t-on que … ? — 5. Il s'en faut bien que. — 6. Meilleur que. — 7. Avez-vous peur que … ?

CHAPITRE IX

LA PRÉPOSITION

Généralités.

601. — Analysez les *prépositions* et les locutions prépositives (elles sont en italique). (Dire de chacune d'elles à quoi elle unit le complément qu'elle introduit.) [Gr. §§ 428-432.]

> *Modèle :* Chers parents, je garde *dans* mon cœur le souvenir *de* vos bienfaits. — 1º *dans :* prépos., unit le complément circonstanciel de lieu *cœur* au verbe *garde ;* — 2º *de :* prépos., unit le complément déterminatif *bienfaits* au nom *souvenir.*

1. J'aime entendre le mumure *de* la brise, le soir, *dans* la campagne. — 2. Quand on court *après* l'esprit, on attrape la sottise. — 3. Le sage ne s'acharne pas *contre* les difficultés réellement insurmontables. — 4. *Au-delà de* ce bouquet *de* chênes, les collines se profilent *sur* le ciel bleu. — 5. *En face de* ma maison se dresse *entre* les marronniers et les tilleuls le clocher *de* la chapelle. — 6. Le soleil descend *derrière* les coteaux. — 7. Que ferions-nous *sans* l'aide de nos parents ? — 8. Descendons *en* nous-mêmes, *afin de* nous mieux connaître. — 9. *De* nos ans passagers le nombre est incertain. (Racine.)

602. — Discernez les *prépositions* et les locutions prépositives ; analysez-les. [Gr. §§ 428-432.]

1. La paix de la conscience est un bien précieux. — 2. Rendons hommage à ceux qui sont morts pour la patrie. — 3. Il vient, par ma fenêtre ouverte, une douce fraîcheur ; dans le jardin montent, parmi les senteurs mêlées, les premiers effluves de la nuit. — 4. Rien ne pourra faire dévier de la voie droite celui qui est fermement attaché à son devoir. — 5. Tout royaume divisé contre lui-même périra. — 6. Au-delà de la simple obligation de bien faire, il y a l'héroïsme.

603. — Faites apparaître, par la décomposition, la *préposition* incluse dans les articles contractés, et analysez-la. — Analysez également la préposition *de* servant d'article partitif (ex. : j'ai *de* bons fruits ; il n'a pas *de* courage).

> *Modèles :* 1° La paix *du* cœur ; *du* = de le ; *de :* prépos., unit le complément déterminatif *cœur* au nom *paix.* — 2° Il n'a pas *de* courage ; *de :* prépos. servant d'article partitif, se rapporte à *courage.*

1. L'exemple *des* héros nous aide à mieux comprendre la beauté *du* devoir. — 2. Entendez-vous l'appel *du* cor, dans la profondeur *des* forêts ? — 3. Nous avons tous notre sillon à creuser : nous devrons rendre compte de notre tâche *au* maître *du* champ. — 4. *Aux* petits *des* oiseaux Dieu donne la pâture. (Racine.) — 5. Qui donne *au* pauvre prête à Dieu. — 6. Ils n'ont plus *de* vin. — 7. Celui qui n'a pas *de* patience éprouvera *de* nombreux mécomptes.

604. — Discernez les *prépositions vides* et analysez-les. [Gr. § 428.]

> *Modèles :* 1° La ville *de* Liège ; *de :* prépos. vide, unit l'apposition *Liège* au nom *ville.* — 2° Je tiens cet homme *pour* innocent ; *pour :* prépos. vide, unit l'attribut *innocent* au complément d'objet direct *homme.*

1. Le travail est une des conditions du bonheur : tenez cette maxime pour excellente. — 2. L'homme n'aime guère à s'occuper de son néant et de sa bassesse. — 3. Quoi de plus doux que le mot de patrie ? — 4. Rien ne sert de courir ; il faut partir à point. — 5. De réfléchir sur notre vie passée peut nous éclairer sur notre vraie valeur. — 6. La ville de Tongres est une des plus anciennes de notre pays.

605. — Remplacez les points par un des présentatifs *voici* ou *voilà.* [Gr. § 431.]

1. Mes chers enfants, ... une excellente maxime : Faites bien ce que vous faites. — 2. Des hommes probes, justes et bons, des citoyens respectueux des lois : ... ce que vous vous voudrez toujours être. — 3. Vous m'avez fait appeler, monsieur ; me ... — 4. L'importance de la faute et les intentions de celui qui l'a commise : ... ce qu'il faut considérer. — 5. Si l'on me demande des raisons, ... ce que je répondrai : J'ai agi selon ma conscience.

606. — Dites quels rapports sont exprimés par les prépositions ou les locutions prépositives en italique. [Gr. § 433.]

1. L'économie est fille *de* l'ordre. — 2. L'envieux est malheureux *de* son malheur et *de* la félicité *d'*autrui, — 3. Ne parlez pas *contre*

votre pensée. — 4. *Étant donné* la noblesse *de* votre caractère, vous ne compromettrez jamais votre honneur. — 5. Une grande âme est *au-dessus de* l'injure. — 6. L'avare entasse non *pour* consommer, mais *pour* entasser. — 7. On doit pouvoir faire *sans* témoins ce qu'on pourrait faire *devant* tout le monde. — 8. On apprend *en* vieillissant. — 9. Clovis a été baptisé *à* Reims *par* saint Remi.

Répétition des prépositions.

607. — **Répétez, quand il y a lieu, la préposition en italique.**
[Gr. § 435.]

a) 1. *Dans* les difficultés et ... les tribulations de l'existence, nous avons besoin *d*'aide et ... consolation. — 2. Le bon élève se fait une obligation *d*'écouter et ... suivre les avis de ses maîtres. — 3. Persévérer *contre* vent et ... marée, c'est poursuivre ce qu'on a commencé, *malgré* les difficultés et ... les obstacles. — 4. *En* vivant et ... voyant les hommes, on se prend *à* gémir et ... souhaiter que la justice et la charité régissent les rapports sociaux. — 5. Comment un chef *sans* vertu et ... caractère imposerait-il son autorité ? — 6. Si vous cherchez des flatteries, adressez-vous à un autre que ... moi.

b) 1. *De* ton cœur ou ... toi lequel est le poète ? (Musset.) — 2. Quand nous avons remporté un succès, nous nous plaisons à en faire part *à* nos amis et ... connaissances. — 3. *Entre* l'arbre et ... l'écorce, il ne faut pas mettre le doigt. — 4. Il est, hélas ! des malheureux *sans* abri ni ... ressources. — 5. Il convient de se conformer *aux* us et ... coutumes des régions où l'on vit. — 6. *Par* la douceur et ... la bonté nous nous concilierons les cœurs. — 7. Voulez-vous atteindre rapidement un but : voyez le chemin qui y mène directement et ne perdez pas votre temps *en* allées et ... venues. — 8. Montaigne expliquait son amitié *pour* La Boétie, ... son ami très cher, en disant : « Je l'aimais parce que c'était lui et parce que c'était moi. »

Emploi de quelques prépositions.

608. — **Dans les phrases où une préposition est nécessaire, remplacez les points par la préposition convenable.** [Gr. §§ 436-440.]

a) 1. Un mauvais état de santé altère nos jugements : quand vous avez mal ... la tête, vos raisonnements n'ont-ils pas moins de clarté ?

— 2. Quels progrès la science n'aura-t-elle pas faits d'ici … deux ou trois cents ans ? Mais d'ici … là les hommes seront-ils devenus meilleurs ? — 3. D'ici … quelques années vous entrerez dans la vie : préparez-vous-y. — 4. Que votre chambre soit bien en ordre ; rangez-y chaque chose … sa place. — 5. Remettez ce tableau … place.

b) 1. Si les jeux des enfants sont les manifestations de certains instincts, que faut-il déduire du fait que la plupart des petits garçons aiment … jouer … soldat ? — 2. Au mois d'août bien des citadins partent … la mer ou … la campagne. — 3. Il convient que vous remerciiez vos maîtres … la sollicitude dont ils vous ont entourés. — 4. Merci … l'amabilité avec laquelle vous avez accueilli ma demande. — 5. L'ambitieux souvent est tenace : il sait attendre … l'occasion. — 6. Le maître de la moisson saura séparer l'ivraie … le bon grain.

609. — Même exercice.   [Gr. §§ 436-440.]

Les Voyages à pied.

Les randonnées … bicyclette ou … auto ont leurs agréments sans doute, mais on peut préférer … aller … pied, s'écarter des chemins, s'aventurer à travers … la forêt, passer même au travers … buissons ; on s'arrête à sa guise, on cause … chaque campagnard, on marche jusque … midi. On entre alors dans quelque auberge rustique : la table … chêne est couverte d'une nappe fraîche ; on dîne … quelques œufs au jambon. Puis on fait jusque … deux heures un bout de sieste … un fauteuil sous la charmille ; … nouveau on parcourt la campagne. Le soir, on rentre, un peu las d'avoir fait une vingtaine de kilomètres … six ou sept heures, mais le lendemain, on est prêt … partir … nouveau, car on ne se blase jamais … cette façon de voyager.

610. — Là où une préposition est demandée, remplacez les points par la *préposition* convenable.   [Gr. §§ 436-440.]

a) 1. Le bon élève a de l'ordre ; il n'a pas besoin de chercher … son livre ou … son cahier, parce qu'il a rangé chaque chose … sa place dans son pupitre. — 2. Le directeur a élevé la voix et s'est fâché … ses employés ; il a annoncé qu'il ferait … demain en huit un examen minutieux de la comptabilité. — 3. Les courtisans aspiraient … l'honneur d'assister au lever de Louis XIV. — 4. Un bon capitaine associe le courage … la prudence. — 5. Une petite brouille ne doit pas rompre les liens de l'amitié ; si votre ami est fâché … vous, faites les avances et réconciliez-vous avec lui.

b) 1. Alfred de Musset a écrit : « Rien ne nous rend si grands qu'une grande douleur » ; c'est encore ... Musset qui a dit : « L'homme est un apprenti ; la douleur est son maître. » — 2. Quelle besogne vous accompliriez ... huit jours si vous employiez bien toutes vos heures de travail ! — 3. Henri VIII divorça ... Catherine d'Aragon pour épouser Anne de Bobeyn. — 4. Les travaux d'un ministre et ceux d'une femme ... journée diffèrent par l'importance, mais à les bien accomplir les uns et les autres, le mérite moral est le même. — 5. On dit : demeurer ... une rue, demeurer ... une avenue ou ... un boulevard. — 6. Comportez-vous dignement ... la rue.

611. — **Remplacez les points par** *jusque,* **sans omettre d'y joindre** *à,* **quand cette dernière préposition est requise.**   [Gr. § 439.]

a) 1. Notre mère est toujours prête à aller ... l'extrême limite de l'indulgence à notre égard ; elle nous pardonnerait ... notre ingratitude envers elle. — 2. Dans un banquet chez le comte de Culembourg, es « gueux » se déclarèrent fidèles au roi ... la besace. — 3. Au sud-est des îles Mariannes, la sonde marine descend, dans la fosse du Néro, ... 9 636 mètres de profondeur. — 4. Les albatros ont ... quatre mètres d'envergure. — 5. Même si vous avez différé ... aujourd'hui à vous corriger, persuadez-vous qu'il n'est jamais trop tard pour bien faire.

b) 1. Pour la construction du temple de Jérusalem, Salomon employa ... 70 000 hommes qui portaient les fardeaux et 90 000 qui taillaient les pierres dans la montagne. — 2. Je vous ai attendu ... avant-hier ; j'ai même veillé ... fort tard dans la nuit ; je vous accorde un dernier délai ; je vous attendrai demain ... dix heures. — 3. ... quand, demandait Cicéron à Catilina, abuseras-tu de notre patience ? — 4. La charité chrétienne nous commande d'aimer ... nos ennemis.

c) 1. ... où une volonté énergique ne peut-elle pas aller ? — 2. Si vous avez été honnête ... ici, pourquoi ne le seriez-vous pas toujours ? — 3. Napoléon, en septembre 1812, s'avança ... Moscou, puis il dut se résoudre à la retraite. A partir de Smolensk, la retraite devint un désastre ; la température était descendue ... 28 degrés au-dessous de zéro. Au passage de la Bérésina, la Grande Armée perdit ... 35 000 hommes ; elle n'avait pas ... alors subi d'échec aussi cuisant.

612. — **Composez de petites phrases dans lesquelles vous emploierez** *jusque* **ou** *jusqu'à,* **introduisant les compléments suivants :**

[Gr. § 439.]

1. Quatre-vingts ans. — 2. Maintenant. — 3. Près de dix heures. — 4. Très loin. — 5. Là. — 6. Ici. — 7. Aujourd'hui. — 8. Après-

demain. — 9. Rome. — 10. Vers six heures. — 11. Très avant dans la nuit.

613. — Remplacez les points par *près de* ou par *prêt à* (et accordez l'adjectif *prêt*).   [Gr. § 440.]

a) 1. L'ignorance est toujours ... s'admirer. — 2. Ma tante, très compatissante et très serviable, était toujours ... rendre service. — 3. Il arrive que le succès nous échappe quand nos efforts sont ... aboutir ; ne nous décourageons pas et soyons ... faire de nouveaux efforts. — 4. Ma grand-mère est si indulgente qu'elle est toujours ... me pardonner quand j'ai commis quelque faute. — 5. Quand le soleil est ... se lever, un joyeux murmure parcourt la forêt.

b) 1. Un bon intendant doit toujours être ... rendre compte de sa gestion ; nous aussi soyons ... rendre compte de notre vie. — 2. C'est un spectacle impressionnant que celui du soleil ... se plonger dans les flots. — 3. Les bons citoyens se tiennent toujours ... répondre à l'appel de la patrie. — 4. Quand vous sentez que vous êtes ... vous abandonner à la colère, faites un effort suprême pour dominer cette passion.

CHAPITRE X

LA CONJONCTION

614. — Dites quels éléments de même fonction les conjonctions de coordination unissent. [Gr. § 446.]

a) Union de deux éléments dans une proposition : 1. L'abeille *et* la fourmi sont diligentes. — 2. Honore ton père *et* ta mère, afin que tu vives longuement. — 3. On ne suit pas toujours ses aïeux *ni* son père. — 4. Que de gens compromettent leurs entreprises par leur impatience *ou* par leur étourderie ! — 5. Dieu suscite, quand il le veut, des témoins *et* des défenseurs de la foi *et* de la vertu.

b) Union de deux propositions de même nature : 1. L'homme propose, *et* Dieu dispose. — 2. Le remords sommeille quelquefois, *mais* il ne meurt jamais. — 3. Les hommes doivent s'aimer les uns les autres, *car* ils sont tous frères. — 4. Vous remettez ce travail à demain ; *or* vous pouvez le faire aujourd'hui. — 5. Certaines gens sont accablés de malheurs ; *cependant* ils bénissent la Providence *et* espèrent en elle. — 6. Quand le danger menace *ou* quand le désordre trouble les esprits, l'homme de caractère garde sa sérénité. — 7. On aime l'enfant qui ouvre son cœur à ses parents *et* qui suit docilement leurs conseils.

615. — Analysez les *conjonctions* (et les locutions conjonctives) de *subordination* (elles sont en italique). [Gr. § 448.]

> *Modèle :* Tout chante *lorsque* le printemps revient. — *Lorsque :* conj. de subord. ; unit la propos. subord. *le printemps revient* à la principale *tout chante.*

a) 1. Resterez-vous insensibles *si* vous voyez vos parents dans la peine ? — 2. Comment n'aimerions-nous pas Dieu, *quand* nous retraçons dans notre esprit tous ses bienfaits ? — 3. Père et mère honoreras *afin que* tu vives longuement. — 4. *De peur que* vous ne deviez vendre le nécessaire, n'achetez pas le superflu. — 5. *Dès que* vous glisser sur la pente du mal, ressaisissez-vous avec une énergie extrême.

b) 1. *Quand* nous sommes seuls, n'oublions pas *que* Dieu nous voit. — 2. Notre profession, *pourvu que* nous l'exercions consciencieusement, peut nous valoir bien du mérite. — 3. *Tant que* tu seras heureux, tu compteras de nombreux amis ; *si* les temps deviennent sombres, tu seras seul. — 4. *Comme* mon expérience est faible, je m'en rapporterai à l'avis de mes parents. — 5. La charité chrétienne demande *que* nous secourions les malheureux ; *puisqu'*ils sont nos frères, aimons-les.

616. — Discernez les *conjonctions* (de coordination et de subordination) et analysez-les. [Gr. §§ 441-448.]

a) 1. Qui veut mourir ou vaincre est vaincu rarement. (Corneille.) — 2. Aussitôt que les arbres ont développé leurs feuilles, les oiseaux construisent leurs nids. — 3. Je pense, donc je suis. — 4. Bénissons Dieu de ce que notre intelligence est capable de le connaître. — 5. Vous deviendrez plus forts à mesure que vous vous vaincrez vous-mêmes et que vous connaîtrez mieux les hommes. — 6. La charité veut que nous rendions le bien pour le mal.

b) 1. Le bon historien n'est d'aucun temps ni d'aucun pays ; quoiqu'il aime sa patrie, il ne la flatte jamais en rien. — 2. Si nous n'avions pas de défauts, nous ne prendrions pas tant de plaisir à signaler ceux d'autrui dès que nous les remarquons. — 3. Le temps est trop précieux pour que nous le gaspillions en vains amusements. — 4. La louange est agréable, mais elle est souvent dangereuse ; donc je m'en défierai. — 5. Quoique le devoir soit parfois pénible, nous l'accomplirons, parce que Dieu le veut. — 6. Le sage sait que tout passe, mais que nos mérites restent.

617. — Même exercice. [Gr. §§ 441-448.]

a) 1. Quand la jalousie s'allume dans les cœurs, elle y exerce d'affreux ravages ; donc il faut en étouffer les premières étincelles. — 2. La brutalité et les querelles ne sauraient être admises entre camarades, parce qu'elles sont les indices d'une âme basse. — 3. Travaillons aujourd'hui, car nous ne savons pas si demain des difficultés ou des obstacles ne se dresseront pas devant nous. — 4. De même que le feu éprouve l'or, l'adversité éprouve notre caractère. — 5. Saint Paul vivait dans les tribulations ; néanmoins il surabondait de joie.

b) 1. Tant que nous vivons ici-bas, nous ne pouvons être exempts de peines et d'épreuves ; partant il faut nous préparer à les supporter avec courage. — 2. Comme l'homme oisif n'aime pas le travail, il n'ira pas lui demander de le délivrer de l'ennui ; il le demande donc au vice, ou à toutes sortes d'excentricités. — 3. Certaines gens, bien qu'ils ne disent pas précisément le secret qu'on leur a confié, parlent ou agissent de manière qu'on le découvre de soi-même. — 4. Tout homme est faillible ; or je suis un homme ; donc je suis faillible.

618. — **Composez des phrases dans lesquelles, au moyen des *conjonctions* indiquées, vous unirez entre eux :**　　　[Gr. § 446.]

a) Deux éléments de même fonction dans une proposition : 1. Et. — 2. Ou. — 3. Ni.

b) Deux propositions de même nature : 1. Et. — 2. Ou. — 3. Donc. — 4. Mais. — 5. Cependant.

619. — **Composez des phrases dans lesquelles vous emploierez les *conjonctions de subordination* suivantes :**　　[Gr. § 448.]

a) 1. Que. — 2. Avant que. — 3. Quand. — 4. Comme. — 5. Si. — 6. Depuis que. — 7. Parce que.

b) 1. A condition que. — 2. Bien que. — 3. De crainte que. — 4. Pourvu que. — 5. De façon que. — 6. Afin que.

620. — **Dites quels rapports sont marqués par les conjonctions ou locutions conjonctives en italique.**　　[Gr. §§ 447 et 449.]

a) 1. Frappe, *mais* écoute. — 2. Ils décident de vaincre *ou* de mourir. — 3. Il est bon, *aussi* tout le monde l'aime. — 4. *Si* vous travaillez, vous évitez l'ennui. — 5. *Quand* on veut on peut.

b) 1. Pardonnez *afin qu*'on vous pardonne. — 2. *Comme* on fait son lit on se couche. — 3. *Comme* vos raisons paraissent bonnes, on s'y rendra. — 4. *Comme* je sortais, j'ai rencontré un ami. — 5. Ma mère *ainsi que* mon père veulent mon bonheur. — 6. Le français, *ainsi que* l'italien, dérive du latin.

c) 1. *Soit que* vous parliez, *soit que* vous écriviez, évitez la bassesse. — 2. Toute profession est honorable, *pourvu qu*'elle soit utile. — 3. *Quand* on joue avec le feu, on se brûle. — 4. L'instruction est indispensable : *donc* instruisez-vous. — 5. *Si* Dieu nous protège, que craindrons-nous ? — 6. *Quoique* mon devoir soit pénible, je veux l'accomplir.

621. — **Employez une conjonction exprimant le *rapport* indiqué entre crochets.**　　[Gr. §§ 447 et 449.]

a) 1. L'oisiveté est la mère de tous les vices, [*conséquence*] je l'éviterai soigneusement. — 2. Vous n'accomplirez rien de grand [*condition*] vous n'êtes pas épris d'un noble idéal. — 3. La peur [*alternative*] le besoin causent tous les mouvements de la souris. — 4. Les richesses [*liaison négative*] les plaisirs ne sauraient nous rendre parfaitement heureux ; [*conséquence*] n'en faisons pas le but de notre vie. — 5. Un bon chef, [*concession*] il commande avec sévérité, sait manifester la bonté de son cœur.

b) 1. [*Temps*] le devoir commande, il faut lui obéir. — 2. Conduisez-vous toujours [*conséquence*] on n'ait rien à vous reprocher. — 3. Vivre avec nos amis [*comparaison et condition*] ils pouvaient devenir nos ennemis n'est pas selon les règles de l'amitié ; ce n'est pas là une maxime morale, [*opposition*] politique. — 4. Pour convaincre, il suffit de parler à l'esprit, [*opposition*] pour persuader, il faut aller jusqu'au cœur.

622. — Même exercice.   [Gr. §§ 447 et 449.]

a) 1. Une froideur [*alternative*] une incivilité qui vient de ceux qui sont au-dessus de nous, nous les fait haïr ; [*opposition*] un salut [*alternative*] un sourire nous les réconcilie. (La Bruyère.) — 2. L'éloquence a besoin de la violence des passions [*liaison*] de l'autorité des lois. — 3. Le génie n'est que de second ordre, [*conséquence*] la postérité ne le consacre-t-elle que [*condition*] il s'est fait vertu. — 4. Le cœur de l'homme vierge est un vase profond : [*temps*] la première eau qu'on y verse est impure, La mer y passerait sans laver la souillure, [*cause*] l'abîme est immense [*liaison*] la tache est au fond. (Musset.) — 5. [*Supposition*] vous faites le bien [*but*] on vous loue, vos actions sont-elles vraiment méritoires ?

b) 1. Un charme est au fond des souffrances [*comparaison*] une douleur au fond des plaisirs. (Chateaubr.) — 2. Corrigez-vous [*temps*] il soit trop tard. — 3. [*Concession*] il soit pénible à supporter, le malheur peut nous rendre meilleurs. — 4. Un homme vain trouve son compte à dire du bien [*alternative*] du mal de soi, [*opposition*] un homme modeste ne parle point de soi. — 5. [*Cause*] l'habitude est en germe dans le premier acte, il importe que l'on s'oppose à une mauvaise passion [*temps*] elle se manifeste.

623. — Remplacez les points par la *conjonction* ou la locution conjonctive que réclame le sens.   [Gr. §§ 447 et 449.]

a) 1. Comment prétendez-vous arriver au succès ... vous travaillez sans méthode ? — 2. Que de bienfaits n'avons-nous pas reçus de nos parents, ... nous sommes au monde ! — 3. La lecture nous instruira et nous éduquera ... nous choisissons bien nos livres. — 4. Nous moissonnerons le bien ... le mal ... nous aurons semé le bien

... le mal. — 5. Ne remets pas à demain ce que tu peux faire aujour-
d'hui, ... demain est incertain.

b) 1. ... les flatteurs sont dangereux, je me garderai de me laisser
séduire par leurs propos. — 2. Les hirondelles quittent nos contrées
... s'annoncent les premiers froids. — 3. Conduisez-vous toujours ...
votre entourage n'ait rien de grave à vous reprocher. — 4. Dieu veut
... nous honorions nos parents. — 5. Avançons dans le chemin de
la vertu et du devoir, ... on nous y contraigne. — 6. Une foule de gens
cherchent avidement les richesses ... les honneurs ; ... ce ne sont ...
les richesses ... les honneurs qui nous vaudront le vrai bonheur.

624. — **Indiquez la nature de** *que* **(conjonction, pronom relatif
ou interrogatif, adverbe de quantité ou d'intensité, adverbe interrogatif).**

a) 1. Je souhaite *que* vous restiez bons. — 2. Je demande *que*
vous graviez sur le marbre les services *que* vous avez reçus et *que*
vous écriviez sur le sable ceux *que* vous avez rendus. — 3. *Que* les
œuvres de Dieu sont admirables ! — 4. *Que* de gens s'ignorent eux-
mêmes ! — 5. *Que* ne parliez-vous plus tôt ?

b) 1. *Que* sert de dissimuler ? — 2. A tous les cœurs bien nés *que*
la patrie est chère ! (Voltaire.) — 3. *Que* nous nous pardonnons aisément nos fautes ! — 4. Je ne sais plus *que* penser de cette étrange
affaire. — 5. Puisque *vous* avouez votre faute et *que* vous la regrettez,
je vous accorde le pardon *que* vous demandez.

c) 1. Lorsque la bise souffle sur les champs et *que* les bois
perdent leurs dernières feuilles, le paysage s'enveloppe de mélancolie. — 2. Tu ne partiras pas *que* tu n'aies remis toutes choses à
leur place. — 3. Convenons *que* la Providence sait mieux *que* nous
ce *qu*'il nous faut. — 4. *Que* des flatteurs énumèrent nos qualités,
nous les écoutons volontiers. — 5. Nous croyons et nous disons
plus facilement des autres le mal *que* le bien, tant nous sommes
faibles.

625. — **Composez de petites phrases où vous emploierez** *que* **:**
1. Comme conjonction. — 2. Comme pronom relatif. — 3. Comme
pronom interrogatif. — 4. Comme adverbe de quantité. — 5. Comme
dverbe interrogatif.

626. — **Indiquez la nature de** *si* **(conjonction, adverbe de quantité,
adverbe d'affirmation).**

1. Nous ne ferons rien de grand *si* nous n'avons pas d'idéal. —
2. Rien n'est *si* beau que la vertu. — 3. *Si* vous vous endormez dans la

paresse, vous vous réveillerez dans la misère. — 4. Nul ne sait *si* demain lui appartiendra. — 5. Qui te rend *si* hardi de troubler mon breuvage ? disait le loup à l'agneau. — 6. Sire, répondit l'agneau, *si* Votre Majesté veut bien considérer que je bois ici dans le courant plus de vingt pas au-dessous d'elle, elle comprendra que je ne puis troubler sa boisson. — 7. *Si*, tu la troubles, reprit le loup. Et d'ailleurs, tu as médit de moi l'an passé. — Comment l'aurais-je fait *si* je n'étais pas né ? répondit l'agneau.

627. — Remplacez les points par *ou* ou bien par *où*.

1. Les 600 Franchimontois avaient résolu de vaincre … de mourir. — 2. Chacun a son défaut … toujours il revient. — 3. … sont-ils, les marins sombrés dans les nuits noires ? (Hugo.) — 4. La peur … le besoin font tous les mouvements de la souris. — 5. Notre échec … notre succès dépend de l'énergie avec laquelle nous aurons fait face aux difficultés. — 6. La flatterie sait nous prendre par … nous sommes sensibles. — 7. L'onagre … âne sauvage habite les régions du nord de l'Inde.

CHAPITRE XI

L'INTERJECTION

628. — **Discernez les interjections et les locutions interjectives et dites de chacune d'elles le sentiment qu'elle marque.** [Gr. §§ 450-453.]

Modèle : Ah ! [interj. marquant l'admiration] que ce spectacle est ravissant !

a) 1. Oh ! que vous regretterez d'avoir mal employé votre temps ! — 2. Allons ! mettons un peu plus de vigueur dans nos efforts ! — 3. Eh bien ! qu'attendez-vous pour commencer votre travail ? — 4. Bonté divine ! Tout ce tapage va nous assourdir. — 5. Hourra ! C'est notre équipe qui l'emporte ! — 6. Vous avez fait là une action qui vous honore. Bravo ! — 7. Quoi ! vous pourriez oublier les bienfaits de Dieu ?

b) 1. J'ai vu, hélas ! un fils manquer de respect à son père. — 2. Bah ! dit le paresseux, nous penserons à cela plus tard. — 3. Ah ! quelles merveilles le firmament déploie à nos yeux par une belle nuit d'été ! Hé quoi ! Un tel spectacle ne raconte-t-il pas la gloire du Créateur ? — 4. Ma foi ! Sur l'avenir insensé qui se fie ! — 5. Ouf ! me voici enfin débarrassé de ce fardeau ! — 6. Par exemple ! Comment vous êtes-vous avisé de me proposer un marché aussi injuste ? — 7. La vie, hélas ! est parfois bien pénible, mais si Dieu nous soutient, nous serons forts.

629. — **Remplacez les points par l'*interjection* convenable, choisie entre celles qui sont données ci-après :** [Gr. §§ 450-453.]

Ah ! — Hélas ! — Fi donc ! — Bravo ! — Oh ! — quoi !
Miséricorde ! — Holà ! — Motus ! — Gare ! — Halte ! — Eh bien !

a) 1. ... Que de jeunes gens se sont fourvoyés pour avoir méprisé les sages avis de leurs parents ! — 2. ... Vous resteriez insensibles à la peine de vos frères ! — 3. ... voilà enfin le beau et le bon livre que je cherchais. — 4. Il faut bien convenir, ... qu'une foule de gens ne se préoccupent guère de devenir meilleurs. — 5. Vous avez manqué à votre promesse : ... — 6. ... mon ami ! Voilà un succès qui vous honore.

b) 1. Soyez discret ! et sur tout ce que je vous ai dit, ... — 2. ... Le passage est interdit. — 3. ... S'il entreprend d'escalader ce pic, il va se rompre le cou ! — 4. ... Venez vite à mon secours ! — 5. Vous jouez avec le feu : ... les conséquences ! — 6. ... je ne me trompais pas : nous avons gagné le gros lot !

CHAPITRE XII

LES PROPOSITIONS SUBORDONNÉES

1. — Subordonnées sujets.

630. — Soulignez les *subordonnées sujets* et marquez-les d'un des signes *sub. s.* [= sujet] ; — *sub. s. r.* [= sujet réel ; dans ce cas, marquez du signe *s. app.* le sujet apparent].　　　　[Gr. § 455.]

a) 1. Il faut que la vérité triomphe. — 2. Il importe que chacun fasse son devoir. — 3. Il n'est pas bon que l'on s'expose témérairement au danger. — 4. Il est certain que Dieu récompensera les bons. — 5. N'est-il pas juste que les méchants soient punis ?

b) 1. Que le principe de la justice soit méconnu me surprend. — 2. Qu'importe en somme que nous possédions des richesses ? — 3. Que rien ne vaille une bonne conscience est attesté par tous les moralistes. — 4. Que tout doive céder aux exigences du devoir n'est pas contestable. — 5. D'où vient que nous trouvons la condition d'autrui préférable à la nôtre ?

631. — **Même exercice.**　　　　[Gr. § 455.]

a) 1. Que la nature soit un beau livre ouvert, cela a été répété bien des fois. — 2. Que l'on s'honore en reconnaissant franchement son erreur, le fait n'est pas douteux. — 3. Que les mauvaises compagnies et les mauvaises lectures corrompent notre âme, c'est une vérité d'expérience. — 4. Que la force d'âme soit une des meilleures garanties du succès, la chose est avérée. — 5. Que l'on meure ordinairement comme on a vécu, cela a été vérifié maintes fois.

b) 1. C'est un bien que nous n'ayons pas tout le nécessaire. — 2. Nous avons trop de désirs : de là vient que nous éprouvons beaucoup de déceptions. — 3. Qui ne dit mot consent. — 4. Quiconque ment est indigne de notre estime. — 5. Cela me surprend que les hommes songent si peu à rentrer en eux-mêmes.

632. — Même exercice.   [Gr. § 455.]

a) 1. C'est beau quand on s'impose un sacrifice pénible. — 2. Qui n'entend qu'une cloche n'entend qu'un son.—3. Que la modestie convienne à tout le monde, cela n'est pas douteux.—4. Il convient que nous rapportions à Dieu toutes nos actions. — 5. Bien des hommes sont intempérants : de là vient que leur santé est précaire. — 6. A beau mentir qui vient de loin.

b) 1. Un mauvais fils être un bon citoyen, cela n'est pas possible. — 2. Il faut que nous achetions des instants de bonheur par des sacrifices continuels. — 3. Il semble à bien des gens qu'ils ont peu de défauts. — 4. Cela ne nous plaît guère qu'on nous reprenne de nos fautes. — 5. C'est une dure loi qu'il nous faut ici-bas subir bien des souffrances.

633. — Distinguez les propositions principales et les subordonnées sujets et marquez-les des signes : *pr.* [= principale] ; — *s.* [= sujet]
[Gr. § 455.]

La Bonne Réputation.

Comme nous vivons en perpétuel contact avec nos semblables, il est naturel qu'à chaque instant ils portent des jugements sur notre valeur. De là vient que peu à peu notre réputation se forme autour de nous. Or il importe que cette réputation soit bonne : c'est assurément un bien que nous jouissions de la considération publique ; à cela s'ajoute que notre influence en sera plus large et plus efficace.

Qu'une bonne réputation soit un élément important de notre bonheur est incontestable. C'est un fait avéré qu'une réputation flétrie ôte son goût à l'existence. Quiconque a vécu probe, honnête, trouve dans la bonne réputation une récompense de sa vertu ; il est certain que cette réputation est en outre un refuge dans le malheur et un soutien dans la vieillesse ; à cela s'ajoute qu'elle est un héritage précieux que nous léguons à nos descendants. Il y a plus : qui a une bonne réputation trouve dans l'estime des autres plus de courage pour persévérer dans le chemin de l'honnêteté.

D'après E. RAYOT.

634. — Modifiez la tournure des phrases suivantes de telle sorte qu'elles présentent chacune une *subordonnée sujet* :
[Gr. § 455.]

1. Chacun a ses peines : cela n'est-il pas vrai ? — 2. Vous perdez en vains bavardages un temps précieux : c'est dommage. — 3. Re-

mercions vivement nos bienfaiteurs : cela convient. — 4. Des apparences séduisantes ne répondent pas nécessairement à des qualités réelles : la chose est certaine. — 5. La plupart des gens trouvent agréable la profession de leurs voisins ; d'où vient cela ? — 6. Tu remets à plus tard l'accomplissement de ton devoir : cela m'afflige.

635. — Ajoutez à chaque proposition principale une *subordonnée sujet.*   [Gr. § 455.]

1. Il est certain ... — 2. Peu importe ... — 3. Il est nécessaire ... — 4. D'où vient ... — 5. C'est étrange que ... — 6. ... cela ne fait aucun doute. — 7. Il nous semble ... — 8. Il déplaît à vos parents ...

636. — Justifiez l'emploi du mode.   [Gr. § 456.]

a) 1. Il est évident que la lecture des bons livres *enrichit* notre esprit. — 2. Il est vraisemblable que nous *aurons* des moments de grande inquiétude : il faudra que nous *élevions* alors notre âme vers le ciel. — 3. Il me semble qu'on ne *peut* concilier ses devoirs avec le goût des plaisirs. — 4. Il est certain qu'à la mort tous nos désirs *périront.* — 5. Il est regrettable que tant de gens *soient* ignorants de leurs véritables intérêts.

b) 1. Il est évident que vous *ferez* plus de progrès si vous travaillez avec plus d'énergie et plus de méthode. — 2. Il convient que nous *recevions* avec docilité les réprimandes de nos parents et de nos maîtres. — 3. Il n'est pas sûr que nous *puissions* trouver toujours l'aide nécessaire : ne faisons pas de projets téméraires. — 4. Il importe que nous ne *choisissions* que des amis vertueux. — 5. Il est certain que les vertus seules nous *conduiront* au ciel.

637. — Même exercice.   [Gr. § 456.]

a) 1. Que vous *fassiez* si peu d'efforts pour vous corriger m'afflige. — 2. Il me semble que le dévouement à la patrie *est* la première des vertus civiques. — 3. D'où vient que nul n'*est* content de son sort ? — 4. Qui se *corrigerait* chaque année d'un défaut serait bientôt parfait. — 5. Est-il sûr qu'un accroissement de richesses nous *vaille* un accroissement de bonheur ?

b) 1. Se peut-il que l'on *trahisse* sa patrie ? — 2. Il est évident que vous *triompheriez* de bien de difficultés si vous aviez un esprit clair et une volonté persévérante. — 3. Il n'est nullement certain que vos beaux projets se *réaliseront ;* il est donc raisonnable que vous *regardiez* objectivement l'avenir. — 4. N'est-il pas incontestable que la vertu *est* le premier de tous les biens ? — 5. Que notre mère nous *ait* entouré d'une tendresse vigilante émeut profondément notre cœur ; il s'en faut bien que nous *ayons acquitté* la dette que nous avons contractée envers elle.

638. — Mettez au *mode* convenable les verbes en italique.

[Gr. § 456.]

a) 1. Il faut que nous [*rendre*, prés.] à chacun ce qui lui revient. — 2. Il est indéniable que la Providence [*savoir*, prés.] mieux que nous ce qui peut faire notre vrai bonheur. — 3. Il convient que vous ne [*manquer*, prés.] aucune occasion de vous instruire. — 4. Il est nécessaire que vous [*prendre*, prés.] patience si vous voulez la paix intérieure. — 5. Il est possible que vous [*devenir*, prés.] riche, mais est-il sûr que vous [*être*, prés.] pour cela plus heureux ?

b) 1. Il convient que tu ne [*remettre*, prés.] pas à demain une besogne que tu peux faire aujourd'hui, car il n'est pas certain que tu [*être*, prés.] demain en mesure de l'accomplir. — 2. Il semble toujours aux vieilles gens que le monde [*aller*, imparf.] mieux quand ils étaient jeunes. — 3. Il ne suffit pas toujours que nous [*prendre*, prés.] la résolution de résister au mal, il faut encore que nous [*avoir*, prés.] la volonté de nous y tenir avec fermeté. — 4. Que le travail [*être*, prés.] un trésor, cela est une vérité incontestable. — 5. Il est hautement souhaitable que l'intérêt général [*prévaloir*, prés.] sur les intérêts particuliers.

639. — Même exercice.

[Gr. § 456.]

a) 1. N'est-il pas sûr que notre science [*être*, prés.] peu de chose auprès de ce que nous ignorons ? — 2. Il est certain que vous [*perdre*, prés.] l'estime des honnêtes gens si vous manquiez de probité. — 3. Il semble à beaucoup de gens qu'ils [*être*, prés.] plus heureux dans une condition autre que leur condition actuelle. — 4. D'où vient que nous n'[*aimer*, prés.] guère à descendre en nous-mêmes ? — 5. Ce n'est pas toujours un vrai mal que nous [*subir*, prés.] un échec ; il arrive que d'un mal [*sortir*, prés.] un grand bien.

b) 1. Il nous semble juste qu'on [*reprendre*, prés.] les autres, et pourtant il nous paraît pénible qu'on nous [*reprendre*, prés.] nous-mêmes. — 2. Il est rare que nous [*user*, prés.] de la même mesure pour nous et pour les autres. — 3. Cela m'étonne fort que les hommes généralement [*faire*, prés.] cas des apparences séduisantes ; il est clair cependant que ces belles apparences ne [*être*, prés.] pas toujours

l'indice de qualités réelles. — 4. Qu'on [*être puni*, prés.] par où l'on
a péché, la chose est bien certaine.

640. — Même exercice.   [Gr. § 456.]

L'Âme des choses familières.

Il est certain que nous [*se prendre*, prés.] d'une sorte d'amitié pour
les objets familiers. Il nous semble que ce buffet, cette horloge, cette
potiche, ce tableau, ce portrait, [*avoir*, prés.] une âme. Chers objets
familiers ! Qu'ils [*avoir*, prés.] une sensibilité et une espèce de langage
muet, cela ne nous [*paraître*, prés.] pas si étrange. N'est-il pas naturel,
en effet, qu'ils [*prendre*, passé] en quelque sorte les habitudes de la
maison ? Il n'importe pas peut-être qu'on [*savoir*, prés.] toute leur
histoire ; il convient cependant qu'on [*se souvenir*, prés.] qu'ils ont
été mêlés à nos joies, à nos douleurs, à nos deuils ; à cela s'ajoute
que quelques-uns d'entre eux [*être*, passé] fidèlement attachés au foyer
depuis plusieurs générations. De là vient sans doute qu'ils [*prendre*,
passé] des physionomies un peu sombres, mais où il semble qu'on
[*voir*, prés.] les charmes infinis des vieux visages.

**641. — Joignez aux expressions suivantes une *subordonnée sujet*
dont le verbe soit au mode indiqué entre crochets.**   [Gr. § 456.]

1. Il semble que ... [*indic.*]. — 2. Il semble que ... [*subj.*]. —
3. Il semble que ... [*condit.*]. — 4. Est-il certain que ... [*subj.*] ? —
5. Est-il certain que ... [*indic.*] ? — 6. D'où vient que ... [*indic.*] ? —
7. D'où vient que ... [*subj.*] ? — 8. D'où vient que ... [*condit.*] ? —
9. Quiconque ... [*indic.*]. — 10. Quiconque ... [*condit.*].

2. — Subordonnées attributs.

**642. — Soulignez les *subordonnées attributs* et marquez-les du
signe *sub. attr.* ; — marquez du signe *pr.* la principale à laquelle
chacune d'elles se rattache.**   [Gr. § 457.]

a) 1. La plupart désirent faire le bien, le malheur est qu'ils
manquent de volonté. — 2. Quand vous ne discernez pas clairement
votre devoir, le mieux est que vous demandiez conseil à vos parents. —
3. Le pigeon de la fable avait pu échapper à différents dangers, mais
le pis du destin fut qu'un vautour le saisit dans ses serres. — 4. Le

mal, disait le savetier de La Fontaine, est que dans l'an s'entremêlent des jours qu'il faut chômer. — 5. L'opinion unanime des moralistes est qu'on n'est vraiment grand que par la vertu.

b) 1. Cet homme puissant ne sera peut-être plus demain qui il est aujourd'hui. — 2. La vraie consolation du malheureux est que ses souffrances sont méritoires aux yeux de Dieu. — 3. Votre avenir ? C'est de quoi je me préoccupe. — 4. Entre le ministre et le concierge, accomplissant l'un et l'autre consciencieusement leur devoir, la seule différence est que leurs travaux sont d'importance inégale, mais le mérite moral de l'un et de l'autre est le même. — 5. Le meilleur élève n'est peut-être pas qui vous croyez.

643. — Justifiez l'emploi du *mode* dans la subordonnée attribut. [Gr. § 458.]

1. Du point de vue de l'éternité, il n'importe pas que nous ayons un très haut emploi ; l'important est que nous *vivions* en gens vertueux. — 2. Certaines gens voudraient nous en faire accroire ; souvent la vérité est qu'ils n'*ont* qu'un petit bagage de connaissances. — 3. Mon avis est que les hommes *seraient* plus heureux s'ils observaient mieux les lois de Dieu. — 4. Si nous confrontons ensemble l'opinion des optimistes et celle des pessimistes, notre conclusion sera que la vérité *est* entre les extrêmes. — 5. Le désir le plus ardent de nos parents est que nous *marchions* constamment dans les voies de l'honneur.

644. — Mettez au *mode* convenable les verbes en italique. [Gr. § 458.]

a) 1. L'opinion des vrais savants est que l'homme ne [*savoir*, prés.] le tout de rien. — 2. Le sentiment de l'homme énergique est qu'à force de volonté et de persévérance on [*résoudre*, prés.] la plupart des difficultés. — 3. La crainte naturelle d'une mère est que quelque danger n'[*atteindre*, prés.] son enfant. — 4. Vous souhaitez de conquérir les premières places, mais l'important est qu'au terme de l'année scolaire, vous [*être*, prés.] reçus à l'examen. — 5. Bien des amitiés durent peu : la raison en est qu'elles ne [*être*, prés.] pas fondées sur l'estime.

b) 1. Mon plus grand souhait sera toujours que vous [*avoir*, prés.] au fond du cœur l'amour de Dieu, de vos parents, de votre patrie. — 2. Le sentiment de bien des gens est qu'ils [*accomplir*, prés.] de grandes choses s'ils étaient favorisés par le sort ; la vérité est qu'ils ne [*être*, prés.] capables que de petites actions. — 3. Ma conviction est qu'on ne [*pouvoir*, prés.] rien faire de grand si l'on n'a pas appris à vouloir. —

4. Que d'heures gaspillées, que de vaines rêveries, que de dissipations !
Et pourtant la volonté de vos parents était que vous [*être*, imparf.]
constamment appliqués ! — 5. Lire beaucoup de bons livres est
excellent, mais parfois l'inconvénient est qu'on ne les [*lire*, prés.] que
superficiellement.

**645. — Joignez aux expressions suivantes une *subordonnée attri-
but* :**   **[Gr. §§ 457-458.]**

1. Le vœu de votre mère est que ... — 2. Mon opinion a toujours
été que ... — 3. Le souhait d'un bon fils est que ... — 4. Vous perdez
un temps précieux : le résultat sera que ... — 5. Je vous ai fait voir
les avantages de la bonne humeur ; ma conclusion sera que ... —
6. L'opinion de tous les gens sensés est que ... — 7. Mon plus cher
désir est que ... — 8. La première condition du bonheur est que ...

3. — Subordonnées en apposition.

**646. — Soulignez les *subordonnées en apposition* et marquez-les
du signe *sub. app.* ; — au moyen d'un trait coudé à chaque bout,
reliez chacune d'elles au nom ou au pronom auquel elle se rattache.**
                         [Gr. § 459.]

a) 1. Que pourrait-on objecter contre cette maxime que l'union
fait la force ? — 2. Parfois le fait que nous nous excusons suggère
l'idée que nous sommes coupables. — 3. Cet homme était fort instruit et, qui mieux est, il était d'une honnêteté sans pareille. —
4. Souscrirez-vous à ce principe que la raison du plus fort est la meilleure ? — 5. La pratique constante de la vertu fera notre bonheur
ici-bas et, qui plus est, nous vaudra un bonheur éternel. — 6. L'enfance a cela d'admirable qu'elle ne cache pas ses sentiments. —
7. Mon père est au bureau, qui lit.

b) 1. Un commerçant ne devrait jamais abandonner cette conviction que l'honnêteté est le plus solide des capitaux. — 2. Les
éducateurs insistent volontiers sur ce précepte que l'on fait soi-
même son avenir. — 3. L'oisiveté nuit à la santé et, qui pis est,
elle entraîne à toutes sortes de vices. — 4. Le fat s'arrête volontiers à cette opinion qu'il est largement pourvu d'excellentes qualités. — 5. Le printemps vient ; on le sent qui souffle partout sa tiède
haleine. — 6. Le malheur a ceci d'excellent qu'il peut nous rendre
meilleurs. — 7. Notre mère ne désire qu'une chose, que nous soyons
heureux.

647. — Joignez à chacune des expressions suivantes une *subordonnée en apposition* et faites entrer chaque fois l'assemblage dans une phrase.   [Gr. § 459.]

1. Qui mieux est. — 2. Ceci de beau que ... — 3. Qui plus est. — 4. Ce précepte que ... — 5. L'hiver est là qui ...

648. — Justifiez l'emploi du *mode* dans la subordonnée en apposition.   [Gr. § 460.]

1. Défions-nous des flatteurs : leurs affirmations qu'ils *veulent* nous être agréables sont sujettes à caution. — 2. Ce principe qu'une bonne conscience *est* le meilleur des oreillers n'est pas contestable. — 3. Faisons cette hypothèse que nul n'*ait* le droit d'exercer l'autorité dans un État ; quel gâchis partout ! — 4. Partagez-vous mon opinion que les peuples *pourraient* vivre en paix si la justice et la charité présidaient aux relations internationales ? — 5. Cet honneur a suivi leur courage invaincu Qu'ils *ont vu* Rome libre autant qu'ils ont vécu. (Corneille.) — 6. Votre souhait que je *revienne* bientôt à la santé me touche. — 7. Dieu nous garde de cette pensée que nous *vaudrions* mieux que les autres. (Péguy.)

649. — Mettez au *mode* convenable les verbes en italique.
                    [Gr. § 460.]

a) 1. Pour les malheureux cette pensée serait bien affligeante que tout [*finir*, prés.] avec la mort. — 2. Je veux donner toujours à mes parents cette satisfaction que je [*comprendre*, prés.] leur dévouement et que je leur en [*être*, prés.] reconnaissant. — 3. Les philosophes ont souvent fait cette réflexion que tout ici-bas n'[*être*, prés.] que vanité. — 4. Si vous prenez l'habitude de mentir, vous vous exposez à ceci que personne ne vous [*croire*, prés.] quand vous direz la vérité. — 5. Les méchants eux-mêmes sont d'accord de cette vérité que la vertu [*être*, prés.] le premier de tous les biens.

b) 1. Le travail a cela d'infiniment utile qu'il nous [*permettre*, prés.] d'échapper à l'ennui. — 2. Chez un bon citoyen ce souhait est naturel que sa patrie [*être*, prés.] grande et prospère. — 3. Il ne faut chercher qu'une leçon de sagesse pratique dans cette maxime que l'on [*devoir*, prés.] compter seulement sur soi-même. — 4. Certains élèves commencent l'année scolaire avec l'idée que le succès [*venir*, prés.] tout seul ; ils devraient se rappeler ce principe que l'on n'[*avoir*, prés.] rien sans peine. — 5. Les contrariétés ont cela de bon qu'elles [*pouvoir*, prés.] façonner notre caractère.

4. — Subordonnées compléments d'objet (directs ou indirects).

650. — Soulignez les *subordonnées compléments d'objet* (directs ou indirects) et marquez-les d'un des signes *sub. c. o. dir.* ou *sub. c. o. ind. ;* — au moyen d'un trait coudé à chaque bout reliez chacune d'elles au verbe qu'elle complète.   [Gr. § 461.]

Modèle : Vous savez *que le travail ennoblit.*

↑_____↑
sub. c. o. dir.

a) 1. L'expérience enseigne que la paresse avilit. — 2. Mon cœur me dit que mes parents sont mes meilleurs amis. — 3. Convenons que nous avons nos défauts. — 4. Tout l'univers atteste qu'il y a un Dieu. — 5. Caton répétait à tout propos que Carthage devait être détruite. — 6. Je ne doute pas que vous ne puissiez devenir meilleur.

b) 1. Les anciens ont cru que la terre était plane. — 2. Rappelons-nous toujours que notre avenir est dans une certaine mesure entre nos mains. — 3. Je me convaincs qu'on ne fait rien de grand sans un noble idéal. — 4. Quel enfant ne souhaite que ses parents soient pleinement heureux ? — 5. Nos maîtres nous répètent toujours que le travail est un vrai trésor.

651. — Même exercice.   [Gr. § 461.]

a) 1. La charité chrétienne veut que nous rendions le bien pour le mal. — 2. Les méchants eux-mêmes reconnaissent que la vertu est le plus précieux des biens. — 3. Le sage se souvient constamment qu'il n'est qu'un homme. — 4. L'avare Harpagon redoutait qu'on ne lui dérobât sa cassette. — 5. Craignons que notre imagination ne nous emporte hors des bornes de la raison.

b) 1. Les vrais savants nous avertissent que la science humaine est toujours courte par quelque endroit. — 2. Un chrétien sait que tous les biens de ce monde sont périssables. — 3. Toute notre histoire nationale prouve que nous aimons la liberté. — 4. Si ou vous informe que vos parents courent un danger, ne vous hâterez-vous pas de les en avertir ? — 5. L'homme raisonnable ne s'attend pas que les événements se conforment toujours à ses désirs.

652. — Même exercice.   [Gr. § 461.]

a) 1. Nous nous étonnons parfois de ce que rien ne nous réussit ; considérons plutôt que nous avons mal préparé le succès. —

2. L'homme de bien soulage quiconque souffre ; il pardonne à qui l'a offensé. — 3. Le Souverain Juge nous demandera si nous avons marché dans la voie du bien. — 4. Trop de gens ne savent pas comment ils vivent. — 5. Dites-moi quels sont vos projets d'avenir.

b) 1. Savez-vous que le temps perdu ne se retrouve jamais ? — 2. Nous nous plaignons souvent de ce que nos amis nous ont froissés ; demandons-nous si, à cet égard, nous n'avons nous-mêmes rien à nous reprocher. — 3. Le succès appartient à qui le conquiert. — 4. Dis-moi qui tu hantes et je te dirai qui tu es. — 5. Un homme sage ne s'attend pas à ce que les difficultés se résolvent d'elles-mêmes.

653. — Remplacez les points par une *subordonnée complément d'objet*. [Gr. § 461.]

a) 1. Dieu veut ... — 2. Avril revient : tout nous annonce ... — 3. Bien des gens se plaignent de ce que ... — 4. Parfois nous nous apercevons que ... — 5. Demandons aux philosophes si ...

b) 1. Nul ne sait quand ... — 2. L'avare croit que ... — 3. Pouvons-nous douter que ... ? — 4. Beaucoup de choses réussissent à qui ... — 5. Nous estimons volontiers que ... — 6. Trop peu de personnes se demandent pourquoi ...

654. — Soulignez les *propositions infinitives* compléments d'objet directs et marquez-les du signe *prop. inf. c. o. dir.* ; — au moyen d'un trait coudé à chaque bout reliez chacune d'elles au verbe qu'elle complète. [Gr. § 461.]

Modèle : J'entends *les oiseaux chanter*.

prop. inf. c. o. dir.

a) 1. L'homme énergique voit l'obstacle tomber devant lui. — 2. Au jour de la libération de la patrie, nous avons senti notre cœur battre à grands coups dans notre poitrine et nous avons vu des larmes couler de bien des yeux. — 3. Quel enfant a regardé sans une profonde émotion sa mère pleurer ? — 4. Écoutez passer dans les branches les murmures du printemps. — 5. Laissons parler notre cœur quand nous voulons exprimer notre amour filial.

b) 1. Un homme de caractère ne laisse pas tomber les bras après un échec : on ne l'entend pas accuser le sort, mais on le voit reprendre sa tâche avec une énergie accrue. — 2. Qui n'a senti vibrer dans son cœur une juste fierté au récit des exploits de nos héros ? — 3. Voici

venir la nuit. — 4. Tel élève désire réussir à son examen : il s'absorbe
dans son travail ; jamais vous ne le voyez rêvasser ; il proteste quand
il entend bavarder autour de lui ; il ne se laisse pas décourager. —
5. On écoute volontiers quelqu'un qui dit venir de loin. — 6. Le
malheureux se sent revivre quand il voit un homme charitable compatir à ses maux.

655. — Discernez le sujet de chaque *proposition infinitive*.
[Gr. § 461.]

a) 1. La chèvre de M. Seguin regardait les étoiles danser dans le
ciel clair. — 2. Les hirondelles sont revenues : je les vois tourner
autour du clocher. — 3. Laissez dire les sots : le savoir a son prix.
(La Font.) — 4. Ah ! le temps de ma première enfance ! Je me vois
encore sauter sur les genoux de mon grand-père ; je l'entends encore
me raconter ses histoires fantastiques. — 5. Allons, faites donner
la garde ! cria Napoléon.

b) 1. J'aime les murmures qu'on entend passer dans les branches.
— 2. Elles sont douces, les larmes de repentir que le coupable sent
couler de ces yeux. — 3. Il y a des habitudes tenaces qu'ils est difficile
d'extirper quand on leur a laissé prendre racine. — 4. Les éducateurs
font prendre de bonnes habitudes à leurs élèves ; ils ne les laissent
pas corrompre par de mauvais compagnons. — 5. Voyez le chat
jouer avec la souris qu'il a prise : il lui fait faire quelques pas, puis
lui plante ses griffes dans les flancs.

656. — Discernez si les infinitifs en italique appartiennent ou non
à une *proposition infinitive*.
[Gr. § 461.]

a) 1. Qui veut *noyer* son chien l'accuse de la rage. — 2. J'aime
les peupliers qu'on entend *bruire* dans l'air léger. — 3. Quoi de plus
doux que les souvenirs d'enfance qu'on écoute *monter* dans sa mémoire,
le soir en regardant la flamme *rougeoyer ?* — 4. Tout homme espère
trouver le bonheur. — 5. Un homme de caractère ne se laisse pas
abattre par l'adversité ; quand il sent son courage *faiblir*, il lève les
yeux vers le Tout-puissant.

b) 1. Si vous voyez votre frère *tomber* d'accablement, ne courrez-
vous pas le *relever ?* — 2. L'air est si léger qu'on croit *sentir* les parfums du printemps *glisser* dans la lumière. — 3. Écoutez *venir* les
grands chariots chargés de foin ; on les entend *grincer* dans le crépuscule sur le chemin pierreux. — 4. Celui qui résout d'*atteindre*
son but peut l'atteindre généralement s'il sait *vouloir* fermement.
— 5. Une mère tremble que son enfant ne tombe quand elle lui voit
faire ses premiers pas.

657. — Transformez chaque phrase comme le suggèrent les mots en italique, et employez la *proposition infinitive*.   [Gr. § 461.]

a) 1. La colère s'allume-t-elle en nous : étouffons-la. *Dès que nous sentons* ... — 2. Les merles sifflent, les violettes éclosent : voici le printemps. *On entend ..., on voit ...* — 3. Ma mère plaint les malheureux. *Que de fois j'ai entendu ...* — 4. Notre cœur bat plus vite quand nous revoyons le pays natal après une longue absence. *Nous sentons ...* — 5. Vos parents dirigent votre jeunesse. *Laissez ...* — 6. Tout change autour de nous. *Nous voyons ...*

b) 1. Mon père disait souvent que le travail est un trésor. *J'ai souvent entendu ...* — 2. Mon frère vous accompagnera. *Je vous ferai ...* — 3. L'herbe ne doit pas croître sur le chemin de l'amitié. *Il ne faut pas laisser ...* — 4. Les hirondelles se rassemblent sur les toits : la mauvaise saison vient. *On voit ... ; voici ...* — 5. Dans les circonstances graves, la voix du devoir nous dit : Sacrifie-toi ! *Nous entendons ...* — 6. Les étoiles brillent dans l'infini des cieux : en les regardant nous élevons notre pensée vers le Créateur. *Nous élevons notre pensée vers le Créateur en regardant ...*

658. — Justifiez l'emploi du *mode* dans la subordonnée complément d'objet.   [Gr. §§ 462-464.]

a) 1. Nous savons que le temps s'en *va*, mais nous ne réfléchissons pas que nous *passons* avec lui. — 2. Dieu veut que nous *aimions* notre prochain comme nous-mêmes. — 3. Nous souhaitons qu'on *reprenne* les autres de leurs fautes, mais nous ne voulons pas qu'on nous *reprenne* des nôtres. — 4. Je crois que nous nous *plaindrions* moins de nos maux si nous pensions un peu plus à ceux de nos frères. —   Pensez-vous qu'on *puisse* s'instruire sans travailler ?

b) 1. Le ciel, tout l'univers proclame qu'il y *a* un Dieu. — 2. L'orgueilleux s'étonne toujours qu'on ne *mette* pas mieux en lumière ses mérites. — 3. Croyez-vous que le bien *doit* être récompensé ? — 4. Croyez-vous que le bien *doive* être ainsi dénigré ? — 5. Que la calomnie *soit* odieuse, chacun le sait. — 6. La chance sourit, dit-on, à qui *sait* être audacieux.

659. — Mettez au *mode* convenable les verbes en italique.
          [Gr. §§ 462-464.]

a) 1. Les vieilles gens estiment que le monde [*être*, imparf.] meilleur, quand ils étaient jeunes. — 2. La charité chrétienne commande que l'on [*secourir*, prés.] les malheureux. — 3. Supposons que vous [*être*, prés.] milliardaire : comment organiseriez-vous votre vie ? — 3. Nous devrions estimer beaucoup quiconque [*savoir*, prés.] nous reprocher nos fautes. — 4. Dites-moi quels [*être*, prés.] vos auteurs préférés, et je vous dirai qui vous [*être*, prés.]. — 5. Je suis convaincu que nous [*se connaître*, prés.] mieux si nous savions de temps en temps descendre en nous-mêmes.

b) 1. Nous croyons volontiers que les choses [*aller*, prés.] parfaitement et nous ne doutons guère qu'elle n'[*avoir*, prés.] une issue favorable, dès que nous voyons qu'elles [*être*, prés.] conformes à nos désirs. — 2. L'éloquence demande que l'orateur soit homme de bien. — 3. Si vous jugez qu'une lecture [*devoir*, prés.] alarmer votre conscience, sachez vous en abstenir. — 4. Vous qui souhaitez la richesse, vous êtes-vous demandé quel usage vous en [*faire*, prés.] ? — 5. La justice exige que chacun [*recevoir*, prés.] ce qui lui revient.

660. — Même exercice.   [Gr. §§ 462-464.]

a) 1. Croyez-vous que l'éloquence ne [*être*, prés.] qu'un art frivole dont un déclamateur se sert pour amuser la multitude ? — 2. Remercions Dieu de ce qu'il nous [*donner*, passé] une intelligence capable de comprendre et un cœur capable d'aimer. — 3. L'avare se plaint constamment de ce que la vie [*être*, prés.] chère. — 4. Avant de traiter une affaire avec quelqu'un, il est prudent de s'enquérir s'il [*être*, prés.] honnête. — 5. Croyez-vous qu'il [*appartenir*, prés.] à l'homme de commander aux tempêtes ? — 6. Croyez-vous que la somme [*être*, prés.] plus grande que chacune de ses parties ?

b) 1. Un élève consciencieux tâche qu'il n'y [*avoir*, prés.] aucune faute dans son devoir. — 2. Le cultivateur paresseux se plaint que la saison ne [*être*, prés.] pas favorable ; il s'étonne de ce que son champ ne [*produire*, prés.] qu'une maigre récolte. — 3. Le misanthrope nie qu'on [*pouvoir*, prés.] trouver au monde un homme droit et juste. — 4. On ne conteste pas que le travail [*être*, prés.] parfois pénible, mais qui doute qu'il ne [*être*, prés.] le meilleur remède de l'ennui ? — 5. Que l'occasion [*faire*, prés.] le larron, le proverbe l'affirme.

661. — Même exercice.   [Gr. §§ 462-464.]

a) 1. Rappelez-vous combien vos parents [*s'imposer*, passé] de sacrifices pour vous élever et ne doutez pas qu'ils ne [*être*, prés.] disposés à se dévouer pour vous. — 2. Un homme droit tâche que rien dans sa conduite ne [*contrevenir*, prés.] aux commandements du Décalogue. — 3. Celui qui fréquente de mauvais compagnons devrait bien réfléchir qu'il [*se perdre*, prés.]. — 4. Il importe de rebrousser chemin dès que nous nous apercevons que nous [*faire*, prés.] fausse route. —

5. Qu'on [*devoir*, prés.] réfléchir avant d'agir, tout homme sensé l'admettra.

b) 1. L'ambitieux essaie de se concilier quiconque [*avoir*, prés.] de la puissance et de l'influence. — 2. Le tribunal ordonne que le testament [*devoir*, prés.] être tenu pour nul et non avenu. — 3. Que de fois nous nous sommes fâchés que les événements [*être*, imparf.] contraires à nos désirs ! — 4. Le philosophe ne s'indigne pas que son travail ne [*produire*, prés.] pas tous les fruits qu'il espérait. — 5. Le sort accorde parfois un avantage à qui ne l'[*obtenir*, prés.] pas si le mérite seul servait de critère.

662. — Changez la tournure des phrases suivantes en mettant en tête de la phrase la *subordonnée complément d'objet* : [Gr. § 462.]

> *Modèle :* Vous savez que le travail est un trésor. *Que le travail soit un trésor, vous le savez.*

1. Tout le monde admet que la persévérance vainc beaucoup d'obstacles. — 2. Nos maîtres nous ont dit bien souvent que l'instruction est un capital précieux. — 3. Les moralistes affirment avec raison que l'adversité peut nous rendre meilleurs. — 4. L'expérience nous enseigne qu'on est puni par où on a péché. — 5. Un examen sincère de notre conscience nous convaincrait que nous avons bien des défauts. — 6. Qui ne croirait que la paix vaut mieux que la guerre ? — 7. Un proverbe nous rappelle que l'on n'est jamais si bien servi que par soi-même. — 8. On a dit avec raison qu'on prend plus de mouches avec une cuillerée de miel qu'avec cent barils de vinaigre.

663. — Mettez au *mode* convenable les verbes en italique.
[Gr. §§ 462-464.]

Le Devoir de la compassion.

La vie vous convaincra qu'il [*y avoir*, prés.] sur la terre des malheureux qui souffrent. Si vous avez un peu de pitié, vous vous persuaderez qu'on [*devoir*, prés.] les secourir, et si la charité chrétienne enflamme votre cœur, vous ne craindrez pas qu'on vous [*voir*, prés.] en leur compagnie. Croyez-vous qu'en général les hommes [*faire*, prés.] à l'égard des pauvres ce qu'ils pourraient faire ? Sans doute beaucoup s'émeuvent de leurs misères et désirent qu'on les [*adoucir*, prés.]. Mais on s'étonne que tant de gens justes, droits et bons se soucient peu que les malheureux [*avoir*, prés.] le nécessaire.

Combien n'y a-t-il pas de riches ou de bourgeois dans l'aisance qui ne se demandent même pas comment ces malheureux [*pouvoir*, prés.]

subsister ! Pour vous, vous aimerez les pauvres, vous ne douterez pas que leurs besoins ne [*être* prés.] grands, vous les soulagerez, vous les consolerez et vous vous souviendrez que nous [*être*, prés.] tous frères ici-bas. Et vous remercierez Dieu de ce qu'il vous [*donner*, passé] un cœur capable de compassion.

5. — Subordonnées compléments circonstanciels.

1º SUBORDONNÉES COMPLÉMENTS CIRCONSTANCIELS DE TEMPS

664. — Soulignez les *subordonnées compléments circonstanciels de temps* et marquez-les du signe *sub. c. circ. temps ;* au moyen d'un trait coudé à chaque bout, reliez chacune d'elles au verbe qu'elle complète. **[Gr. § 446.]**

Modèle : <u>Quand le soleil se lève</u>, les oiseaux chantent.

sub. c. circ. temps

a) 1. On s'abaisse chaque fois qu'on manque une occasion de faire le bien. — 2. Dès que les premiers beaux jours arrivent, les hirondelles nous reviennent. — 3. Aussi longtemps que la fortune te favorisera, tu compteras beaucoup d'amis. — 4. Persévérez dans vos efforts jusqu'à ce que vous vainquiez la difficulté. — 5. Lorsque l'enfant paraît, le cercle de famille applaudit à grands cris. (Hugo.)

b) 1. Dieu donne à l'homme, quand il lui plaît, de grandes et de terribles leçons. — 2. On se sent meilleur après qu'on a admiré un beau spectacle. — 3. On agit contre la nature toutes les fois que l'on combat contre sa patrie. — 4. Lorsqu'on ne sait pas être juste, on n'a pas le droit d'être sévère. — 5. Extirpons les mauvaises habitudes avant qu'elles aient pris racine dans notre âme.

665. — Modifiez la tournure des phrases suivantes de façon qu'elles présentent chacune une *subordonnée complément circonstanciel de temps.* **[Gr. § 466.]**

Modèle : Le signal est donné : aussitôt la troupe se met en marche. —
Aussitôt que le signal est donné, la troupe se met en marche.

1. Faites-vous un plan, après vous vous mettrez à écrire. — 2. Le printemps s'annonce ; aussitôt les pâquerettes éclosent. — 3. La

fourmi amassait des provisions ; pendant ce temps, la cigale chantait.
— 4. La science a fait de merveilleux progrès ; depuis ce temps les
hommes sont-ils plus heureux ? — 5. François Ier fut battu à Pavie ;
alors il écrivit à sa mère : Tout est perdu fors l'honneur. — 6. Je vous
appellerai ; à ce moment-là, venez. — 7. Vous entrerez dans la vie ;
en attendant, apprenez à vouloir. — 8. La conscience est satisfaite :
alors on ne peut pas être entièrement malheureux.

**666. — Joignez à chacune des propositions suivantes une *subor-
donnée complément circonstanciel de temps.*   [Gr. § 466.]**

a) 1. Nous mettrons toutes nos forces au service d'une noble cause.
— 2. Caïn erra malheureux sur la terre. — 3. Tout chante dans la
nature. — 4. Notre cœur est doucement ému. — 5. La lutte contre les
maladies infectieuses est devenue plus efficace.

b) 1. Nous éprouvons du remords. — 2. Vous risquez de gâcher
votre vie. — 3. On se déshonore. — 4. Laissez-vous conduire docilement. — 5. Le renard et le bouc songèrent à sortir du puits.

667. — Mettez au *mode* convenable les verbes en italique. [Gr. § 467.]

a) 1. Quand on [*courir*, prés.] après l'esprit, on attrape la sottise. —
2. Habituez-vous à accomplir de petits actes de volonté, en attendant
que la vie vous [*mettre*, prés.] en occasion d'en accomplir de plus grands.
— 3. Honte à ceux qui ne songent qu'à leurs intérêts pendant que la
patrie [*subir*, prés.] un sort cruel ! — 4. La fortune est mouvante :
quand on [*bâtir*, prés.] sur elle, on bâtit sur le sable. — 5. Les hommes
sont-ils plus heureux depuis qu'ils [*inventer*, passé] les canons à tir
rapide, les avions et la bombe atomique ?

b) 1. Maintenant que les pouvoirs publics [*décréter*, passé] l'instruction obligatoire, les illettrés sont très rares. — 2. Les hommes, dit
Vauvenargues, ont la volonté de rendre service jusqu'à ce qu'ils en
[*avoir*, prés.] le pouvoir. — 3. Les hommes ne sont que des hommes,
alors même qu'ils [*être*, prés.] très grands. — 4. Il faut apprendre aux
enfants à fuir le vice, dès qu'ils [*être*, prés.] capables de discerner le
bien du mal. — 5. Notre âme est remplie d'une douce joie après que
nous [*accomplir*, passé] une bonne action.

668. — Même exercice.   [Gr. § 467.]

a) 1. La sagesse antique enseigne qu'il ne faut proclamer   nul
homme heureux avant qu'il [*être*, prés.] mort. — 2. Toutes les fois
que je [*vouloir*, prés.] contempler la voûte étoilée, ma pensée s'élève
vers le Créateur de l'univers. — 3. Dès que tu [*se rendre compte*, prés.]

que tu as un défaut, tu devrais faire un vigoureux effort pour t'en corriger. — 4. Supposons que tu sois un chef et que je sois ton subordonné : aussitôt que tu me [*donner*, passé] un ordre, je l'exécuterais. — 5. Après qu'il [*pleuvoir*, passé], si nous en croyons le dicton, le beau temps vient.

b) 1. Pendant que je [*concevoir*, prés.] l'idée de l'instant présent, cet instant tombe dans le passé. — 2. En attendant que la vie vous [*prendre*, prés.] dans ses remous, affermissez votre caractère. — 3. Après qu'un homme [*tout perdre*, passé], il lui reste encore l'espérance, il lui reste encore Dieu. — 4. Que notre cœur soit soulevé d'un grand élan, chaque fois que nous [*lire*, prés.] le récit d'une action héroïque. — 5. Un travail persévérant vient à bout de tout : redoublons donc de courage jusqu'à ce que nous [*vaincre*, passé] la difficulté.

669. — Mettez au *mode* convenable les verbes en italique.

[Gr. § 467.]

Ah ! les Bons Voyages !

Lorsque le ciel [*être*, prés.] serein, il communique au voyage une part de son charme, mais les injures du temps, quand on [*savoir*, prés.] les accueillir, peuvent aussi avoir leurs avantages. Au moment où on [*croire*, imparf.] devoir partir, il faut attendre ; et en attendant que l'atmosphère [*redevenir*, prés.] clémente, on échappe à la monotonie du plan connu d'avance.

Chaque fois que la nécessité vous [*assaillir*, prés.], vous goûtez le plaisir piquant de courir d'aventureuses chances ; pendant que vous [*aller*, prés.] bravement affronter la difficulté, un gai courage vous dilate le cœur. Surtout quand on [*faire*, prés.] route en troupe nombreuse, le manque de commodités, les anicroches, les embarras de toutes sortes sont une sorte d'adversité qui rapproche et qui vous rassemble gaiement après que, tous ensemble, vous [*vaincre*, passé] un obstacle.

D'après TÖPFFER.

2º SUBORDONNÉES COMPLÉMENTS CIRCONSTANCIELS DE CAUSE

670. — Soulignez les *subordonnées compléments circonstanciels de cause* et marquez-les du signe *sub. c. circ. cause ;* — au moyen d'un trait coudé à chaque bout, reliez chacune d'elles au verbe qu'elle complète. [Gr. § 468.]

Modèle : Persévérez, *parce que le devoir l'exige.*

a) 1. Comment le paresseux récolterait-il dans sa vieillesse, puisqu'il n'a rien semé dans sa jeunesse ? — 2. Il en est qui se dispensent de faire la charité sous prétexte que les pouvoirs publics ont créé des œuvres de bienfaisance. — 3. Quelques-uns se croient modestes, parce qu'ils tiennent les yeux baissés en notre présence. — 4. La charité, parce qu'elle est patiente, douce, bienfaisante, séduit les cœurs. — 5. Attendu que notre jugement n'est pas infaillible, nous devons parfois nous défier de nous-mêmes.

b) 1. Étant donné que l'avenir est incertain, l'homme sage prévoit ce qu'il fera si ses projets viennent à échouer. — 2. Comme nous tenons tout de Dieu, il est juste que nous lui exprimions notre reconnaissance. — 3. Vu que les amitiés humaines sont incertaines, je ne fonderai pas sur elles d'espoirs exagérés. — 4. Mettez-vous soigneusement en garde contre votre amour-propre, parce que c'est le plus habile de tous les flatteurs. — 5. Comme nos actes nous suivent, et que le Juge suprême nous en demandera compte, veillons à n'en accomplir que de bons. — 6. Je contredirai votre témoignage : non que je veuille vous froisser, mais la vérité a ses droits.

c) 1. Du moment que vos parents vous autorisent à faire ce voyage, je n'ai pas à m'y opposer. — 2. Dès lors que vous ne faites pas d'efforts, je dois renoncer à vous tirer d'embarras. — 3. Comment aurais-je médit de vous l'an passé, si je n'étais pas né ? répondit l'agneau. — 4. Comme il a la vue basse, qu'il doit se pencher ainsi sur son livre ! — 5. Est-ce que vous n'avez pas entendu mes appels, que vous arrivez si tard ?

671. — Tournez les phrases suivantes de façon qu'elles contiennent chacune une *subordonnée complément circonstanciel de cause* :
[Gr. § 468.]

1. La persévérance est une des conditions du succès, donc sachez prolonger votre effort. — 2. Il faut bien employer son temps, car il est court. — 3. Je vois votre repentir : je vous pardonne. — 4. J'ai peu d'expérience : pour cette raison, je ne jugerai pas à la légère. — 5. Ne te fie pas aux apparences, car elles sont souvent trompeuses. — 6. Tu ne réponds pas ? tu ne m'as pas entendu ? — 7. La géométrie est trop difficile ! Sous ce prétexte certains élèves la négligent.

672. — Joignez à chacune des propositions suivantes une *subordonnée complément circonstanciel de cause* :   [Gr. § 468.]

a) 1. Hâtez-vous. — 2. Rapportons-nous-en à l'expérience de nos maîtres. — 3. Ne méprisons personne. — 4. Nul ne doit renier ses parents. — 5. Aidez-vous mutuellement.

b) 1. Fuyez les mauvais compagnons. — 2. Il faut apprendre l'orthographe. — 3. Je ne me laisserai pas décourager par un échec. — 4. Vous rendrez à chacun ce qui lui revient. — 5. Je serai fidèle à mes promesses.

673. — Mettez au *mode* convenable les verbes en italique.

[Gr. § 469.]

a) 1. Notre mère sait nous consoler, parce qu'elle [*savoir*, prés.] prendre sur elle une partie de nos souffrances. — 2. Le présent qui s'enfuit est déjà bien loin, puisqu'il [*s'anéantir*, prés.] dans le moment même que nous parlons. — 3. L'humble connaissance de soi-même vaut mieux que les recherches profondes de la science ; non qu'il [*falloir*, prés.] mépriser la science, seulement on doit préférer toujours une conscience pure. — 4. Apprenez à souffrir, parce que, si le malheur venait à vous frapper, vous ne [*trouver*, prés.] pas en vous la force de le supporter. — 5. Que de gens négligent de descendre en eux-mêmes, sous prétexte qu'ils n'[*avoir*] pas le temps de s'examiner !

b) 1. Défiez-vous des méthodes dites faciles ; non pas qu'on [*devoir*, prés.] les rejeter comme faciles, mais les choses difficiles exigent que nous fassions de grands efforts. — 2. Étant donné que l'habitude [*être*, prés.] en germe dans le premier acte, ne croyez pas qu'une faute isolée soit sans conséquence. — 3. Puisque nous [*risquer*, prés.] de nous perdre si nous fréquentions de mauvais compagnons, choisissons nos amis avec discernement. — 4. Il importe de bien choisir notre profession, vu que le bonheur de notre vie en [*dépendre*, prés.] pour une certaine part. — 5. Comme les apparences [*être*, prés.] souvent trompeuses, ne jugeons pas les gens sur la mine.

3° SUBORDONNÉES COMPLÉMENTS CIRCONSTANCIELS DE BUT

674. — Soulignez les *subordonnées compléments circonstanciels de but* et marquez-les du signe *sub. c. circ. but* ; — au moyen d'un trait coudé à chaque bout, reliez chacune d'elles au verbe qu'elle complète.

[Gr. § 470.]

Modèle : Honore tes parents, *afin que tu vives longuement.*

    ↑_____↑
               sub. c. circ. but

a) 1. Travaillez pendant votre jeunesse pour que votre vieillesse soit à l'abri du besoin. — 2. Le meunier et son fils allant vendre leur âne à la foire lui avaient lié les pieds et le portaient afin qu'il fût plus frais et de meilleur débit. — 3. Aimez bien votre prochain, pour que le

Seigneur soit content de vous. — 4. Si vous êtes aveugle, ne vous faites pas conduire par un autre aveugle, de peur que vous ne tombiez tous deux dans le fossé. — 5. Montrez-moi vos mains, dit la maman, que je voie si elles sont propres.

b) 1. N'achète pas le superflu, de crainte que tu ne sois forcé de vendre le nécessaire. — 2. Ne t'endors pas dans l'oisiveté, de peur que tu ne te réveilles dans la misère. — 3. Nos parents nous mettent en garde contre les manœuvres du mal, afin qu'elles ne surprennent point notre inexpérience et notre bonne foi. — 4. On nous donne une bonne instruction et une bonne éducation pour que nous puissions plus tard tenir honorablement notre rang dans la société. — 5. Quand vous vous proposez de résoudre une difficulté, considérez-la dans toute son étendue, afin que le point principal de la résistance n'échappe pas à votre attention.

675. — **Tournez les phrases suivantes de telle façon qu'elles contiennent chacune une *subordonnée complément circonstanciel de but* :** [Gr. § 470.]

1. Votre conscience ne doit rien vous reprocher ; évitez donc les fautes même légères. — 2. Tu crains que les mauvais compagnons ne te corrompent ; évite toute relation avec eux. — 3. Un bon père de famille pratique l'économie : il désire que ses enfants ne manquent de rien plus tard. — 4. Certaines gens étalent leurs connaissances : ils veulent qu'on admire leur vaste culture. — 5. Approchez : je vous verrai mieux. — 6. Vous souhaitez une vie heureuse : pour cela, pratiquez la vertu.

676. — **Joignez à chacune des propositions suivantes une *subordonnée complément circonstanciel de but* :** [Gr. § 470.]

a) 1. L'avare enfouit son trésor. — 2. La poule couvre ses poussins de ses ailes. — 3. Vers le soir, le jardinier couvre d'une cloche les jeunes melons. — 4. Ouvrons notre porte aux malheureux. — 5. Conduisez-vous toujours dignement.

b) 1. Ne remettez pas à demain ce que vous pouvez faire aujourd'hui. — 2. On défend aux enfants de jouer avec le feu. — 3. Certaines gens font l'aumône. — 4. Nos parents nous reprennent de nos fautes. — 5. Notre mère se priverait même du nécessaire.

677. — **Mettez au *mode* convenable les verbes en italique.** [Gr. § 471.]

a) 1. On voit des gens protester contre les louanges qu'on leur donne, mais c'est afin qu'on [*renchérir*, prés.]. — 2. Ne remettez pas à plus tard l'accomplissement de vos bonnes résolutions, de crainte que le temps ne vous [*faire*, prés.] défaut. — 3. Les vierges sages répondirent aux vierges folles : De peur qu'il n'y [*avoir*, prés.] pas assez d'huile pour nous et pour vous, allez plutôt chez ceux qui en vendent. — 4. Donnez, afin qu'au dernier jour il [*être tenu compte*, prés.] de toutes vos charités. — 5. Relisez attentivement ce que vous avez écrit, afin qu'on n'[*avoir*, prés.] aucune faute d'orthographe à vous reprocher.

b) 1. Ne vous exposez pas de gaieté de cœur au danger, de crainte que vous n'y [*succomber*, prés.]. — 2. Enrichissez sans cesse votre esprit, afin que votre culture générale [*être*, prés.] aussi large que possible. — 3. Que de soins minutieux prennent les pinsons pour que le nid, doux berceau de la couvée, [*être*, prés.] chaud et moelleux ! — 4. Prenez goût aux beaux récits, admirez les exploits des héros, afin que vous [*trouver*, prés.], vous aussi, le cas échéant, la force de faire plus que le simple devoir. — 5. Fuyez la société des méchants, de crainte que vous ne [*devenir*, prés.] semblable à eux.

3º SUBORDONNÉES COMPLÉMENTS CIRCONSTANCIELS DE CONSÉQUENCE

678. — Soulignez les *subordonnées compléments circonstanciels de conséquence* et marquez-les du signe *sub. c. circ. cons.* ; — au moyen d'un trait coudé à chaque bout, reliez chacune d'elles au verbe qu'elle complète.   [Gr. § 472.]

Modèle : Il travaille tellement *qu'il s'épuise.*

↑ _____ ↑
sub. c. circ. cons.

a) 1. L'utilité de la vertu est si manifeste que les méchants la pratiquent parfois par intérêt. — 2. La mouche du coche se vantait d'avoir tant fait que l'attelage était enfin arrivé au haut de la côte. — 3. La vie est trop courte pour que nous en perdions une partie à des occupations frivoles ou malsaines. — 4. Conduisez-vous toujours de manière qu'on n'ait rien de grave à vous reprocher. — 5. Qui est assez puissant pour que les tempêtes s'apaisent à son commandement ?

b) 1. L'homme droit a une telle horreur de la duplicité qu'il n'en supporte pas même l'ombre. — 2. Des gens qui sont faits de telle façon que leur raison domine sur leurs sentiments, on peut dire qu'ils ont beaucoup de bon sens. — 3. Il y a, hélas ! des parents qui ont si peu de ressources que leurs enfants manquent parfois de pain. — 4. Le printemps est charmant au point que notre âme, par un beau matin de mai, est ravie d'admiration. — 5. Telle est la beauté des paraboles évangéliques qu'elle émeut toutes les âmes sensibles.

679. — **Tournez les phrases suivantes de manière qu'elles contiennent chacune une** *subordonnée complément circonstanciel de conséquence :*   [Gr. § 472.]

a) 1. La vertu est très belle ; c'est pourquoi on ne peut pas ne pas l'aimer. — 2. L'honneur est trop précieux : ne nous exposons pas à le perdre. — 3. Votre jugement est-il sûr ? Vous ne vous trompez jamais ? — 4. Cet homme est bon ; aussi tout le monde l'aime. — 5. Le malade est très bas ; on craint même le pire.

b) 1. Devenir chaque jour meilleurs ; telle doit être la conséquence de notre façon de vivre. — 2. Les fils du laboureur retournèrent très bien leur champ, qui en rapporta davantage. — 3. Il y a des gens fort susceptibles : une parole un peu vive leur fait perdre leur sérénité. — 4. Il ne faut pas qu'une mère soit faible jusqu'à se laisser tyranniser par ses enfants. — 5. L'héroïsme du sergent De Bruyne est vraiment beau : il provoque l'enthousiasme.

680. — **Joignez à chacune des propositions suivantes une** *subordonnée complément circonstanciel de conséquence :*
[Gr. § 472.]

a) 1. Le temps est si précieux... — 2. Le lièvre de la fable folâtra tant... — 3. Cet enfant a tellement crié... — 4. Cet élève s'applique si peu... — 5. L'orateur articulait mal...

b) 1. La sobriété du chameau est telle... — 2. Notre mère nous aime... — 3. Les lis des champs sont si richement vêtus... — 4. Ne dites pas : le flamand est trop difficile... — 5. Nous diviserons la difficulté...

681. — **Mettez au** *mode* **convenable les verbes en italique.**
[Gr. § 473.]

a) 1. La discipline des armées romaines était si dure que la victoire même [*être*, imparf.] dangereuse et souvent mortelle à ceux qui la gagnaient contre les ordres. — 2. Conduisez-vous de façon que votre conscience n'[*avoir*, prés.] rien à vous reprocher. — 3. Le cygne nage si vite qu'une homme, marchant rapidement au rivage, [*avoir*, prés.] grand-peine à le suivre. — 4. La vitesse du martinet est telle que cet oiseau [*pouvoir*, prés.] faire jusqu'à cent kilomètres par heure. — 5. Partagez votre temps de telle manière que vous [*avoir*, prés.] chaque jour quelques moments à consacrer à la lecture.

b) 1. Habituons-nous à vivre de façon que nous [*pouvoir*, prés.] à tout moment établir sans déficit le bilan de nos actions. — 2. Telle est la beauté de la vertu qu'on ne [*pouvoir*, prés.] la voir sans l'aimer. —

3. Le Christ a tant aimé les hommes qu'il [*mourir*, passé] pour eux sur la croix. — 4. Il y a encore des hommes qui ont à ce point l'amour de leur patrie que, s'il le fallait, ils [*donner*, prés.] leur vie pour elle. — 5. L'étude de la grammaire n'est pas difficile au point que vous ne [*pouvoir*, prés.] en observer les règles principales.

c) 1. L'esprit est tellement esclave de l'imagination qu'il lui [*obéir*, prés.] toujours lorsqu'elle est échauffée. — 2. Il y a des hommes qui ont une telle cupidité que, s'il fallait monnayer leur honneur, ils n'[*hésiter*, prés.] pas à le faire. — 3. Les petits actes de vertu engendrent les bonnes habitudes ; ils ont donc assez d'importance pour qu'on [*s'astreindre*, prés.] à les accomplir exactement. — 4. N'y aurait-il pas moyen de disposer notre imagination de telle sorte qu'elle ne [*grossir*, prés.] pas démesurément nos petits ennuis quotidiens ? — 5. Nul homme n'est si savant qu'il [*savoir*, prés.] tout ce que renferme le cercle des connaissances humaines.

5° SUBORDONNÉES COMPLÉMENTS CIRCONSTANCIELS D'OPPOSITION

682. — Soulignez les *subordonnées compléments circonstanciels d'opposition* et marquez-les du signe *sub. c. circ. opp.* ; au moyen d'une ligne coudée à chaque bout, reliez chacune d'elles au verbe qu'elle complète.   [Gr. § 474.]

Modèle : <u>Bien qu'il soit pauvre</u>, il ne se plaint pas.

sub. c. circ. opp.

a) 1. Quoi que vous ayez fait de grand, ne vous enorgueillissez pas. — 2. Où que vous soyez, restez dignes. — 3. Homme, qui que tu sois, tu n'es qu'un homme. — 4. Loin qu'on doive se décourager après un échec, il faut redoubler d'énergie. — 5. Une profession, quelle qu'elle soit, a sa noblesse.

b) 1. L'homme pénétré de l'idée de devoir, à quelque place qu'il soit, peut toujours accomplir de grandes choses. — 2. Le paresseux voyage pour se désennuyer, mais en quelque endroit qu'il aille, il porte avec lui son ennui. — 3. La défense d'une cause, si bonne qu'elle soit, nous impose des sacrifices personnels. — 4. Quelques belles vérités que vous exprimiez, vous leur ôtez quelque chose de leur beauté si le style vous manque. — 5. Tout faibles que nous sommes, nous sentons en nous des aspirations vers l'infini.

683. — Tournez les phrases suivantes de telle façon que chacune d'elles contienne une *subordonnée complément circonstanciel d'opposition :* [Gr. § 474.]

a) 1. On a beau être savant, on ne peut tout savoir. — 2. La science a son prix ; néanmoins elle est moins précieuse que la vertu. — 3. Vous direz ce que vous voudrez : je n'admettrai jamais que la fin justifie les moyens. — 4. Je concède que l'argent est utile ; il ne fait cependant pas le bonheur. — 5. Les Nerviens ont combattu avec courage ; pourtant ils n'ont pu résister à César. — 6. Un homme peut être grand, soit ; c'est sa tombe qui le mesure au juste.

b) 1. Vous êtes puissant ; cependant vous avez besoin des autres hommes. — 2. La maison de Socrate était petite ; elle lui paraissait pourtant trop grande encore pour être remplie de vrais amis. — 3. Réglez votre existence de la façon que vous voudrez : les gens en parleront. — 4. Les gens auront beau dire ceci ou cela ; vous ne vous écarterez pas de la voie du bien. — 5. Malgré les dires des pessimistes, il y a encore des âmes nobles, éprises d'un bel idéal.

684. — Remplacez les mots en italique par une *subordonnée complément circonstanciel d'opposition.*

[Gr. § 474.]

1. Certaines personnes ont une grande fermeté d'âme, *malgré la débilité de leur corps.* — 2. *En dépit des calomnies*, l'homme de bien va son chemin. — 3. *Malgré son jeune âge*, Condé remporta à Rocroi, en 1643, une éclatante victoire. — 4. *En dépit d'une certaine dureté de cœur*, on n'est jamais insensible aux larmes de sa mère. — 5. *Malgré les flatteries*, le sage garde une vue claire de ses mérites et se préserve soigneusement de l'orgueil.

685. — Joignez à chacune des propositions suivantes une *subordonnée complément circonstanciel d'opposition :*

[Gr. § 474.]

a) 1. On a toujours quelque chose à apprendre. — 2. Un cheveu fait de l'ombre. — 3. La flatterie est dangereuse. — 4. L'homme ne saurait éviter la mort. — 5. Cet homme a échoué dans son entreprise.

b) 1. Soyez modestes. — 2. Faites toutes choses avec beaucoup de conscience. — 3. Respecte les convenances. — 4. Ne désespérons pas de l'avenir. — 5. Nul ne peut pénétrer dans l'avenir.

686. — Mettez au *mode* convenable les verbes en italique.[Gr. § 475.]

a) 1. Quoi que vous [*faire*, prés.], faites-le en homme de bien. —

2. Tout séduisant que [*être*, prés.] les honneurs de ce monde, ils ne sauraient nous rendre parfaitement heureux. — 3. Quand bien même le menteur [*jurer*, prés.] qu'il dit la vérité, on ne le croirait pas. — 4. Encore qu'on [*pouvoir*, prés.] préférer la beauté sauvage des Ardennes, on ne saurait rester insensible au charme apaisant des plaines campinoises. — 5. Pour brillant que [*être*, prés.] le soleil, il a ses taches.

b) 1. Quelques bonnes raisons qu'il [*avoir*, prés] d'agir, le paresseux n'a pas l'énergie de s'y décider. — 2. L'homme le plus sage est parfois trompé, quelques précautions qu'il [*prendre*, prés.] pour ne pas l'être. — 3. La valeur, tout héroïque qu'elle [*être*, prés.], ne suffit pas pour faire les héros. — 4. Quelque haut placé que vous [*être*, prés.], êtes-vous à l'abri des coups du sort ? — 5. Un diamant garde son éclat, quand bien même on le [*jeter*, prés.] dans la boue.

c) 1. Si honnête que tu [*être*, prés.], tu seras exposé aux attaques de la calomnie. — 2. Quand même vous me [*promettre*, prés.] un trésor, je ne trahirai pas mon serment. — 3. Bien qu'il n'[*avoir*, prés.] ni mérite ni talent, l'intrigant, hélas ! parvient souvent à occuper un haut emploi. — 4. Quelques injustices qu'on [*devoir*, prés.] subir dans sa patrie, il faut l'aimer. — 5. Tout obscurcie qu'elle [*pouvoir*, prés.] être, la vérité finira bien par briller aux yeux de tous.

6° SUBORDONNÉES COMPLÉMENTS CIRCONSTANCIELS DE CONDITION

687. — Soulignez les *subordonnées compléments circonstanciels de condition* et marquez-les du signe *sub. c. circ. cond.* ; — au moyen d'une ligne coudée à chaque bout, reliez chacune d'elles au verbe qu'elle complète.   [Gr. § 476.]

Modèle : <u>Si tu manges de ce fruit</u>, tu mourras.

       sub. c. circ. cond.

a) 1. Si tu t'endors dans l'oisiveté, tu te réveilleras dans la misère. — 2. Il ne vous restera plus assez d'énergie pour compatir aux douleurs d'autrui, si vous vous tournez trop souvent vers vos propres douleurs. — 3. Pour peu qu'on réfléchisse, on reconnaîtra la vanité des grandeurs humaines. — 4. L'orateur n'est digne d'être écouté qu'à condition qu'il se serve de la parole pour faire triompher la vérité et la vertu. — 5. Soit que vous parliez, soit que vous écriviez, évitez toute bassesse.

b) 1. Supposé que l'adversité t'accable, tes amis ne t'abandonneront-ils pas ? Au cas où tu aurais besoin de leur aide, te la donneront-ils ? — 2. Certains beaux parleurs sont prêts à recourir aux artifices les plus méprisables, pourvu qu'ils arrivent à leurs fins. — 3. Si vous approuvez le duel, vous admettez donc qu'on n'a jamais tort avec un homme, pourvu qu'on le tue. — 4. Si on a de la volonté et qu'on suive une bonne méthode, on peut souvent se promettre le succès. — 5. Trop de gens, hélas ! admettent toutes sortes de compromissions, pourvu que leurs intérêts soient saufs.

688. — Tournez les phrases suivantes de manière que chacune d'elles contienne une *subordonnée complément circonstanciel de condition* : [Gr. § 476.]

a) 1. Chassez le naturel, il revient au galop. — 2. Voulez-vous juger d'un homme : observez ses amis. — 3. Quelqu'un s'est-il dévoué entièrement au bonheur de ses semblables : tenez-le pour un grand homme. — 4. Je vous pardonne, mais à une condition : promettez-moi de vous corriger. — 5. Supposons que vos amis vous trahissent ; souhaiterez-vous leur malheur ?

b) 1. L'avare s'accommode des pires choses, mais il doit conserver son trésor. — 2. On peut me blâmer, on peut me louer, je n'en ferai qu'à ma tête, dit le meunier de la fable. — 3. Nous voulons qu'on nous épargne : alors épargnons aussi les autres. — 4. Vous ne parviendrez pas à triompher de l'ennemi ; par votre union, vous y parviendrez. — 5. La connaissance de l'avenir nous rendrait-elle plus heureux ?

689. — Remplacez les mots en italique par une *subordonnée complément circonstanciel de condition*. [Gr. § 476.]

1. *Semant le vent,* tu récolteras la tempête. — 2. *Mieux discipliné,* cet élève ferait certainement des progrès. — 3. Le sage ne heurte pas toujours de front la difficulté ; *trouve-t-il un roc sur son chemin ?* il sait accepter un détour. — 4. *A vaincre sans péril* on triomphe sans gloire. — 5. *A moins d'un repentir sincère et d'une réparation complète,* le coupable n'obtiendra pas son pardon. — 6. *Moyennant une surveillance très attentive exercée sur nous-mêmes,* nous deviendrons meilleurs. — 7. Nous observons chaque jour certaines choses qui, *prenant une autre direction,* répondraient mieux à nos désirs.

690. — Joignez à chacune des propositions suivantes une *subordonnée complément circonstanciel de condition* : [Gr. § 476.]

a) 1. Comment pourrais-tu te commander dans les choses difficiles ? — 2. Vous ne pouvez guère manquer d'arriver au succès. — 3. L'expérience nous instruira d'une excellente manière. — 4. Nous supporterons avec courage l'adversité. — 5. Les hommes ne maintiendraient pas même un seul jour l'égalité de leurs fortunes.

b) 1. On ne manquera pas de vous accorder le pardon. — 2. Votre pensée s'élèvera naturellement vers le créateur. — 3. Adresse-toi avec confiance à tes professeurs. — 4. Nous aurions plus facilement vaincu la difficulté. — 5. J'aurai l'estime des honnêtes gens.

691. — Distinguez parmi les *subordonnées compléments circonstanciels de condition* celles qui expriment : 1⁰ la supposition pure et simple ; 2⁰ le potentiel ; 3⁰ l'irréel. [Gr. § 477.]

1. Si tu manques à ton devoir, tu te dégrades. — 2. Si quelque malheur vous frappait, le supporteriez-vous avec courage ? — 3. Si tu achètes le superflu, tu vendras bientôt le nécessaire. — 4. Si les hommes n'avaient aucun vice, quel bonheur régnerait sur la terre ! — 5. Si un malheureux implorait votre assistance, la lui refuseriez-vous ? — 6. Si vous vous opposez vigoureusement à une passion naissante, vous la vaincrez facilement. — 7. Si j'échoue dans mon entreprise, je ne me découragerai pas. — 8. Si notre ouïe était mille fois plus fine qu'elle n'est, que d'harmonies merveilleuses elle percevrait !

692. — Mettez au *mode* et au *temps* convenables les verbes en italique. [Gr. §§ 477-478.]

a) 1. Si tous les hommes [*savoir*] ce qu'ils disent les uns des autres, affirmait Pascal, il n'y aurait pas quatre amis dans le monde. — 2. Nous louons volontiers les autres, à condition qu'ils [*faire*] de même à notre égard. — 3. Si les hommes [*être*] plus modérés, ils vivraient plus heureux. — 4. Quels progrès ne feriez-vous pas si vous [*être*] toujours attentifs et constamment appliqués ! — 5. Que deviendrait la loi de la justice divine si tout [*finir*] avec cette vie ?

b) 1. A moins qu'un homme ne [*être*] un monstre, l'amour maternel touche toujours son cœur. — 2. L'égoïste exhorte volontiers les autres à supporter les malheurs de la vie, pourvu que lui-même [*jouir*] de toutes ses aises. — 3. Quand Darius offrit à Alexandre la moitié de l'Asie, avec sa fille en mariage, Parménion dit au conquérant : « Si je [*être*] Alexandre, j'accepterais ». — « Et moi aussi, répliqua Alexandre, si je [*être*] Parménion. — 4. Que vous sert d'avoir un esprit pénétrant, si vous ne vous en [*servir*]pas bien et que vous le [*mettre*] au service de l'erreur ? — 5. Pour peu que l'on [*réfléchir*], on admettra que la sagesse humaine est toujours courte par quelque endroit.

c) 1. Au cas où votre méthode de travail vous [*paraître*] évidemment mauvaise, n'hésitez pas à en suivre une autre. — 2. Je consens que vous fuyiez le danger, mais à la condition qu'en le fuyant, vous ne [*fuir*] pas le devoir. — 3. La lecture vous sera très profitable, sous condition qu'elle [*être*] saine. — 4. Pascal disait que si la géométrie [*s'opposer*] à nos passions, nous n'en raisonnerions pas si bien. — 5. Trop de gens, hélas ! admettent qu'on prenne la première route venue, pourvu qu'elle [*conduire*] à la richesse ou aux plaisirs.

693. — Modifiez la construction des phrases suivantes en introduisant par *que* la subordonnée complément circonstanciel de condition en italique. [Gr. § 477.]

Modèle : Si cet homme tombe malade et *s'il vient à mourir*, que deviendront sa femme et ses enfants ? — Si cet homme tombe malade et *qu'il vienne à mourir*, que deviendront sa femme et ses enfants ?

1. Si vous suivez une bonne méthode et *si vous êtes persévérant*, vous ne manquerez guère de réussir. — 2. Si j'oubliais les bienfaits de mes parents ou *si j'étais insensible à leurs peines*, je serais bien ingrat. — 3. Si nous nous examinons sérieusement et *si nous prenons des résolutions énergiques*, nous deviendrons bientôt meilleurs. — 4. Si l'espérance ne soutient pas le malheureux et *s'il ne croit pas à la justice divine*, il sombrera dans un affreux désespoir. — 5. Si le Ciel exauçait toutes nos prières et *s'il satisfaisait tous nos désirs*, nous serions bien malheureux. — 6. Bien des gens vivent comme *s'ils n'avaient aucun souvenir du passé* ou *comme s'ils devaient vivre toujours*. — 7. Si vous ouvrez la porte à une mauvaise habitude et *si vous la laissez s'installer*, elle commandera bientôt en maîtresse.

7° SUBORDONNÉES COMPLÉMENTS CIRCONSTANCIELS DE COMPARAISON

694. — Soulignez les subordonnées compléments circonstanciels de comparaison et marquez-les du signe *sub. c. circ. comp. ;* — au moyen d'une ligne coudée à chaque bout, reliez chacune d'elles au verbe qu'elle complète. [Gr. § 479.]

Modèle : On meurt *comme on a vécu*.

$$\uparrow \qquad \uparrow$$

sub. c. circ. comp.

a) 1. Comme on fait son lit on se couche. — 2. De même qu'il n'y a pas de religion sans temple, il n'y a pas de famille sans l'intimité du foyer domestique. — 3. Le temps est un trésor plus grand qu'on ne peut croire. — 4. Nous perdons des illusions à mesure que nous avan-

çons dans la vie. — 5. Que de gens parlent autrement qu'ils ne pensent !
Que de gens aussi sont autres qu'ils ne paraissent !

b) 1. De même qu'un poison subtil se répand dans les veines, ainsi les
passions s'insinuent dans l'âme. — 2. Selon que vous serez puissant ou
misérable, dit le fabuliste, les jugements de cour vous rendront blanc ou
noir. — 3. Il y a des demi-savants qui tranchent et décident comme s'ils
savaient tout. — 4. L'adversité éprouve l'homme courageux, de même
que le feu éprouve l'or.—5. On est souvent plus heureux qu'on ne le dit.

c) 1. Les événements tournent souvent moins mal qu'on ne le
craignait. — 2. Le ciel était pur comme un miroir. — 3. La vertu est
plus précieuse que la science. — 4. Plus je vis d'étrangers, plus j'aimai
ma patrie. — 5. Autant d'hommes, autant d'avis. — 6. Cet ouvrage
est plus amusant qu'instructif.

**695. — Tournez les phrases suivantes de telle manière que chacune
d'elles contienne une *subordonnée complément circonstanciel de
comparaison*.**   [Gr. § 479.]

a) 1. Vous êtes plus élevé en dignité dans la société : vous devez
être plus attentif à donner le bon exemple. — 2. Le fleuve va vers la
mer ; de même l'homme va vers la mort. — 3. Ces braves se sont
élancés contre l'ennemi ; tels les flots déchaînés se ruent sur les falaises.
— 4. Le cheval est ardent ; dans la même mesure, l'âne est patient. —
5. Nous montions ; à mesure, l'horizon s'élargissait.

b) 1. On se regarde d'une certaine manière ; on regarde le prochain
d'une autre manière. — 2. Les abeilles construisent maintenant leurs
cellules d'une certaine manière ; au temps de Virgile elles les construisaient de la même manière. — 3. Le printemps a des charmes; l'hiver
n'en a pas moins. — 4. La rouille ronge le fer ; de même l'oisiveté ronge
nos énergies. — 5. Certaines gens sont plus complaisants quand on les
flatte plus.

**696. — Joignez à chacune des propositions suivantes une *subor-
donnée complément circonstanciel de comparaison* :** [Gr. § 479.]

1. De petits efforts répétés viennent à bout des plus grandes difficultés. — 2. L'homme fait sa vie. — 3. Moins on éprouve de joies. —
4. Il ne faut pas faire plus de promesses. — 5. Rarement l'avenir est
tel. — 6. Vous comprendrez mieux la vie. — 7. Après la pluie vient
le beau temps. — 8. La difficulté s'aplanira d'autant plus facilement.

**697. — Composez des phrases où vous établirez un rapport de *com-
paraison* entre les idées suivantes :**   [Gr. § 479.]

1. Les âges de la vie — les saisons. — 2. Ce que pense un personnage

puissant — ce que pense son entourage. — 3. Le cours de la vie — le cours d'un fleuve. — 4. Les défauts d'autrui — nos propres défauts. — 5. Les progrès de la science — le bonheur des hommes.

698. — **Mettez au *mode* convenable les verbes en italique. [Gr. § 480.]**

a) 1. Plus un beau parleur [*faire*] d'efforts pour nous éblouir par les prestiges de ses discours, plus nous nous révoltons contre sa vanité. — 2. Comme le roseau [*fléchir*] sous la tempête, une âme constante fléchit sous l'adversité, mais ne se laisse pas abattre. — 3. Il faut autant qu'on [*pouvoir*] venir en aide à son prochain. — 4. Parlons de nos amis absents de la même façon que nous [*parler*] d'eux s'ils étaient présents. — 5. Autant nous [*devoir*, prés.] mépriser les écrivains vulgaires et sans idéal, autant nous devons admirer les bons écrivains qui mettent leur talent au service de la vérité et de la vertu.

b) 1. Nous avons souvent plus d'imagination pour échafauder des projets que nous n'[*avoir*] de jugement pour en apprécier la valeur. — 2. L'avenir, hélas ! n'est pas toujours aussi beau que nous le [*souhaiter*, plus-que-parf.]. — 3. Comme un rayon de soleil [*répandre*, prés.] sa clarté sur un sombre nuage, la bonne humeur illumine et transforme les pensées noyées de brume. — 4. L'instinct des animaux accomplit certains travaux avec plus de précision que n'en [*avoir*] les artisans les plus habiles. — 5. La vie se complique à proportion que le luxe et les commodités de toutes sortes [*venir*] s'offrir aux hommes.

RÉCAPITULATION DES SUBORDONNÉES COMPLÉMENTS CIRCONSTANCIELS

699. — **Discernez les diverses *subordonnées compléments circonstanciels* et analysez-les.**   **[Gr. §§ 465-481.]**

a) 1. Un homme droit n'hésite pas à se dédire dès qu'il s'aperçoit de son erreur. — 2. A mesure que les événements passent sur la vie de deux amis, leur fidélité s'affermit par l'épreuve. — 3. Le roitelet est si délicat qu'il passe à travers les broussailles les plus enchevêtrées. — 4. Les Perses étaient aussi simples que les Mèdes étaient mous et fastueux. — 5. Bien qu'on l'encourage, le paresseux ne sort pas de son inaction. — 6. Comme les flatteurs sont dangereux, je me défierai d'eux.

b) 1. Nous serions plus heureux si nous savions limiter nos désirs. — 2. On a pu dire qu'un homme avait autant de personnalités qu'il savait de langues. — 3. Telle fut la bravoure des Nerviens qu'ils mirent l'armée de César en grand danger d'être vaincue. — 4. Si vous observez les commandements de Dieu, votre cœur sera en paix. — 5. Quand le devoir commande, je lui obéis, quoi qu'il puisse arriver. — 6. Veillez, de peur que votre ennemi ne vous surprenne.

c) 1. Où certains hommes ont échoué, d'autres remportent d'éclatants succès. — 2. Outre qu'il écarte de nous le besoin, le travail nous préserve de l'ennui et du vice. — 3. Chacun devrait faire son devoir, sans qu'on l'y exhorte. — 4. Tout naturellement l'enfant prononce les mots comme on les prononce autour de lui. — 5. Certains élèves montrent des dispositions excellentes, sauf qu'ils manquent de ténacité. — 6. A mesure que nous avançons dans la vie et que nous connaissons mieux les hommes, nous constatons que rien n'est plus nécessaire dans les relations sociales que la charité.

700. — Même exercice.   [Gr. §§ 465-481.]

Aimons les routes neuves.

Quand on est un écolier, en général on ne va pas trop loin. A mesure que les années passent, les excursions vers le vaste monde prennent plus d'extension : après qu'ils ont fait le tour de leur pays, plusieurs entreprennent le tour d'Europe ou font des voyages au long cours. Qui les en blâmerait ? Comme les situations sont, de nos jours, difficiles à conquérir, de moins en moins l'homme peut vivre où il est né et continuer tranquillement le métier de son père.

Puisque les intérêts matériels et même les intérêts spirituels appellent certains jeunes gens à passer les frontières et les mers, pourquoi la famille n'encouragerait-elle pas chez eux l'esprit d'entreprise et les vocations hardies ? Ils pourront, à condition qu'ils aient un idéal haut placé, s'élever au-dessus des situations médiocres. Bien qu'elles soient hérissées d'obstacles, les routes neuves sont belles : outre qu'on y trouve les joies de la difficulté vaincue, on arrive, en les suivant, à des sommets où rayonne la grandeur et parfois l'héroïsme.

D'après Ch. WAGNER.

701. — Joignez aux propositions suivantes des *subordonnées compléments circonstanciels* selon les indications données.
                              [Gr. §§ 465-481.]

1. L'instruction est aujourd'hui si importante [*conséquence*]. — 2. L'oisiveté nous lasse [*comparaison*]. — 3. Nous apprécions mieux le charme du foyer [*temps*]. — 4. Nous serions plus sensibles aux maux de nos semblables [*condition*]. — 5. J'accomplirai ponctuellement mon devoir [*opposition*]. — 6. L'avare ne goûte aucun instant de vraie tranquillité [*cause*]. — 7. Travaillez avec patience et courage [*temps*] [*but*]. — 8. Nous nous tiendrons courageusement [*lieu*].

702. — Remplacez les mots en italique par une subordonnée complément circonstanciel. [Gr. §§ 465-481.]

1. Bientôt le combat cessa, *faute de combattants*. — 2. *En dépit des difficultés*, un grand cœur garde intacts son énergie et son espoir. — 3. Certains arbres restent stériles : *bien taillés*, ils produiraient d'excellents fruits ; de même, certains caractères restent improductifs : *contraints par une sévère discipline*, ils deviendraient féconds. — 4. *A moins d'un vigoureux redressement*, cet élève se présentera à l'examen sans aucune chance de succès. — 5. *Malgré les aspérités du chemin*, marche courageusement vers les sommets où brille ton idéal. — 6. Nous travaillons pendant notre jeunesse *afin de jouir d'une heureuse vieillesse*.

6. — Subordonnées compléments d'agent.

703. — Soulignez les *subordonnées compléments d'agent* et marquez-les du signe *sub. c. ag. ;* — au moyen d'une ligne coudée à chaque bout, reliez chacune d'elles au verbe passif qu'elle complète.
[Gr. § 482.]

Modèle : Cette maison sera habitée *par qui la construira*.

sub. c. d'ag.

1. Les beaux exemples seront admirés par qui a le sens et le goût de la grandeur morale. — 2. Les hommes bons et charitables sont aimés de quiconque les fréquente. — 3. Plût au Ciel que l'enfance fût éduquée par qui comprend bien ce que c'est que façonner une âme. — 4. Les ingrats sont blâmés de quiconque a l'âme bien située. — 5. Comment seriez-vous estimé de qui vous connaît si vous n'êtes ni juste ni charitable ? — 6. Les honneurs et les dignités ne sont pas toujours attribués à qui les a mérités. — 7. Le langage de la compassion est toujours compris de quiconque souffre.

704. — Joignez à chacune des propositions suivantes une *subordonnée complément d'agent :* [Gr. § 482.]

1. Il conviendrait que toute entreprise importante fût dirigée... — 2. Si vous manquiez à vos devoirs, vous seriez à bon droit méprisés... — 3. Le mensonge et la fourberie sont détestés... — 4. Les richesses sont peu prisées... — 5. Les moissons ne sont pas toujours faites... — 6. Une conduite parfaitement régulière sera approuvée...

705. — Mettez le verbe au *mode* convenable. [Gr. § 483.]

1. Les chefs-d'œuvre des grands écrivains seront toujours admirés de quiconque [*avoir*, prés.] le goût de la beauté. — 2. Les dissensions et les querelles sont soigneusement évitées par qui [*comprendre*, prés.] bien la charité chrétienne. — 3. Je souhaite que vous soyez toujours conseillés par qui [*avoir* : fait considéré simplement dans la pensée] beaucoup de jugement et beaucoup de cœur. — 4. La vertu a toujours été louée par quiconque [*apercevoir*, prés.] la vraie valeur des actes humains. — 5. Il y a des âmes vénales, qui seraient achetées par qui [*vouloir* : fait éventuel] se les asservir.

7. — Subordonnées compléments de nom ou de pronom. (Subordonnées relatives.)

706. — Soulignez les *subordonnées relatives* et marquez-les du signe *sub. rel.* ; — au moyen d'une ligne coudée à chaque bout, reliez chacune d'elles au nom ou au pronom antécédent qu'elle complète.

[Gr. § 484.]

Modèle : L'homme *qui ment* se dégrade.

sub. rel.

a) 1. L'homme qui travaille échappe à l'ennui. — 2. Voudriez-vous faire votre ami de celui qui marche hors des voies de la vertu ? — 3. Rejetez tout livre qui n'élèverait pas votre esprit ou votre cœur. — 4. Ceux qui vivent, ce sont ceux qui luttent, ce sont ceux dont de nobles desseins occupent les pensées. — 5. Un homme qui accable aujourd'hui des personnes qu'il louait hier n'est pas un honnête homme.

b) 1. Nous aimons ceux qui nous donnent des éloges ; mais nous devrions nous défier des flatteries par lesquelles ils nous séduisent. — 2. Puissiez-vous trouvez le bonheur auquel vous aspirez ! — 3. Nous croyons fort aisément ce que nous craignons et ce que nous désirons. — 4. La médisance atteint trois personnes à la fois : celle qui médit, celle dont on médit, celle devant qui on médit. — 5. La maison où tu vis, les choses familières dont elle est remplie : voilà le cadre charmant d'un bonheur que tu te rappelleras plus tard avec une douce émotion.

707. — Complétez les *subordonnées relatives*. [Gr. § 484.]

1. J'aime les clairs matins de mai, qui... — 2. Un homme qui...

mérite toute notre estime. — 3. La vie humaine ressemble à un chemin dont... — 4. Le philosophe, considérant les événements, y découvre des aspects auxquels... — 5. Les lieux où... nous paraissent empreints d'une douce poésie. — 6. Vos parents, à qui ..., méritent bien votre reconnaissance. — 7. Les leçons que ... sont plus profitables encore que celles des livres. — 8. Une ferme volonté : voilà le signe auquel ...

708. — Distinguez parmi les subordonnées relatives celles qui sont compléments *déterminatifs* et celles qui sont compléments *explicatifs*. [Gr. § 485.]

a) 1. Appliquons-nous à supporter les infortunes qui nous arrivent plutôt qu'à prévoir celles qui pourraient nous arriver. — 2. L'adversité, qui abat les âmes faibles, grandit les âmes fortes. — 3. La religion chrétienne, qui doit assurer notre félicité dans l'autre vie, fait déjà notre bonheur dans celle-ci. — 4. Les connaissances que nous acquérons dans notre jeunesse constituent un capital précieux pour toute notre vie. — 5. Celui-là est vraiment grand qui est petit à ses propres yeux et pour qui les honneurs du monde sont un pur néant.

b) 1. Qui ne croirait des témoins qui se laissent égorger ? — 2. Les jeunes gens, qui voient la vie devant eux, considèrent leurs beaux espoirs ; les vieillards, qui la voient derrière eux, remuent leurs souvenirs. — 3. La cigale, qui avait chanté tout l'été, manqua de tout quand l'hiver fut venu. — 4. Nous avons toujours quelque chose à dire à ceux à qui nous avons tout dit. — 5. Les victoires dont nous nous souvenons le plus volontiers sont celles qui nous ont coûté le plus de peines.

709. — Composez, sur chacun des thèmes suivants, une phrase contenant une *subordonnée relative* : [Gr. § 485.]

a) *Relative complément déterminatif :* 1. Un livre. — 2. La vertu. — 3. Les efforts. — 4. Les bienfaits. — 5. La plus grande joie.

b) *Relative complément explicatif :* 1. Dieu. — 2. Le travail. — 3. Les vrais savants. — 4. Bruxelles. — 5. Ambiorix.

710. — Analysez les subordonnées en italique. [Gr. § 485, Rem. 1 et 2.]

> *Modèles : a)* La nouvelle *que l'ennemi approchait* jetait partout la consternation. — *b)* Votre ami est là *qui attend.*
>
> a) *Que l'ennemi approchait :* propos. subordonnée ; complément déterminatif de *nouvelle*] ; introduite par la conjonction *que.*
>
> b) *Qui attend :* propos. subordonnée relative ; en apposition à *ami ;* introduite par le pronom relatif *qui.*

a) 1. La preuve *que vous avez tort,* c'est que vous vous fâchez. —

2. Le bruit se répandit *qu'un incendie dévorait la ferme voisine.* — 3. La conviction *que nous sommes capables d'arriver au succès* soutient puissamment nos efforts. — 4. La pensée *que Dieu nous jugera* nous aidera à marcher constamment dans le chemin de la vertu. — 5. Quand nous nous examinons, l'idée ne nous vient guère *que notre amour-propre est un grand flatteur.*

b) 1. Déjà le printemps est là, *qui sème les premières pâquerettes.* — 2. La brise est tiède : on la sent *qui caresse tout le paysage.* — 3. Même quand l'adversité nous frappe, l'espoir est en nous, *qui nous éclaire.* — 4. Bonne fête, grand-maman !... Toute la famille est là, *qui lui dit son affection.* Grand-maman se trouble : on la voit *qui rougit d'émotion.*

711. — Transformez les subordonnées circonstancielles en *subordonnées relatives.*

1. Il n'est pas bien difficile, hélas ! de berner les hommes, parce qu'ils se repaissent volontiers de chimères. — 2. Un bon éducateur donne à lire aux enfants de bons livres, tels qu'ils soient adaptés à leur âge et à leur tempérament. — 3. Goûtons-nous jamais des joies telles qu'elles soient sans aucun mélange ? — 4. Bien des gens cherchent toujours quelque procédé pour se dispenser de tout effort. — 5. Un homme, s'il savait plusieurs langues étrangères, comprendrait mieux qu'un autre une foule de choses.

712. — Justifiez l'emploi du mode.   [Gr. § 486.]

a) 1. L'honnête homme qui *dit* oui ou non mérite d'être cru. — 2. Le plus fort est celui qui *tient* sa force en bride. — 3. Faites-vous des amis en qui vous *puissiez* avoir confiance. — 4. Nous avons des amis en qui nous *pouvons* avoir confiance. — 5. L'homme qui *déracinerait* chaque année un défaut serait bientôt parfait.

b) 1. Il n'est guère de difficultés qu'une volonté opiniâtre ne *parvienne* à vaincre. — 2. Est-il un homme qui *puisse* se vanter de n'avoir nul besoin de l'aide d'autrui ? — 3. C'est le seul poste que vous *puissiez* remplir. — 4. C'est le seul poste que vous *pouvez* remplir. — 5. Si vous rencontrez un homme qui *prétende* qu'on peut s'enrichir sans travailler, fuyez-le comme un imposteur. — 6. Il est des malheureux qui n'ont pas une pierre où *reposer* leur tête.

c) 1. L'école de l'expérience est la seule qui *puisse* instruire les insensés. — 2. Vouloir ce que Dieu veut est la seule science qui *met* l'homme en repos. — 3. Il n'est pas d'homme qui *connaisse* l'avenir. — 4. En écrivant cherchons toujours le mot propre, qui *convienne* exactement à l'idée à exprimer. — 5. Si je rencontre l'homme qui vous *écrit* cette lettre, je le prierai de venir vous voir sans retard. — 6. On envoya un courrier qui *annonça* la victoire. — 7. On envoya un courrier qui *annonçât* la victoire.

713. — Mettez au *mode* convenable les verbes en italique.[Gr. § 486.]

a) 1. Un verre d'eau que vous [*donner*, prés.] au pauvre ne restera pas sans récompense. — 2. Nous souhaitons trouver dans notre entourage des personnes sérieuses, qui [*savoir*, prés.] nous comprendre et en qui nous [*pouvoir*, prés.] avoir confiance. — 3. Que trouverez-vous sur la terre qui [*avoir*, prés.] assez de force et de dignité pour mériter vraiment le nom de puissance ? — 4. La charité est la seule vertu à laquelle il [*être*, prés.] donné une durée sans fin. — 5. Le fataliste est celui qui [*croire*, prés.] les malheurs futurs assez inévitables pour s'en affecter d'avance.

b) 1. Dieu sait mieux que nous ce qui nous [*convenir*, prés.]. — 2. Il y a encore, Dieu merci, bien des braves gens, qui vous [*donner*, prés.] l'hospitalité si les circonstances vous contraignaient à la leur demander. — 3. Est-il un repos qui [*valoir*, prés.] celui que vous [*acheter*, prés.] par le travail ? — 4. Il n'y a rien qu'on ne [*devoir*, prés.] tenter pour faire triompher la vérité. — 5. Toutes les bonnes habitudes qu'on [*acquérir*, prés.] sont des libertés que l'on [*conquérir*, prés.].

714. — Même exercice.   [Gr. § 486.]

a) 1. Un élève qui [*prendre*, prés.] la peine de récapituler chaque semaine les connaissances qu'il [*acquérir*, passé] ferait d'étonnants progrès. — 2. Je ne vois guère d'obstacles qui [*pouvoir*, prés. : fait envisagé dans la pensée] arrêter une volonté persévérante. — 3. Les meilleurs amis que nous [*avoir*, prés. : fait envisagé dans la pensée] sont ceux qui [*être*, prés.] capables de nous élever et de nous maintenir sur les sommets. — 4. Les critiques ne voient pas de poète comique qui [*peintre*, passé : fait envisagé dans la pensée] mieux que Molière tout ce que l'humanité [*pouvoir*, prés.] avoir de déréglé et de ridicule.

b) 1. Néron, dit-on, monta sur une tour d'où il [*pouvoir*, imparf. : idée de but] voir l'incendie de Rome qu'il [*faire*, plus-que-parf.] allumer. — 2. Si j'avais un compagnon qui [*venir*, imparf. : fait envisagé dans la pensée] me proposer de l'aider à commettre une action déloyale, je le détournerais de son projet. — 3. Le premier rayon de bonheur que nous [*voir*, passé : fait considéré dans sa réalité] briller devant nous fut un sourire de notre mère. — 4. Y a-t-il au monde un seul homme qui [*être*, prés.] insensible à la douleur de sa mère ? — 5. La vie est une loterie à laquelle nous [*prendre*, prés.] plus ou moins de billets ; c'est à l'école que nous en prenons la plus grosse part.

715. — Composez sur chacun des thèmes suivants une phrase contenant une subordonnée relative :   [Gr. § 486.]

a) Avec le verbe à l'indicatif : 1. Nos projets. — 2. Les beaux exemples. — 3. Les plus beaux souvenirs. — 4. Un vrai chef. — 5. Les flatteurs.

b) Avec le verbe au subjonctif : 1. Le remède contre l'ennui. — 2. Nos bonnes actions. — 3. La bonne humeur. — 4. Les scouts. — 5. Les joies du sacrifice.

c) Avec le verbe au conditionnel : 1. Faire réflexion sur ses actions. — 2. Relire sa copie avant de la remettre au professeur. — 3. Les louanges.

d) Avec le verbe à l'infinitif : 1. Choisir un endroit pour camper. — 2. Une âme affligée a besoin de consolation.

8. — Subordonnées compléments d'adjectif.

716. — Soulignez les *subordonnées compléments d'adjectif* et marquez-les du signe *sub. c. d'adj. ;* — au moyen d'une ligne coudée à chaque bout reliez chacune d'elles à l'adjectif qu'elle complète.

[Gr. § 487.]

Modèle : C'est un homme digne *qu'on le confonde.*

↑   ↑
sub. c. d'adj.

a) 1. Nos parents sont heureux que nous leur témoignions notre affection. — 2. Il y a des gens qui ne doutent de rien : sûrs que le succès leur est promis, ils s'aventurent partout ; souvent, honteux de ce que leurs entreprises ont échoué, ils regrettent leur présomption. — 3. Soyons reconnaissants à Dieu de ce qu'il nous a donné une intelligence capable de le connaître. — 4. Fier de ce que maman l'a chargé d'une responsabilité, mon petit frère guette l'arrivée du facteur.

b) 1. Nous avons déménagé : nos meubles, tristes, semble-t-il, que tant d'étrangers les dérangent, attendent qu'on leur ait trouvé leur place. — 2. L'homme de bonne humeur, complaisant envers quiconque l'approche, se concilie toutes les sympathies. — 3. Comment n'obéirait-on pas de grand cœur à un chef digne que chacun le respecte ? — 4. Certains élèves, las qu'on leur fasse des reproches, perdent courage : s'ils s'examinaient bien, ils devraient plutôt être honteux qu'on doive si souvent les réprimander. — 5. Attentif à ce que chacun s'acquitte de son travail, un bon chef fait observer une juste discipline.

717. — Complétez les *subordonnées compléments d'adjectif*.
[Gr. § 487.]

1. Nous sommes toujours heureux que... — 2. Parfois mon père paraît soucieux de ce que ... — 3. Pouvons-nous jamais être certains que ... ? — 4. Nos professeurs, tout contents de ce que ..., nous ont promis une belle excursion. — 5. Nous ne devons pas être fâchés que ... — 6. S'il est inquiet de ce que ..., un enfant recourt naturellement à ses parents.

718. — Faites entrer dans de petites phrases contenant chacune une *subordonnée complément d'adjectif* les expressions suivantes :
[Gr. § 487.]

1. Heureux que. — 2. Sûr que. — 3. Furieux de ce que. — 4. Tout content que. — 5. Reconnaissant de ce que.

719. — Mettez au *mode* convenable le verbe en italique. [Gr. § 488.]

a) 1. Nous ne devons pas nécessairement nous montrer mécontents de ce qu'on nous [*contredire*, prés.]. — 2. Un vieillard qui a voué toute son existence à la défense de la vérité et du droit est digne qu'on [*suivre*, prés.] ses avis. — 3. Diverses choses vous affligent : êtes-vous bien certain qu'elles [*être*, prés. : fait envisagé dans l'esprit] vraiment affligeantes ? Si elles le sont, supportez-les avec courage et soyez sûr qu'elles [*pouvoir*, prés.] vous rendre plus énergique. — 4. Ma grand-mère était très secourable à qui [*souffrir*, imparf.] ; triste que tant de malheureux [*être*, imparf.] dénués de ressources, elle eût voulu être très riche pour subvenir à leurs besoins.

b) 1. La forêt s'éveille ; les oiseaux, tout joyeux de ce que la lumière [*venir*, prés. : fait considéré dans sa réalité] caresser les feuillages, commencent leurs concerts. — 2. S'il est un vice odieux à quiconque [*avoir*, prés.] l'âme droite, c'est le mensonge. — 3. Mon professeur, certain que je [*acquérir*, prés.] des idées et du style si je lisais beaucoup, m'a indiqué quelques bons ouvrages. — 4. Une bonne ménagère, attentive à ce que toutes choses [*être*, prés.] à leur place, fait régner au foyer un ordre séduisant.

RÉCAPITULATION DES PROPOSITIONS

(Exercices sur l'Analyse des phrases.)

720. — Analysez les phrases suivantes : [Gr. §§ 71-75 ; 454-488.]

a) 1. Vous ne médirez de personne. — 2. L'instruction sied à tout

le monde et l'ignorance n'est jamais un ornement de l'esprit —
3. L'orgueil et l'ambition entraînent beaucoup d'hommes à leur perte.
— 4. On frappe à ma porte ; j'ouvre : mon frère se jette dans mes bras.
— 5. La patience est amère, mais les fruits en sont doux.

b) 1. Bien des gens comptent sur l'avenir ; or l'avenir est incertain.
— 2. Certaines personnes maudissent le travail ; cependant il fait notre
félicité. — 3. Heureux les humbles ! — 4. Mauvaise herbe, affirme
le dicton, croît toujours. — 5. Dans la patience, dit un sage, vous
posséderez votre âme.

721. — Même exercice.   [Gr. §§ 71-75 ; 454-488.]

a) 1. L'expérience prouve clairement que l'oisiveté dégrade
l'homme. — 2. Je n'oublierai jamais que mes parents m'ont comblé de
bienfaits. — 3. Le ciel étoilé proclame que Dieu existe. — 4. Nous
souhaitons qu'on nous pardonne nos fautes, et nous nous persuadons
volontiers qu'elles sont légères. — 5. Bien des gens conviennent facilement qu'ils ont tort, mais ils n'admettent guère qu'on les en blâme.

b) 1. Un proverbe affirme qu'une hirondelle ne fait pas le printemps.
— 2. La charité veut que nous aimions Dieu et que nous secourions
nos frères. — 3. La justice exige que le bien soit récompensé et que le
mal soit puni. — 4. Le sage se convainc que les biens de ce monde sont
périssables et que nos vertus seules nous resteront. — 5. A bon vin
point d'enseigne. — 6. Il convient qu'on exerce sa mémoire.

722. — Analysez les phrases suivantes :   [Gr. §§ 71-75 ; 454-488.]

a) 1. Nul ne sait quel sort l'avenir nous réserve. — 2. Un bon citoyen se souvient toujours que la patrie est notre commune mère ; il
n'ignore pas que le patriotisme est une haute vertu. — 3. Un bon
père veille à ce que ses enfants reçoivent une solide instruction et il se
demande fréquemment quels compagnons ils fréquentent. — 4. J'entends la cloche tinter dans l'air frais du matin. — 5. Je vois la première pâquerette éclore dans le gazon. — 6. Il importe que chacun
fasse son devoir.

b) 1. Les hommes se plaignent que la vie soit méchante, mais ils
ne s'aperçoivent guère qu'ils sont, dans bien des cas, les auteurs de leurs
maux. — 2. Dites-moi si vous avez déjà admiré la vallée de la Semois
en automne. — 3. Qui veut la fin veut les moyens. — 4. Nous écoutons
volontiers quiconque parle de nous avec bienveillance ou avec éloge ;
nous ne nous informons pas s'il est sincère. — 5. Nous voyons souffrir
notre prochain ; nous sentons notre cœur battre de compassion. —
6. Que la paresse dégrade l'homme est toujours utile à rappeler.

723. — Analysez les diverses *phrases* du texte suivant :
[Gr. §§ 71-75 ; 454-488.]

Printemps en Hesbaye.

La Hesbaye au printemps offre au regard une aquarelle délicieuse.
Partout on voit la vie renaître : l'homme plante ou sème ; une douce
chaleur monte du sol. Un soleil tiède caresse le pelage bigarré des bœufs
et lustre la robe des chevaux. On entend là-haut l'alouette chanter :
elle répète sans cesse que le travail est joie sous le soleil du bon Dieu et
que l'espérance soutiendra nos efforts. On dirait que le ciel bleu s'appuie
à l'horizon sur une couronne d'arbres, semblable à une dentelle. L'air
est léger et vaporeux ; il est naturel que, dans un paysage si pur, tout
baigné d'azur, des pensées de bonté, de douceur et de noblesse entrent
dans l'âme du promeneur.

D'après H. KRAINS.

724. — Analysez les phrases suivantes :
[Gr. §§ 71-75 ; 454-488.]

a) 1. Méditons souvent cette grande vérité que la vertu est la
première condition du bonheur. — 2. Il n'est pas indispensable que nous
arrivions toujours au succès ; l'important est que nous fassions vraiment
tout notre possible. — 3. Le travail nous sauve de l'ennui et, qui plus
est, il nous préserve du vice.—4. Il faut que l'on inculque aux enfants ce
principe que la vraie grandeur est la grandeur morale. — 5. Toute notre
histoire nationale atteste que les Belges ont toujours été épris de liberté.

b) 1. Quand un homme n'est soumis qu'à Dieu et à la raison, quand
il est dégagé de toute crainte et de tout désir, il est véritablement
libre. — 2. Dès qu'on a fait un pas sur la pente du vice, on risque d'être
entraîné dans l'abîme. — 3. Le véritable historien n'est d'aucun temps
ni d'aucun pays ; quoiqu'il aime sa patrie, il ne la flatte jamais en rien.
— 4. Si quelque pauvre aveugle tombé dans un fossé demandait du
secours, lui refuserais-tu ton aide ? — 5. Bienheureux les pauvres en
esprit, parce que le royaume des cieux leur appartient.

725. — Même exercice.   [Gr. §§ 71-75 ; 454-488.]

a) 1. On s'irrite qu'il y ait des ingrats, parce qu'on veut de la
reconnaissance par amour-propre, dit Fénelon. — 2. Quand elle n'est
pas fondée sur l'estime, l'amitié est bien caduque. — 3. Comme les
enfants imitent leur entourage, il importe qu'on ne leur mette sous les
yeux que de bons exemples. — 4. Si tu vois battre un tambour rapidement, dit un proverbe marocain, sache qu'il va s'arrêter. — 5. Si

haut que le calomniateur puisse atteindre, il trouvera toujours la vérité au-dessus de lui.

b) 1. Si tu possèdes beaucoup, donne beaucoup ; si tu possèdes peu, donne peu ; mais dans les deux cas, donne de ton cœur en même temps. — 2. Une mère aime tant ses enfants qu'elle donnerait sa vie pour qu'ils fussent heureux. — 3. Notre âme soupire après le bonheur comme le cerf altéré soupire après l'eau des fontaines. — 4. Bien des gens, quand le malheur les frappe, devraient se rappeler qu'ils n'ont rien fait pour le conjurer. — 5. A mesure que nous avançons dans la vie, nous nous convainquons que tout ici-bas est vanité.

726. — Analysez les *phrases* du texte suivant :

[Gr. §§ 71-75 ; 454-488.]

Veillée de Noël d'autrefois.

Nous nous souvenons d'une veillée de Noël d'autrefois. A la maison, la soirée fut pieuse. Trois ou quatre estaminets du village étaient célèbres par leurs interminables parties de loto ; on jouait jusqu'à ce que les mannes de « cougnous » que le boulanger avait apportées sur son épaule fussent vides et que sonnât l'appel de la première messe, qu'on célébrait avant l'aube. Mais à la maison on attendait quatre voisins — deux couples de vieux au visage couleur d'écorce.

Ils vinrent, apportant les uns du boudin rouge assaisonné d'ail et de thym, les autres du boudin au chou, qui devait nous préserver toute l'année des piqûres de mouches. Les hommes fumèrent leur pipe en buvant une petite goutte, pendant que les femmes préparaient les crêpes : farine de sarrasin — cette farine des pauvres que la Noël semblait consacrer en souvenir des jours de famine d'autrefois — , quelques œufs. Un dé de saindoux dans la poêle, une coulée de pâte, une pincée de raisins de Corinthe et le parfum envahissait la maison...

J. TOUSSEUL.

727. — Analysez les phrases suivantes :

[Gr. §§ 71-75 ; 454-488.]

a) 1. Les hommes qui haïssent la vérité haïssent aussi les gens qui ont la hardiesse de la dire. — 2. Faut-il nous étonner que nous nous trompions parfois, nous qui ne sommes que des hommes ? — 3. Comme la menue monnaie, qui a son emploi tous les jours, les petites vertus ont ce grand avantage tous les jours, qu'elles sont à la portée de tous. — 4. Beaucoup de ceux qui se sont distingués dans la science sont nés dans des positions sociales où l'on ne s'attendait guère à voir paraître un génie scientifique. — 5. Que de fois les hommes deviennent meilleurs par l'estime qu'on leur témoigne et comme ils sont plus soucieux de leur honneur à mesure qu'on leur montre le prix qu'on y attache !

b) 1. Montrons-nous reconnaissants envers ceux qui nous signalent nos erreurs ou qui les dissipent ; rappelons-nous que l'on s'honore en admettant franchement que l'on s'est trompé. — 2. Notre imagination et notre sensibilité déforment souvent la réalité : de là vient que nous portons sur les hommes et sur les événements des jugements erronés. — 3. Si nous pénétrions dans ces demeures que hantent la misère et la pauvreté, nous y verrions parfois des héroïsmes obscurs dont bien des gens ne soupçonnent pas l'existence. — 4. Est-il un homme si parfait que la flatterie n'ait aucune prise sur lui ? — 5. Les guerres sont devenues si épuisantes et si meurtrières que les États vainqueurs restent aussi pantelants que les États vaincus.

728. — Analysez les *phrases* du texte suivant :

[Gr. §§ 71-75 ; 454-488.]

A Waterloo.

a) ... Tout en gravissant vers l'âpre plate-forme
Je disais : « Il attend que la terre s'endorme ;
Mais il est implacable ; et la nuit, par moment,
Ce bronze doit jeter un sourd rugissement ;
Et les hommes, fuyant ce champ visionnaire,
Doutent si c'est le monstre ou si c'est le tonnerre. »

b) J'arrivai jusqu'à lui, pas à pas m'approchant...
J'attendais une foudre, et j'entendis un chant :
Une humble voix sortait de cette bouche énorme.
Dans cette espèce d'antre effroyable et difforme
Un rouge-gorge était venu faire son nid ;
Le doux passant ailé, que le printemps bénit
Sans peur de la mâchoire affreusement levée,
Entre ses dents d'airain avait mis sa couvée,
Et l'oiseau gazouillait dans le lion pensif.

c) Le mont tragique était debout comme un récif
Dans la plaine jadis de tant de sang vermeille.
Comme je soupirais, pâle et prêtant l'oreille,
Je sentis un esprit profond me visiter,
Et, peuples, je compris que j'entendais chanter
L'espoir dans ce qui fut le désespoir naguère,
Et la paix dans la gueule horrible de la guerre.

V. Hugo.

729. — Analysez les phrases suivantes :

[Gr. §§ 71-75 ; 454-488.]

a) 1. Qui veut voyager loin ménage sa monture. — 2. Quelque modeste profession que vous exerciez, il est certain qu'elle est digne que vous accomplissiez exactement les devoirs qu'elle vous impose. — 3. Quand, après de longs efforts, on est enfin arrivé à la certitude, on éprouve une des plus grandes joies que puisse ressentir l'âme humaine, et la pensée que l'on contribuera à l'honneur de son pays rend cette joie plus profonde encore. — 4. L'auteur qui a négligé de faire un plan aperçoit à la fois un grand nombre d'idées et, comme il ne les a pas mises en ordre, il demeure dans la perplexité. Mais lorsqu'il se sera fait un plan, il s'apercevra aisément qu'il peut commencer à écrire.

b) 1. Le regard des yeux de notre mère est une partie de notre âme qui pénètre en nous par nos propres yeux. Quel est celui qui, en revoyant ce regard, ne sent pas descendre dans sa pensée quelque chose qui en apaise le trouble et qui en éclaire la sérénité ? — 2. Celui qui règne dans les cieux et de qui relèvent tous les empires, à qui seul appartient la gloire, la majesté et l'indépendance, est aussi le seul qui se glorifie de faire la loi aux rois et de leur donner, quand il lui plaît, de grandes et de terribles leçons. (Bossuet.) — 3. Le point le plus important pour un historien est qu'il sache exactement la forme du gouvernement et le détail des mœurs de la nation dont il écrit l'histoire.

730. — Même exercice.

[Gr. §§ 71-75 ; 454-488.]

a) 1. L'hiver venu, nous goûtons au coin du feu dans la bonne atmosphère familiale, un bonheur profond. — 2. Quelque méchants que soient les hommes, ils n'oseraient paraître ennemis de la vertu et lorsqu'ils la veulent persécuter, ils feignent de croire qu'elle est fausse, ou ils lui supposent des crimes. — 3. Il est certain que la lecture est un excellent moyen de former notre esprit et que le contact que nous avons par là avec les âmes hautes et nobles peut nous inciter à la vertu. — 4. Quand on court après l'esprit, dit l'adage, on attrape la sottise. — 5. Mon grand-père aimait le jardinage ; je le vois encore qui arrose avec application ses choux et ses laitues.

b) 1. Lors même que vous verriez votre frère commettre une faute grave, ne pensez pas être meilleur que lui, car vous ignorez combien de temps vous persévérerez dans le bien. — 2. Comme un vaisseau sans gouvernail est poussé çà et là par les flots, l'homme faible et changeant qui abandonne ses résolutions, est agité par des tentations diverses. — 3. Leur soif étanchée, le renard et le bouc considérèrent qu'il fallait sortir du puits. — 4. Celui-là fait beaucoup qui fait bien ce qu'il fait,

et il fait bien lorsqu'il subordonne sa volonté à l'utilité publique. —
5. L'homme juste et bon est estimé de quiconque le connaît.

731. — Analysez les *phrases* du texte suivant :
[Gr. §§ 71-75 ; 454-488.]

Quand le Dauphin offensait la grammaire...

a) Ne croyez pas, Monseigneur, qu'on vous reprenne si sévèrement
pendant vos études pour avoir simplement violé les règles de la grammaire en composant. Il est sans doute honteux à un Prince, qui doit
avoir de l'ordre en tout, de tomber en de telles fautes ; mais nous
regardons plus haut quand nous en sommes si fâchés : car nous ne blâ-
mons pas tant la faute elle-même que le défaut d'attention qui en est
cause. Ce défaut d'attention vous fait maintenant confondre l'ordre
des paroles, mais si nous laissons vieillir et fortifier cette mauvaise
habitude, quand vous viendrez à manier, non plus les paroles, mais les
choses mêmes, vous en troublerez tout l'ordre.

b) Vous parlez maintenant contre les lois de la grammaire ; alors
vous mépriserez les préceptes de la raison. Maintenant vous placez mal
les paroles, alors vous placerez mal les choses ; vous récompenserez au
lieu de punir ; vous punirez quand il faudra récompenser : enfin vous
ferez tout sans ordre si vous ne vous accoutumez dès votre enfance
à tenir votre esprit attentif, à régler ses mouvements vagues et incer-
tains et à penser sérieusement en vous-même à ce que vous avez à
faire.   BOSSUET.

732. — Analysez les phrases suivantes :
[Gr. §§ 71-75 ; 454-488.]

a) 1. Aucune œuvre extérieure ne sert sans la charité ; mais toutes
les choses qui se font par la charité, quelque petites ou quelque viles
qu'elles soient, produisent des fruits abondants. — 2. Si vous ne voulez
que ce que Dieu veut et ce qui est utile au prochain, vous jouirez de la
liberté intérieure. — 3. Il est clair qu'on ne doit pas juger du mérite
d'un homme par les grandes qualités qu'il peut posséder, mais par
l'usage qu'il sait en faire. — 4. Nous souscrirons volontiers à ce principe que tous les hommes, de quelque condition qu'ils soient, nous
tiennent lieu de prochain. — 5. Mourir pour le pays, dit Corneille, est
un si digne sort qu'on briguerait en foule une si belle mort.

b) 1. Ma conviction est qu'un homme sans idéal ne saurait rien
accomplir de grand. — 2. Sous le nom de liberté les Romains se figu-
raient un état où personne ne fût sujet que de la loi et où la loi fût plus

puissante que les hommes. — 3. Quel que soit l'intérêt que nous ayons
à nous connaître nous-mêmes, je ne sais si nous ne connaissons pas
mieux tout ce qui n'est pas nous. — 4. Chacun se persuade aisément
qu'il surmontera les difficultés qui se dressent devant lui, mais l'expérience montre que peu de gens ont la sagesse et la volonté nécessaires
pour le faire. — 5. Nous nous convainquons que nous valons mieux
que les autres.

733. — Analysez les diverses *phrases* du texte suivant :
[Gr. §§ 71-75 ; 454-488.]

Les Petites Vertus.

Les bonnes actions, pour le mérite de qui les fait, valent les grandes ;
souvent elles coûtent moins cher et sont d'un meilleur produit. Comme
la menue monnaie qui a son emploi tous les jours, les petites vertus
ont le grand avantage d'être à toutes les portées, même à celle des
petits enfants. Elles n'ont pas besoin de théâtre, un coin leur suffit ;
elles n'ont pas besoin de paraître ; « être » est tout ce qu'il leur faut ;
elles n'ont pas besoin de plein soleil, elles croissent partout, et de
préférence à l'ombre ; si elles ne sont pas ce qu'on appelle la gloire dans
la vie, elles en sont pourtant tout à la fois l'honneur et le soutien.

STAHL.

734. — Même exercice.   [Gr. §§ 71-75 ; 454-488.]

Les Histoires de Grand-Mère.

Grand-mère contait merveilleusement. Je me souviens que, les jours
de pluie, de grand vent, de gel ou de neige, je me pelotonnais frileuse-
ment dans ses bras et lui réclamais une histoire après l'autre. Chose
curieuse : elle négligeait les dialogues (elle était taciturne), mais elle
ne laissait se perdre aucun détail du décor, recréant ainsi des images
robustes et inoubliables.

Je revois son vieux visage ratatiné dans son béguin blanc, ses yeux
alourdis par la réflexion, ses lèvres molles d'où sortaient, en mots
étrangement doux et nets, des drames puissants qui me serraient
le cœur et m'enthousiasmaient, car il s'agissait souvent de phénomènes
naturels qui répandaient une panique sacrée au loin ; il me semblait
que je revivais la peur collective qui secoua l'existence monotone de
mes ancêtres et je ne pouvais cacher mon orgueil puéril.

J. TOUSSEUL.

735. — Analysez les phrases suivantes :

[Gr. §§ 71-75 ; 454-488.]

a) 1. Nous ne voulons pas que les autres nous trompent, nous ne trouvons pas juste qu'ils veuillent être estimés de nous plus qu'ils ne méritent ; il n'est donc pas juste que nous les trompions et que nous voulions qu'ils nous estiment plus que nous ne méritons. — 2. On ne s'étonnera pas trop que certaines gens ne soient point aimés, si l'on considère qu'ils ne sont point aimables et qu'ils n'aiment rien que leurs aises et leurs plaisirs. — 3. Il y a des gens si inconstants qu'ils bafouent aujourd'hui des personnages qu'ils portaient hier aux nues. — 4. A cœur vaillant rien d'impossible, dit une belle maxime.

b) 1. Quiconque croit avoir rempli tous ses devoirs parce qu'il n'a nui à personne se trompe lourdement. — 2. Quand une fois on a trouvé le moyen de prendre la multitude par l'appât de la liberté, dit Bossuet, elle suit en aveugle, pourvu qu'elle en entende seulement le nom. — 3. Ceux-là font bien qui font ce qu'ils doivent. — 4. Honte à qui peut s'amuser pendant que ses frères souffrent et que le malheur fait partout des victimes ! — 5. Si nous cherchons parmi les hommes les différences les plus remarquables, nous n'en trouverons point qui soit mieux marquée ni qui paraisse plus effective que celle qui élève le victorieux au-dessus des vaincus qu'il voit à ses pieds ; cependant ce vainqueur, quelque orgueilleux qu'il soit, tombera à son tour entre les mains de la mort.

736. — Analysez les *phrases* du texte suivant :

[Gr. §§ 71-75 ; 454-488.]

Le Mérite de l'Effort.

Vous entrerez bientôt dans le monde ; des mille routes qu'il ouvre à l'activité humaine chacun de vous en prendra une. La carrière des uns sera brillante, celle des autres obscure et cachée. Que ceux qui auront la plus modeste part n'en murmurent point, puisque, d'un côté la Providence est juste et que, de l'autre, la patrie vit du concours et du travail de tous ses enfants.

Il est certain qu'entre le ministre qui gouverne l'État et l'artisan qui contribue à sa prospérité par le travail de ses mains, la seule différence est que la fonction de l'un est plus importante que celle de l'autre ; mais si l'un et l'autre remplissent bien leur fonction, ne doutez pas que leur mérite moral ne soit le même.

Que chacun de vous se contente donc de la part qui lui sera échue. Quelle que soit sa carrière, elle lui donnera des devoirs à remplir, une certaine somme de bien à produire. Ce sera là sa tâche ; qu'il la remplisse avec courage et honnêtement, et il aura fait, j'en suis certain, tout ce qu'il est donné à l'homme de faire, sous l'œil de la Providence.

D'après JOUFFROY.

Concordance des temps.

737. — **Employez à l'*indicatif*, et en les mettant au *temps* convenable, les verbes en italique.**   [Gr. § 490.]

a) 1. Il est certain que la vertu [*être*] récompensée et le vice puni. — 2. L'avenir ne nous appartient pas, et nul ne peut assurer qu'il [*vivre*] demain. — 3. On rapporte que Cincinnatus [*labourer*] son champ quand les envoyés du sénat lui présentèrent les insignes de la dictature ; on affirme qu'après avoir battu les Èques, il [*retourner*] à sa charrue. — 4. Jeunes gens, je dis que vous [*vivre*] inutilement si vous devez vieillir les mains vides. — 5. L'histoire nous apprend que les citoyens romains [*regarder*] le commerce et les arts manuels comme des occupations d'esclaves et qu'ils ne les [*exercer*] point.

b) 1. Cicéron estime que la gloire [*consister*] à faire des actions qui soient dignes d'être écrites ou bien à composer des écrits qui méritent d'être lus. — 2. Les Aduatiques se convainquaient que les Romains ne [*prendre*] jamais leur forteresse et que, dans peu de jours, les assaillants [*se retirer*]. — 3. Je me rappelle que le premier livre qui enchanta mon enfance [*porter*] un titre mélancolique : « Les Malheurs de Sophie » — et que je [*verser*] des larmes chaque jeudi en le relisant. — 4. Mon grand-père me racontait que, dans son enfance, il [*voir*] des chasseurs rapporter au village un grand loup qu'ils [*tuer*].

738. — **Même exercice.**   [Gr. § 490.]

a) 1. Caton l'Ancien répétait sans cesse qu'il [*falloir*] détruire Carthage. — 2. On vous a dit bien souvent que votre vie [*être*] ce que vous la ferez. — 3. Le rat de la fable savait que la méfiance [*être*] mère de la sûreté. — 4. Le fabuliste nous a enseigné qu'aucun chemin de fleurs ne [*conduire*] à la gloire. — 5. Les moralistes ont souvent affirmé que les richesses ne [*faire*] pas le bonheur.

b) 1. Notre-Seigneur a dit qu'en enfer il [*y avoir*] des pleurs et des grincements de dents. — 2. Après qu'il [*apprendre*] les excès des iconoclastes dans nos provinces, Philippe II jura par l'âme de son père qu'il [*tirer*] vengeance de leurs forfaits. Il nous envoya le duc d'Albe ; dès que celui-ci [*arriver*] en Belgique, il mit le pays en état de siège et créa le Conseil des troubles. — 3. Pasteur se livra à des recherches si patientes qu'il [*trouver*] le remède de la rage. — 4. Musset professait que rien ne nous [*rendre*] si grands qu'une grande douleur. — 5. Jeanne d'Arc savait que plus d'une femme [*sauver*] autrefois le peuple de Dieu.

739. — Justifiez, par les règles de la concordance des temps, l'emploi des *temps du subjonctif*.   [Gr. § 491.]

a) 1. Aucun homme de bon sens ne nie qu'il ne *soit* avantageux de savoir plusieurs langues étrangères. — 2. Que nous arrive-t-il que la Providence n'*ait voulu* ou n'*ait permis* ? — 3. La justice exige que chacun *obtienne* ce qui lui revient. — 4. Nous nous étonnons que certains penseurs de l'antiquité *aient cru* que la terre était plane. — 5. Nous ne doutons pas que Dieu ne *punisse* dans l'éternité ceux qui ont pu échapper à la justice humaine.

b) 1. Quand j'étais petit, j'étais enchanté que ma grand-mère me *donnât* à remuer le fabuleux mélange de boutons qu'elle gardait dans une grande boîte de chêne ciré. — 2. Il n'est rien que nos parents ne *fassent* pour assurer notre bonheur. — 3. Je ne doute pas que les hommes ne *fussent* plus heureux s'ils étaient plus vertueux. — 4. Il faudrait que chacun *donnât* son superflu aux pauvres. — 5. On nous congédia sans que nous *eussions exposé* l'objet de notre visite.

740. — Employez au *subjonctif*, et en les mettant au *temps* convenable, les verbes en italique.   [Gr. § 491.]

a) 1. Les plus modestes professions sont dignes que l'on [*se passionner*] pour elles. — 2. Quoi que vous [*pouvoir*] faire jusqu'ici, avez-vous payé la dette de reconnaissance que vous avez contractée envers vos parents ? — 3. Les Romains ne voulaient point de batailles hasardées mal à propos ni de victoires qui [*coûter*] trop de sang.—4. Il n'y a pas de faute qui ne [*pouvoir*] être rachetée par une contrition sincère. — 5. Il ne faut jamais vendre la peau de l'ours qu'on ne [*mettre*] l'animal par terre.

b) 1. Il arrive souvent que l'événement ne [*répondre*] pas à notre attente ; il convient alors que nous [*faire*] contre mauvaise fortune bon cœur. — 2. Dieu veut que nous [*savoir*] distinguer entre les biens méprisables et les biens vraiment solides. — 3. L'empereur Caligula souhaita un jour que le peuple romain n'[*avoir*] qu'une tête, afin qu'il [*pouvoir*] l'abattre d'un seul coup. — 4. Je voudrais que l'on [*mettre*] toujours parfaitement d'accord ses actes et ses pensées. — 5. Je doute que les hommes [*être*] plus heureux s'ils pouvaient connaître l'avenir. — 6. Dieu a voulu que les vérités divines [*entrer*] du cœur dans l'esprit.

741. — Même exercice.   [Gr. § 491.]

a) 1. Nous désirons qu'on [*retenir*] les autres par des règlements, et nous supportons avec peine qu'on nous [*contraindre*] en la moindre chose. — 2. Il est fort douteux que nous [*parvenir*] à ce beau succès si nous avions manqué d'ordre et de persévérance. — 3. Quoi que ma grand-mère [*faire*], elle le faisait avec un soin méticuleux. — 4. Il n'y a pas d'homme qui ne [*pouvoir*] rendre sa vie féconde s'il avait un noble idéal. — 5. Il n'y a rien qui [*se soutenir*] plus longtemps qu'une médiocre fortune ; il n'y a rien dont on [*voir*] mieux la fin que d'une grande fortune.

b) 1. Il faut que les héros de l'histoire [*découvrir*] une beauté bien exquise dans le devoir pour s'être exposés, même avec joie, à des douleurs incroyables ou à une mort affreuse. — 2. Les Égyptiens, dit Bossuet, sont les premiers où l'on [*savoir*] les règles du gouvernement. — 3. Le printemps venait ; quoique l'air [*être*] encore froid, on y sentait circuler des brises déjà tièdes. — 4. Si vous saviez descendre en vous-mêmes et que vous [*avoir*] le courage de vous examiner sans complaisance, vous verriez mieux les défauts dont il faudrait vous corriger. — 5. Dieu a voulu que nous [*vivre*] au milieu du temps dans une attente perpétuelle de l'éternité.

742. — Même exercice.   [Gr. § 491.]

a) 1. Je désirerais que chacun de vous [*avoir*] une devise. — 2. Savoir se gêner est une des premières choses qu'on [*devoir*] apprendre. — 3. Mentor voulait une grande quantité de jeux et de spectacles qui [*animer*] tout le peuple. — 4. Quelque mérite qu'il [*y avoir*] à négliger les grandes places, il y en a peut-être encore plus à les bien remplir. — 5. Les anciens Gaulois, dit-on, ne craignaient qu'une chose, c'est que le ciel ne [*tomber*] sur leur tête. — 6. Grand-mère avait voulu que je [*avoir*], pour mon dixième anniversaire, un costume neuf et que je [*être*] le héros d'une fête de famille organisée dans toutes les règles.

b) 1. Saint Paul, tout grand apôtre qu'il était, et quoique sa conscience ne lui [*reprocher*] rien, ne se croyait pas pour cela justifié. — 2. Quand une passion aveugle occupe notre âme, nous cherchons avec subtilité les raisons qui la favorisent et nous craignons qu'on ne nous [*faire*] voir celles qui la condamnent. — 3. Pouvons-nous douter un instant que, dans notre tendre enfance, notre mère ne nous [*entourer*] des soins les plus attentifs ? — 4. Le savetier de la fable se plaignait que l'on ne [*pouvoir*] acheter au marché la tranquillité et le sommeil. — 5. Chez ma grand-mère, nous étions très sages ; nous demeurions parfois deux ou trois heures à regarder des images et nous arrivions au bout de l'album sans qu'on nous [*faire*] la moindre réprimande.

Discours indirect.

743. — Discernez les phrases où l'on a le *discours direct* et celles où l'on a le *discours indirect*. [Gr. § 492.]

a) 1. Joubert disait : « Ferme les yeux et tu verras ». — 2. Mon père me répétait volontiers que rien de grand ne se fait sans efforts ou sans sacrifices. — 3. Le loup répondit qu'il fallait qu'il se vengeât. — 4. Léopold Ier disait : « Je n'ai d'autre désir que celui de vous voir heureux. » — 5. Godefroid de Bouillon déclara qu'il ne voulait pas porter une couronne d'or là où le Sauveur avait porté une couronne d'épines.

b) 1. Que de fois nos maîtres nous ont rappelé que la persévérance est une des meilleures conditions du succès ! — 2. Le lion tint conseil et dit : « Mes chers amis, je crois que le ciel a permis pour nos péchés cette infortune. » — 3. Ésope répondit que la langue était la meilleure et la pire des choses. — 4. Sire, dit le renard, vous êtes trop bon roi. — 5. Le roi Albert proclama en 1914 qu'il avait foi dans nos destinées et que Dieu serait avec nous dans cette juste cause.

744. — Complétez les phrases suivantes en employant : [Gr. § 492.]

a) le discours direct : 1. Le laboureur de la fable disait à ses enfants ... — 2. Un proverbe déclare ... — 3. Un poète a dit ... — 4. Les bergers adoraient l'Enfant Jésus et les anges chantaient ...

b) le discours indirect : 1. L'agneau répondit au loup ... — 2. Tous les moralistes affirment ... — 3. Notre conscience nous dit ... — 4. Nous avions projeté pour aujourd'hui une magnifique excursion ; hélas ! le bulletin météorologique de la radio annonce ...

745. — Transformez la construction des phrases suivantes par l'emploi du *style indirect libre* : [Gr. § 492.]

1. Une femme se présenta et raconta que le malheur l'avait frappée, que son mari était malade, que ses enfants manquaient de vêtements, que son loyer n'était pas payé, qu'elle était absolument sans ressources. — 2. L'hiver venu, la cigale alla trouver la fourmi et dit qu'elle souffrait cruellement de la faim, qu'elle suppliait sa charitable voisine de lui prêter quelques grains, qu'elle la payerait sans faute avant l'août. — 3. L'officier s'avança devant ses hommes et leur dit que le moment était venu de montrer du courage, que la patrie comptait sur eux, qu'ils n'avaient qu'à se souvenir de leurs aïeux, que la victoire était à eux s'ils savaient faire tout leur devoir.

746. — Transformez la construction des phrases suivantes par le passage du *style indirect libre* au *style indirect ordinaire* :
[Gr. § 492.]

1. Des députés du peuple rat vinrent trouver le rat retiré du monde et lui demandèrent quelque aumône légère : ils allaient en terre étrangère chercher du secours contre le peuple chat ; leur capitale Ratapolis était bloquée ; on les avait contraints de partir sans argent, attendu l'état indigent de la république attaquée ; ils demandaient fort peu, certains que le secours serait prêt dans quatre ou cinq jours. — 2. Très aimablement ma tante vint prendre de nos nouvelles : elle avait appris nos embarras ; comment se serait-elle dispensée de nous faire une visite ? n'avait-elle pas bien des raisons de nous montrer son affection ? elle s'offrait à nous aider de tout son pouvoir ; Dieu d'ailleurs nous soutiendrait.

747. — Transformez la construction des phrases suivantes par le passage du *style indirect* au *style direct* :   [Gr. §§ 492-493.]

1. Si quelqu'un prétend qu'on peut s'enrichir sans travailler, le croirez-vous ? — 2. Pascal a dit que l'homme est un roseau, mais un roseau pensant. — 3. Nos parents nous répètent constamment que l'instruction est un vrai trésor. — 4. Dieu dit à Moïse qu'il frappât le rocher et qu'il en jaillirait de l'eau. — 5. Le roi Albert disait le 3 août 1914 qu'un pays qui se défend s'impose au respect de tous. — 6. César a affirmé que de tous les peuples de la Gaule les Belges étaient les plus braves. — 7. Avant de mourir, le laboureur de la fable fit venir ses fils et leur dit qu'ils se gardassent de vendre leur champ, qu'un trésor était caché dedans et qu'un peu de courage le leur ferait trouver.

748. — Transformez la construction des phrases suivantes par le passage du *style direct* au *style indirect* :   [Gr. §§ 492-493.]

1. Notre professeur nous a dit : « Je suis très content de vous. » — 2. L'âne vint à son tour et dit : « J'ai souvenance d'avoir mangé un peu d'herbe dans un pré de moines. » — 3. Selon la tradition, François Ier, battu à Pavie, en 1525, écrivait à sa mère : « Tout est perdu, fors l'honneur. » — 4. L'avare Harpagon, à qui on avait volé sa cassette, criait : « Je suis perdu, je suis assassiné, on m'a coupé la gorge : on m'a dérobé mon argent ! » — 5. On objectait à Jeanne d'Arc : « Tu dis que Dieu veut délivrer le peuple de France ; si telle est sa volonté, il n'a pas besoin de gens d'armes. » Jeanne répondit : « Les gens d'armes batailleront, et Dieu donnera la victoire. » — 6. Mes enfants, ne dites pas : « Je suis trop faible pour m'acquitter de ce devoir » ; affirmez plutôt : « Ce devoir, je veux l'accomplir. »

749. — Employez, dans le texte suivant, le *discours indirect* :
[Gr. §§ 492-493.]

Une Lettre de nouvelles.

Mon père avait envoyé un peu avant l'investissement de Paris en
1871 une lettre pleine d'espoir. Il disait : Avec quelle surprise heureuse
j'**ai** vu pour la première fois le grand Paris ! Les Parisiens sont du drôle
de monde ; ils ont d'ailleurs le cœur sur la main et ils ont reçu les gars
de province comme de bons gars ; on s'en va avec eux bras dessus bras
dessous ; on fait beaucoup de bruit dans les rues. Je suis allé avec eux
à Vincennes : il y avait là des canons de quoi chasser les Prussiens de
toute la France ; d'ailleurs les Prussiens n'oseront jamais s'avancer
ni s'attaquer à Paris.

D'après Ch. PÉGUY.

750. — Même exercice.   [Gr. §§ 492-493.]

Un Sauvetage.

a) [*Le sapeur Dumont nous raconta que...*]

Il était dix heures du soir lorsque j'arrivai à l'usine en compagnie
de nos amis. Un vaste bâtiment, percé de larges baies, brûlait dans les
trois quarts de sa longueur. Tout à coup un grand cri s'éleva sur la
place, et je ne vis plus rien que mon père penché vers nous et portant
une forme humaine entre les bras. Le corps fut descendu de mains en
mains et porté à travers la foule dans la direction de l'hôpital, tandis
que mon père, faisant un signe à ses camarades, recevait un énorme
jet d'eau sur tout le corps et se replongeait tranquillement dans la
fumée.

b) [*Le sapeur Dumont ajouta que...*]

Mon père reparut au bout d'une minute, apportant cette fois une
femme qui criait. Un immense applaudissement salua son retour ;
la foule lui criait : « Vive Dumont ! » et aussi : « Prenez des précautions,
Dumont ! »

c) [*Le sapeur Dumont dit encore que...*]

Mon père reparut de nouveau à la fenêtre ouverte : il tenait cette
fois deux enfants évanouis. C'était la fin ; on savait fort bien que le
chef d'atelier était le seul habitant de cette maison et que sa famille
ne comptait que quatre personnes. Lorsqu'on vit que le sauveteur allait
rentrer dans la fournaise on lui cria : « Assez ! Descendez, Dumont ! »

D'après E. ABOUT.

CHAPITRE XIII

LA PONCTUATION

751. — Mettez à l'endroit marqué par un petit trait vertical, soit un *point*, soit un *point d'interrogation*, soit un *point d'exclamation*.
[Gr. §§ 494-498.]

a) 1. Le livre est pour nous un vrai trésor | Je ne parle pas du livre mauvais, qui détruirait ce que nous avons d'excellent dans l'esprit et dans le cœur | Faut-il dire que je ne parle pas non plus du livre médiocre ou frivole, qui remplirait notre esprit d'idées vulgaires ou dangereuses | Je parle du bon livre | — 2. Dieu | que le son du cor est triste au fond des bois | — 3. Oh | combien je voudrais soulager la misère de ceux qui souffrent | Qui ne se sent ému en se représentant leur triste sort | — 4. Le vrai bonheur qu'on a vient du bonheur qu'on donne |

b) 1. La charité chrétienne ne demande-t-elle pas que nous vivions en paix avec nos frères | —2. Hélas | Que de maux la guerre a répandus sur la surface de la terre | — 3. Les belles actions cachées sont les plus méritoires | — 4. Je me demande pourquoi nous ne sommes jamais contents de notre sort | — 5. Ah | mon cher petit village | Quand reverrai-je ton clocher, tes maisons accueillantes et ta simplicité |

752. — Justifiez l'emploi de la *virgule*. [Gr. § 499.]

a) 1. Les richesses, les honneurs, les plaisirs, passent. — 2. On aime la compagnie d'un homme bon, juste, aimable. — 3. Seigneur, vos desseins sont impénétrables. — 4. Ambiorix, chef des Éburons s'enfuit dans les forêts de la Germanie. — 5. Dans le malheur, nous lèverons nos regards vers le Tout-Puissant. — 6. Ni l'or, ni la grandeur, ni les plaisirs, ne sauraient nous rendre pleinement heureux.

b) 1. Rompez, rompez tout pacte avec les méchants. — 2. On marche, on court, on rêve, on souffre, on tombe, et bientôt la vie est terminée. — 3. La renommée a pu vanter la naissance, ou les richesses, ou le talent d'un homme ; rappelez-vous, mes amis, que ni les biens matériels ni les qualités de l'esprit ne suffisent pour faire un véritable grand homme. — 4. L'égoïste ne sent que ses maux ; que lui font, à lui, les souffrances des autres ? — 5. Le soir venu, nous fîmes halte.

c) 1. Gardez-vous des flatteurs, car ils sont dangereux. — 2. Le devoir d'un chef est de commander ; celui d'un subordonné, d'obéir. — 3. Le travail, qui paraît parfois si pénible, fait cependant notre félicité plutôt que notre misère. — 4. A bon vin, dit le proverbe, il ne faut point d'enseigne. — 5. Nous nous abstiendrons de toute action déloyale, parce que l'honneur le veut.

753. — Mettez la *virgule* là où elle est demandée.   **[Gr. § 499.]**

a) 1. La paresse l'indolence l'oisiveté consument beaucoup de belles énergies. — 2. Ayez un noble idéal mes chers amis et placez-le très haut. — 3. Charlemagne ce grand homme d'État visitait dit-on les écoles. — 4. Lorsque la passion nous domine notre raison est comme obscurcie. — 5. L'homme résiste à la force à la raison à la science au châtiment à tout ; il cède au bien qu'on lui fait. — 6. Grand-mère arrive : accourez et préparez-vous à crier : Bonne fête !

b) 1. Ce n'est ni le difficile ni le rare ni le merveilleux que nous devons chercher ; c'est le beau simple aimable commode que nous devons goûter. — 2. Dans la Chine d'autrefois les vieillards étaient l'objet d'une affection chevaleresque. — 3. Quand le devoir commande dit Corneille il lui faut obéir. — 4. Hérodote qu'on nomme le père de l'histoire raconte avec un art remarquable. — 5. Notre mérite nous a attiré la louange des honnêtes gens et notre chance celle du public.

754. — Même exercice.   **[Gr. § 499.]**

a) 1. La modestie vous le savez sied à tout le monde. — 2. Dans la fraîcheur du soir des souffles tièdes des rumeurs des parfums subtils circulent doucement. — 3. Vous vos bergers vos chiens disait le loup à l'agneau vous ne m'épargnez guère. — 4. Le Père Damien ce pur héros de la charité est mort au service des lépreux à Molokaï en 1889 ; ses restes ramenés en Belgique ont été inhumés à Louvain en 1936. — 5. Quelle que soit l'issue d'un rêve généreux il grandit toujours celui qui l'a fait.

b) 1. Si je passais une journée sans travailler disait Pasteur il me semble que je commettrais un vol. — 2. Veillez et priez car vous ne savez ni le jour ni l'heure de votre mort. — 3. Quand tu auras perdu ton unique bien il te restera encore le bien que tu peux faire aux autres. — 4. Je vous dis moi que l'on n'est grand que par le cœur. — 5. Comme les animaux sont sensibles à la douleur il est indigne de nous de les maltraiter de les frapper de leur imposer des souffrances inutiles.

755. — Mettez, à l'endroit marqué par un petit trait vertical, soit un *point-virgule*, soit *deux points*, soit des *points de suspension*, soit des *guillemets*. [Gr. §§ 500-505.]

a) 1. Chaque homme a trois caractères | celui qu'il a, celui qu'il montre et celui qu'il croit avoir. — 2. Le renard dit au bouc | | Que ferons-nous, compère ? | — 3. Quand nous cherchons la vérité, méfions-nous de nos sens | il n'est pas toujours sûr, par exemple, que nous ayons bien vu et entendu | de là des erreurs sur les faits et sur les personnes. — 4. Je me verrai trahir, mettre en pièces, voler, sans que sois | Morbleu ! je ne veux point parler, disait le misanthrope. — 5. Si nous en croyons l'épitaphe que La Fontaine composa pour lui-même, le fabuliste faisait de son temps deux parts | l'une, il la passait à dormir | l'autre, à ne rien faire.

b) 1. Napoléon s'écria | | Allons ! faites donner la garde ! | — 2. L'accusé déclara qu'il | travaillait | dans le cambriolage et dans le vol à main armée. — 3. Bravement cet homme revint d'Amérique pour faire une révolution | dans la confiserie. — 4. La pauvre mère répétait sans cesse | Ah ! si j'avais pu prévoir | — 5. Il faut, autant qu'on peut, obliger tout le monde | on a souvent besoin d'un plus petit que soi.

756. — Mettez, aux endroits marqués par de petits traits verticaux, les signes de ponctuation convenables. [Gr. §§ 494-508.]

a) 1. Tout passe ici-bas | la gloire | les richesses | les plaisirs | seule la vertu reste | — 2. Trois choses sont nécessaires pour arriver au succès | le talent | la méthode | la persévérance | mais peu de gens les possèdent | — 3. Il est nécessaire qu'un enfant soit poli | rien n'est plus beau | plus aimable | que la politesse | — 4. Hélas | si j'avais su | Mais que ferai-je | maintenant que le malheur m'a frappé | — 5. Quand je rends un service | disait Franklin | je ne crois pas accorder une faveur | mais payer une dette |

b) 1. Si l'on dit du mal de toi et qu'il soit véritable | corrige-toi | si ce sont des mensonges | contente-toi d'en rire. — 2. Ce que nous savons | c'est une goutte d'eau | ce que nous ignorons | c'est l'océan. — 3. Telle est la loi de l'Univers | si tu veux qu'on t'épargne | épargne aussi les autres | — 4. Connaissez-vous le proverbe oriental | Ne laissons pas croître l'herbe sur le chemin de l'amitié | — 5. Le bon élève | par son mérite | par son intelligence | par son application | conquiert la bienveillance et l'affection de ses professeurs | cette bonne opinion que ses professeurs ont de lui | il tient à honneur de ne pas la démentir | elle est pour lui une sorte de tutelle morale.

757. — Mettez les divers signes de ponctuation. [Gr. §§ 494-508.]

Le Culte de la Vérité.

La vérité dit Massillon est la seule chose ici-bas qui soit digne des soins et des recherches de l'homme Elle seule est la lumière de notre esprit la règle de notre cœur la source de la bonne conscience la terreur de la mauvaise la peine secrète du vice la récompense intérieure de la vertu elle seule immortalise ceux qui l'ont aimée illustre les chaînes de ceux qui souffrent pour elle attire des honneurs publics aux cendres de ses martyrs enfin elle seule inspire des pensées magnanimes forme des âmes héroïques et des sages dignes de ce nom

Tous nos soins devraient donc se borner à la connaître tous nos talents à la manifester tout notre zèle à la défendre

758. — Même exercice.   **[Gr. §§ 494-508.]**

Dur Labour.

a) Le soc mordait avidement L'humus sec plein de l'engrais de cendre montrait le cœur pierreux du rocher millénaire L'homme s'obstina Quand il avait atteint l'extrémité de la longue bande horizontale gagnée sur le bois et sur la fagne il revenait à son point de départ Peu importe les grincements de l'acier les injures subies par la lame qui n'est pas moins luisante mais dans laquelle des dents de scie commencent d'apparaître

b) L'important c'est la succession régulière des lignes tracées à flanc de coteau Au manteau déguenillé et sauvage l'industrie du laboureur substitue un bel uniforme strié rouge et brun Ah ah elle a beau se plaindre et résister opposer au glaive de la charrue la triple défense de l'humus desséché du schiste et du roc la terre est plus sienne à chaque montée à chaque descente Depuis combien de temps le misérable cheval et l'homme énergique sont-ils attelés ensemble à la rude besogne

H. DAVIGNON.

TABLE DES MATIÈRES

ÉDITIONS J. DUCULOT, S. A., GEMBLOUX *(Imprimé en Belgique).*